JAMES ROUSSELLE

français quatrième secondaire

TEXTES

8101, boul. Métropolitain Est, Anjou, Qc, Canada H1J 1J9
Téléphone: (514) 351-6010 Télécopieur: (514) 351-3534

Directrice éditoriale
Emmanuelle Bruno

Directrice de la production
Danielle Latendresse

Chargée de projet et réviseure
Danielle Champagne

Correctrice d'épreuves
Audette Simard

Recherchiste (droits des textes et des photos)
Carole Régimbald

Conception et réalisation technique

FLEXIDÉE

Couverture
(G) Théâtre: *Arlequin, serviteur de deux maîtres*, (Pierre-Henry Reney, Illustrations Picto enrg.
(C) Peinture: *Audrey* (1957), Jean Dallaire, Musée des beaux-arts du Canada, Ottawa, (Succession JeanDallaire/SODRAC (Montréal), 2000
(D) Cinéma: *Eldorado*, film de Charles Binamé, produit par Cité-Amérique, photo de Pierre Dury

Illustrations intérieures
Smash Design (Boulerice et Olivier): pages 229, 232, 237, 238, 239, 246, 247, 248, 260, 261, 262, 263.

L'auteur désire remercier Isabelle Goyer et Emanuele Setticasi pour leur collaboration à la recherche de textes et Geneviève Letarte pour la rédaction des notices biographiques. Il remercie aussi tous ses lecteurs, Marguerite Tremblay, Dany Boudreault, Louise Roy, Dominique Fortier, Karine Pouliot, Lorraine Blanchard, Jean-Pierre Mercier, Louise Munger, Benoit Paré, Jocelyne Deslandes, Ghislaine Roy, Suzanne Gourd et Lucie Blouin.

Dans cet ouvrage, la féminisation des titres de fonction et des textes s'appuie sur les règles d'écriture proposées par l'Office de la langue française dans le guide *Au féminin*, Les publications du Québec, 1991.

8101, boul. Métropolitain Est
Anjou (Québec) H1J 1J9

Dépôt légal: 2e trimestre 2000
Bibliothèque nationale du Québec
Bibliothèque nationale du Canada

ISBN 2-7617-1632-9

Imprimé au Canada
1 2 3 4 5   04 03 02 01 00

La culture, connais pas ?

Si l'on vous demandait de dire ce que vous savez des Rébellions de 1837 et 1838, de la crise économique qui a secoué l'Amérique dans les années 1930, de la Révolution tranquille qui a transformé la société québécoise au début des années 1960, du métissage culturel qui est apparu à la fin du XXe siècle, sauriez-vous répondre ?

Est-ce important de pouvoir répondre à ces questions ?

Avez-vous déjà participé à des discussions sur les inégalités économiques qui divisent la planète, sur la qualité des aliments qui se trouvent dans votre assiette, sur le rôle des jeunes dans une société où le profit prend le dessus sur la qualité de vie et la préservation de l'environnement.

Est-ce utile de le faire ?

Connaissez-vous Gabrielle Roy, Marie-Claire Blais, Gratien Gélinas, Michel Tremblay, Guy de Maupassant, Claire Martin, Edgar Allan Poe, Jacques Ferron, Monique Proulx ? Avez-vous déjà assisté à la représentation d'une pièce de théâtre ? Qu'ont écrit Shakespeare, Molière, Corneille, Ionesco, Marcel Dubé, Marco Micone, Marie Laberge ?

Est-il possible de réussir sa vie sans connaître ces auteurs ni avoir lu leurs œuvres ?

La culture des jeunes est un sujet qui semble préoccuper les médias. On y accuse régulièrement les jeunes de «manquer de culture»; on leur reproche de ne pas connaître leur histoire; on les dit incapables de formuler et de défendre des opinions; incapables de lire autre chose que des bandes dessinées; incapables de nommer des auteurs qui ont marqué l'histoire littéraire. Certains, toutefois, voient dans leurs comportements des signes de la relève; ils affirment même que les jeunes seraient à réinventer la culture.

Quelle image correspond le mieux à la réalité ?

Ce manuel n'a pas pour but de répondre à ces questions, encore moins de porter un jugement sur ce que la nouvelle génération pense de la culture. Il s'agit plutôt d'un corpus de textes où il est beaucoup question de culture. Il présente d'abord un survol d'événements historiques importants qui ont inspiré des créatrices et des créateurs et ont donné naissance à des œuvres marquantes. Il propose ensuite la lecture de **nouvelles littéraires**, d'extraits de **pièces de théâtre**, de **poèmes** et de **chansons** d'auteurs majeurs de la littérature classique et contemporaine. Il regroupe également des **textes argumentatifs** qui témoignent de grands débats de la société du début du XXIe siècle.

Je vous invite donc à lire ces textes qui, je l'espère, vous passionneront comme ils m'ont passionné, éveilleront votre curiosité et vous aideront, peut-être, à tracer vos propres parcours dans les sentiers de la culture.

James Rousselle

visions d'artistes — regards critiques 1

LES RÉBELLIONS 1837-1838 2

La Complainte des hivers rouges (Roland Lepage) 4
La *Complainte des hivers rouges*: plus que du théâtre (article critique) 7

Le Canard de bois (Louis Caron) 8
Une histoire enracinée dans le quotidien (article critique) 12
Je veux mettre en évidence que le drame humain, la peur, l'amour sont des sentiments universels (article critique) 13

...et des pommes de Saint-Hilaire (article critique) 14

DES ANNÉES FOLLES AU BABY BOOM 16

Misères et grandeurs de *La Petite Aurore* 18
La petite Aurore, l'enfant martyre (Léon Petitjean et Henri Rollin) 19
Triomphe de la laideur! (article critique) 21

Gratien Gélinas nous donne une grande pièce de théâtre 22
Tit-Coq (Gratien Gélinas) 24

Bonheur d'occasion (Gabrielle Roy) 27
Bonheur d'occasion (article critique) 31

Le prix Médicis à Marie-Claire Blais 32
Une saison dans la vie d'Emmanuel (Marie-Claire Blais) 33
Zola au Canada (article critique) 35

Au Musée des beaux-arts, La Rétrospective Borduas (article critique) 36

DE LA RÉVOLUTION DITE TRANQUILLE À LA CRISE D'OCTOBRE 38

Un best-seller de la Révolution tranquille: Les Insolences du frère Untel 40
Les Insolences du frère Untel (Jean-Paul Desbiens) 41

Les Belles-Sœurs (Michel Tremblay) 44
L'amour du «joual» et des timbres-primes (article critique) 47
Une entreprise familiale de démolition (article critique) 48

Les Ordres: un double hommage 49
Les Ordres de Michel Brault, un très grand film sur un très grand sujet (article critique) 50
125 000 personnes sur les plaines d'Abraham pour voir Leclerc, Vigneault et Charlebois! (article critique) 52

Jean-Paul Lemieux: le long voyage (article critique) 54

DIVERSITÉ CULTURELLE ET RAYONNEMENT MONDIAL 56

Eldorado: un film vrai 59
Eldorado, troublante jeunesse d'aujourd'hui (article critique) 60

Après Robert Lepage, Limoges consacre Wajdi Mouawad 61
Littoral (Wajdi Mouawad) 61
Une balise dans la dramaturgie québécoise (article critique) 64

Garage Molinari (Jean-François Beauchemin) 65
Et si la vie se faisait belle? (article critique) 68

le temps d'un instant 69

Le Récit d'une heure (Kate Chopin) 71
Toute la vie (Claire Martin) 75
La Parure (Guy de Maupassant) 77
Un beau tumulte ! (Anton Tchekhov) 83
Le Portrait ovale (Edgar Allan Poe) 89
Le Tableau (Jean Ray) 93
Le Passe-muraille (Marcel Aymé) 97
N'accusez personne (Julio Cortázar) 105
La Balade des siècles (Andrée Chédid) 109
Les Transports en commun (Monique Proulx) 115
Le Fataliste (Isaac Bashevis Singer) 117
Pauvre Petit Garçon (Dino Buzzati) 123
Nous sommes des salauds (Salarrué) 127
Un crime vraiment parfait (Ray Bradbury) 131
Erreur fatale (Fredric Brown) 137
Le Bouquet de noce (Jacques Ferron) 139
Il marie sa fille (Albert Laberge) 141
À propos de ma rencontre avec la fille cent pour cent parfaite par un beau matin d'avril (Haruki Murakami) 149
Poldi (Carson McCullers) 153
À cinq ans, mon frère m'a dit je t'aime (Lise Vaillancourt) 159
Une virgule comme bouclier (Anne Dandurand) 163
Le Champion (Jean Cau) 169

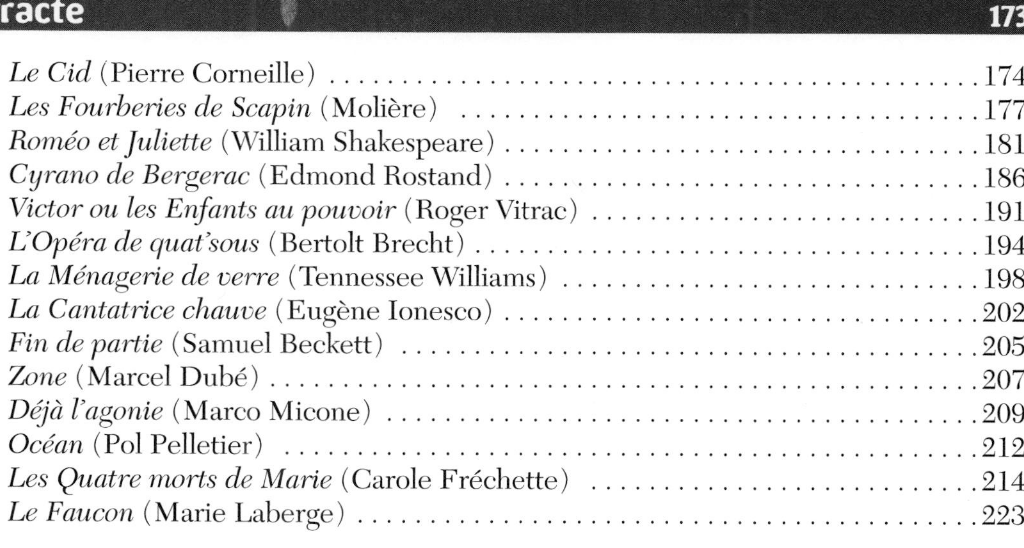

entracte 173

Le Cid (Pierre Corneille) 174
Les Fourberies de Scapin (Molière) 177
Roméo et Juliette (William Shakespeare) 181
Cyrano de Bergerac (Edmond Rostand) 186
Victor ou les Enfants au pouvoir (Roger Vitrac) 191
L'Opéra de quat'sous (Bertolt Brecht) 194
La Ménagerie de verre (Tennessee Williams) 198
La Cantatrice chauve (Eugène Ionesco) 202
Fin de partie (Samuel Beckett) 205
Zone (Marcel Dubé) 207
Déjà l'agonie (Marco Micone) 209
Océan (Pol Pelletier) 212
Les Quatre morts de Marie (Carole Fréchette) 214
Le Faucon (Marie Laberge) 223

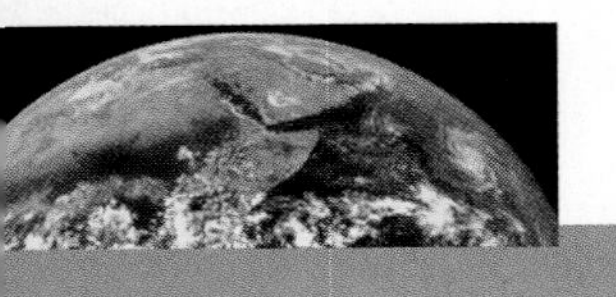

aux quatre coins de l'univers 225

Ce qui se passe vraiment… comment l'interroger, comment le décrire 226
Coup d'éclat aux Communes : Le député part avec sa chaise 227
Le courage de ses opinions 228
Vagissements d'un manipulateur 228
Jamais je ne pourrai (Claude Roy) 229
La fausse image qu'on se fait des jeunes 230
Alphabet (Joseph Paul Schneider) 232
Défi à la force (David Diop) 232
Éloge de l'instruction (Bertolt Brecht) 232

L'envers de la «Nouvelle Économie» 233
«Ils pourront couper toutes les fleurs…» (Jean Ziegler) 234
Les riches et les pauvres 235
Les Petites Gens (Clément Marchand) 237
La Vie d'factrie (Clémence DesRochers) 237
La Grasse Matinée (Jacques Prévert) 238
Le Maître et l'élève (Epalé-Ndika) 239

L'Homme ou la nature ? (Jean Rostand) 240
La fuite en avant 241
Les parcs québécois, un patrimoine à préserver 242
Ouvrir les yeux dans l'eau 244
Correspondances (Charles Baudelaire) 246
Le Relais (Gérard de Nerval) 246
Hymne à la beauté du monde (Luc Plamondon) 246
Il était une feuille (Robert Desnos) 247
L'Arbre (Jacques Charpentreau) 247
Ils cassent le monde (Boris Vian) 248
Aimer la vie, c'est aimer l'environnement 249

Les aliments mutants 251
OGM : il faut continuer 252
OGM : il faut arrêter 253
Le Prozac des enfants 254
Le Malade imaginaire (Molière) 255
C'est maintenant qu'il faut agir 256
Tabac et liberté 256
L'éducation et l'information contre le sida 257
Les humains vivent plus vieux mais pas mieux 258
Je suis une cigarette (Mathieu Chédid) 260
Oxygène (Luc Plamondon) 260
Cette vie, la porter… (Michel Baglin) 262
Que déjà je me lève en ce matin d'été (Eugène Guillevic) 263
Alors regarde (Patrick Bruel) 263

Notices biogaphiques 264

Crédits photographiques 266

théâtre

spectacle cinéma roman

visions d'artistes — regards critiques

Depuis plus de deux siècles, le Québec a connu des événements qui ont marqué son évolution et sa culture. Romanciers, romancières, dramaturges, cinéastes y ont puisé leur inspiration et produit des œuvres qui en témoignent.

Ferme dans les années 1830.

Train de bois sur le Saint-Laurent.

1838

LES RÉBELLIONS

1837

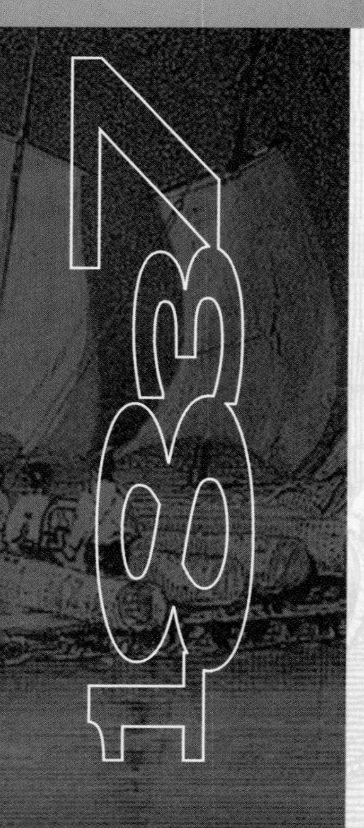

Les soulèvements de 1837-1838 ont été les manifestations violentes du malaise profond qui grugeait les racines politiques, économiques et sociales du Bas-Canada.

Tout a commencé avec le traité de Paris, par lequel la Nouvelle-France passe sous domination anglaise en 1763. La même année, la Proclamation royale établissait les bases de l'administration britannique sur les territoires d'Amérique du Nord. Les Anglais comptent déjà pour près de 12 % de la population en 1790. L'Acte constitutionnel de 1791 divise le territoire en deux parties, le Haut-Canada, majoritairement anglophone et le Bas-Canada, où vit une majorité de francophones, et fixe les règles de fonctionnement des Chambres d'assemblée.

Transport par charrette.

Après 1815, l'immigration britannique s'amplifie et se diversifie, si bien que, vers 1831, les Britanniques se trouvent majoritaires à Montréal et forment plus de 40 % de la population de la ville de Québec. De 1791 à 1840, la population du Bas-Canada a quadruplé; les Canadiens français doivent le maintien de leur position démographique à leur forte natalité.

Comble de malheur, des épidémies de choléra sévissent en 1832 et 1834. D'autre part, dès 1830, on note une chute de la productivité agricole causée par le surpeuplement, l'épuisement des sols et la méconnaissance des techniques nouvelles. Le problème s'aggravera plus tard à la suite d'une crise économique qui touchera l'Angleterre et les États-Unis. Ce sont les francophones, majoritairement cultivateurs, qui souffrent le plus des problèmes reliés à l'agriculture, puisque les anglophones se consacrent au commerce.

Vers 1837, environ 15 000 immigrants britanniques et 45 000 Canadiens habitent le Bas-Canada. Les Canadiens considèrent normal que les Britanniques se plient aux lois de la majorité, alors que ceux-ci se voient plutôt comme des vainqueurs qui n'ont pas à se soumettre aux conquis. Pendant les deuxième et troisième décennies du XIXe siècle, le fossé se creuse de plus en plus entre francophones et anglophones.

En 1834, Louis-Joseph Papineau remporte une éclatante victoire et est élu à l'Assemblée du Bas-Canada. Les anglophones fondent le *Doric Club*, un groupe paramilitaire qui a pour but de défendre les intérêts britanniques. Cette même année, l'Assemblée du Bas-Canada adopte les 92 Résolutions demandant entre autres un Conseil législatif élu, le contrôle du budget, le maintien des lois françaises, l'usage du français, la concession des terres selon le mode seigneurial et un conseil exécutif responsable devant l'Assemblée. Presque trois ans plus tard, en avril 1837, la réponse arrive enfin au Canada. Par les résolutions Russell, l'Angleterre oppose aux Patriotes une fin de non recevoir, déclenchant une vague de mécontentement. Des assemblées de protestation ont lieu spontanément. Les députés réformistes décident de priver le gouvernement britannique de ses droits de douane en cessant d'acheter des produits importés. Les députés donnent l'exemple en se présentant à la Chambre vêtus d'étoffe du pays.

Le 5 septembre 1837, les Canadiens fondent l'Association des fils de la liberté, un groupe paramilitaire secret, pour donner le change au *Doric Club*. Deux mois plus tard, une bataille de rue oppose les Fils de la liberté et les membres du *Doric Club* à Montréal. Le 23 novembre, les Patriotes remportent une victoire à Saint-Denis, mais, mal organisés et mal équipés, ils s'inclinent deux jours plus tard à Saint-Charles. À Saint-Eustache, en décembre, la victoire britannique est complète, grâce à l'appui des milices anglaises.

Le soulèvement de 1838 est différent de celui de l'année précédente. En 1837, les Patriotes avaient répondu par les armes à la provocation britannique. En 1838, le soulèvement sera planifié, mais ne réussira pas pour autant. La loi martiale est proclamée le 4 novembre et plus de 800 personnes se retrouvent sous les verrous. Le bilan de cet épisode sanglant de l'histoire du Québec est négatif: plus de cent morts, une centaine d'exilés, douze pendus, des villages incendiés, des fermes pillées et saccagées et l'antagonisme racial exacerbé.

Pour régler le «problème», Lord Durham préconise l'assimilation des Canadiens français. Sa recommandation aboutira à l'Acte d'Union qui crée le Canada-Uni en 1840. Les Canadiens français, le clergé en tête, s'opposent à l'Union, entre autres, parce qu'ils n'ont toujours pas obtenu le gouvernement responsable. Ils ont une autre raison de se sentir lésés puisque la Chambre d'assemblée compte le même nombre de députés pour chacun des deux Canadas, même si le Bas-Canada, devenu Canada-Est, compte 20 000 habitants de plus que le Haut-Canada (Canada-Ouest). De plus, si la nouvelle constitution permet aux deux Canadas de conserver leurs lois propres, elle fait toutefois de l'anglais la seule langue officielle.

À partir des années 1830, le nationalisme «canadien» s'affirme en littérature comme en politique. Malgré lui, lord Durham donnera un essor imprévu à la littérature québécoise, puisque plusieurs spécialistes considèrent *L'Histoire du Canada* de François-Xavier Garneau, parue en 1845, comme la première véritable œuvre littéraire canadienne. De retour d'Europe où il a subi l'influence du romantisme, il entendait prouver par cet ouvrage que les Canadiens français n'étaient pas ce peuple sans littérature et sans histoire décrit par Durham.

Rue Notre-Dame à Montréal, au milieu du XIXe siècle.

auteur **Roland Lepage**
création **janvier 1978**

LA COMPLAINTE DES HIVERS ROUGES

pièce de théâtre

***Les insurgés* (1838), aquarelle de Jane Katherine Ellice.**

Au début du spectacle, toute la salle baigne dans l'obscurité. Une fois que les comédiens ont pris leurs places, une clarté rouge commence à vaciller, se diffusant à travers les échafaudages. À mesure que l'éclairage monte, toujours dans des tons rougeoyants, avec une espèce de vibration, comme les lueurs mouvantes d'un incendie, on entend les crépitements du feu. C'est tout un pays qui brûle !

On se met alors à percevoir une rumeur confuse qui, s'enflant peu à peu, comme une sourde lamentation, finit par s'exprimer dans les premiers couplets de la complainte.

CHŒUR, *chanté* —
Bas-Canadiens des vill', des villag', des campagnes,
Braves gens, bonnes gens de par tout le pays,
Des bords du fleuve au fond des lointaines montagnes,
Gens du Bas-Canada, écoutez bien ceci.

Y a deux hivers qu'on en gardera la mémoère
Pour longtemps, bien longtemps, de par tout le pays.
C'est des hivers marqués dans le liv' de l'Histoère
Par le sang, par le feu. Rapp'lez-vous-en aussi !

On entendait l'tocsin qui, d'église en église,
De clocher en clocher, et par tout le pays,
Sonnait l'alarm' pour dire à nos gens qu'ils se disent :
«Sauvons-nous, les Anglais s'en vont v'nir par ici !»

On pouvait voèr, la nuit, dévorées par les flammes,
Nos maisons qui brûlaient de par tout le pays.
Les habits roug' pâssaient, nos enfants et nos femmes
Étaient chassés déhors sans pitié, sans marci.

Adieu, nos biens détruits ! C'est la bande à Colborne
Qui nous a dévastés de par tout le pays.
Le Vieux Brûlot maudit, que le diâble l'encorne !
Y avait qu'un chien barbâr' pour traiter l'monde ainsi.

Avec l'éclairage, on a découvert la masse des comédiens, accrochés aux barres des échafaudages comme des mouches dans une toile d'araignée.

Ils sont restés immobiles, dans la même position, pendant toute la complainte. Sitôt la chanson finie, ils commencent à se déplacer, à se grouper autrement, certains grimpant vers le haut pour faire le guet au lointain.

4 FEMMES — Qu'est-c' c'est don', c'te grand'
[lueur rouge...
5 HOMMES — Roug' comm' le feu !
Roug' comm' du sang !
4 FEMMES — Qui embrâs' les pans du ciel bleu,
Qui ensanglant' l'hiver tout blanc ?
1 FEMME — On dirait d'la lueur qui bouge
Dans l'trou d'un four !
1 HOMME — Dans l'fond d'un' forge !
1 HOMME — Du nord au sud,
2 HOMMES — dans tout l'pays,
3 HOMMES — C'est comm' les flâmm' d'un abatis !
5 HOMMES — Ça brûl' la nuit couleur de feu,
Ça teint la neig' couleur de sang !
4 FEMMES — Qui c'est don', ces band' d'habits
[rouges...
5 HOMMES — Roug' comm' le feu !
Roug' comm' du sang !
4 FEMMES — Qui suiv' les bords du Richelieu,
Qui r'mont' vers le nord en tous sens ?
1 FEMME — Des bancs d'fumée !
1 FEMME — Des omb' qui bougent !
1 HOMME — Du mond' qui court,
El'cœur dan'a gorge !
1 HOMME — L'bruit des tambours s'rapproch' d'ici !
2 HOMMES — La troupe anglais' pâss' dans l'pays
5 HOMMES — Avec ses torch' pour mett' le feu,
Ses baïonnett' r'luisant' de sang !
4 FEMMES — C't encôr' l'armée des habits rouges !
5 HOMMES — C't encôr' l'année de l'hiver rouge !
CHŒUR — Roug' comm' le feu !
Roug' comm' du sang !

À part trois hommes qui restent en haut des échafaudages, tous les autres descendent rapidement, sautent par terre et courent se grouper d'un même côté du plateau.

Représentation d'un Patriote par Henri Julien.

Les troupes anglaises avancent vers Saint-Charles.

FEMME 1 — Ça r'commence !

FEMME 2 — C'est comm' l'année pâssée.

HOMME 1 — Encôr' le même mois d'novemb', pareil comme l'année pâssée !

FEMME 3 — Dites-moè pas qu'ça va r'commencer !

HOMME 2 — Moè, j'ai ben peûr que l'hiver de c't'année soye aussi pire que l'aut' qu'on vient d'pâsser.

FEMME 4 — Pire encôre, peut-êt' ben.

FEMME 3 — Mon doux Jésus ! Ça s'peut pas !

FEMME 2 — On peut pas r'commencer à pâtir les mêmes miséres comme on'nn a enduré l'hiver darnier !

Trois hommes sont restés accrochés dans le haut des échafaudages. Ils sonnent le tocsin, en balançant des guitares en guise de battants de cloches.

3 HOMMES — Novembre dix-huit cent trente-huit !

HOMME 3 — Les cloches ont r'commencé à carillonner dans tous les clochers.

HOMME 4 — D'église en église, de village en village, c'est l'tocsin qui s'arrête pas d'sonner.

HOMME 5 — De maison en maison le long des ch'mins, de grange en grange à travers les terres, y a la même traînée d'feu qui s'arrête pas d'tout ravager.

HOMME 3 — Bord en bord du ciel, de Saint-Charles à Laprairie, de Napierville à Châteauguay, y a toujours les mêmes gros nuag' de fumée qui finissent plus d'voyager.

HOMME 4 — Les quat' vents s'essoufflent comm' des soufflets d'forge à balayer la vaste étendue des campagnes en faisant grêler des tisons.

HOMME 5 — Partir des quat' coins d'l'horizon, jusqu'à hauteur des étoèles, on voèt monter des colonnes de lueurs rouges.

HOMME 3 — Partout su'es eaux du Richelieu...

HOMME 4 — Su'es eaux d'la riviér' Chambly...

HOMME 5 — Su'es eaux des bords du fleuve...

HOMMES 3, 4 et 5 — Partout l'incendie allume des reflets d'fournaise ardente, des grandes nappes rouges, qui flottent jour et nuit dan'a dérive du courant.

FEMME 1 — C'tait ben d'même, l'année pâssée. Y avait des soèrs, on aurait dit qu'les riviéres chârriaient du sang.

[...]

Roland Lepage, *La Complainte des hivers rouges*, © Leméac, 1974.

Roland Lepage

Roland Lepage naît à Québec en 1928. Ce comédien et dramaturge écrit le scénario de plusieurs émissions de télévision pour la jeunesse, dont *La Ribouldingue* et *Marie-Quatre-Poches*. Il enseigne ensuite à l'École nationale de théâtre, puis assume la direction du Théâtre du Trident. Il est l'auteur de deux pièces de théâtre, *Le Temps d'une vie* (1974) et *La Complainte des hivers rouges* (1974), ainsi que d'un roman, *La Pétaudière* (1975).

La *Complainte des hivers rouges*: plus que du théâtre

PAR JACQUES LARUE-LANGLOIS

La Complainte des hivers rouges, de Roland Lepage; une production de la Compagnie Dent-de-lion, mise en scène par Michelle Rossignol, assistée de Denise Dion; musique: Joël Bienvenue sur des thèmes de Jean Cloutier; costumes: Mérédith Caron; décor et éclairages: Louise Lemieux; avec: Denis Bouchard, Rémy Girard, Germain Houde, Andrée Lachapelle, Raymond Legault, Roland Lepage, Denise Morelle, Marie Tifo et Julie Vincent ainsi qu'un quatuor de musiciens dirigé par Joël Bienvenue; à l'affiche du Théâtre Arlequin, 1004 est, rue Sainte-Catherine, à 20 h 30, jusqu'au 9 mars – relâche les lundis.

■

Voyez, arrière-petits-fils de ces fous têtus qui ont laissé leur peau dans ce combat pour la liberté, le Bas-Canada qui brûle derrière eux, les granges et les maisons qui rougeoient dans des ciels de novembre, les villages entiers consumés par la torche du Vieux Brûlot, les femmes courageuses de ces patriotes dont nos curés, longtemps gardes-chiourme d'une instruction étouffante, se sont en général bien gardés, de concert avec l'occupant, de nous raconter les exploits. Le cours d'histoire retracé ici, s'il se permet de glisser à la surface des faits, de choisir subjectivement son angle de présentation, d'omettre certains aspects de ces pages épiques, de synthétiser, de théâtraliser pour mieux toucher, n'en est pas moins sérieux et efficace.

Écrite et publiée dès 1974 par Roland Lepage, chez qui nos racines profondes ont déjà fait surgir le magnifique *Temps d'une vie*, cette complainte, qui a tout du blues québécois, avait déjà suscité de vives émotions chez le public du Grand Théâtre de Québec, où elle avait été présentée il y a deux ans. Il était essentiel – et son à-propos ne peut tomber plus à pic, à quelques mois des grandes décisions à prendre – que les Montréalais la vissent.

Pour monter ce texte tragique, à la fois exotique dans sa parlure et réaliste dans sa simplicité sentie, Michelle Rossignol, aidée par un appareil scénique constitué d'échafaudages sur lesquels les comédiens se livrent à d'audacieuses pirouettes dans un éclairage rouge comme le feu et le sang dont il évoque l'omniprésence, a choisi la transposition stylisée par tableaux successifs. Vêtus des splendides costumes de Mérédith Caron, qui font époque tout en demeurant

Les Patriotes aux armes.

théâtraux, les acteurs multiplient les morceaux de bravoure en assumant tous plusieurs personnages dans une série ininterrompue de séquences qui font revivre non pas les grandes lignes froidement historiques de l'épopée, mais les passions lyriques dont elle a déchiré les intervenants.

Lepage a parsemé son texte de quelques-unes des plus belles lettres écrites par les victimes et leurs proches et Rossignol les a fait dire aux comédiens sur un ton qui transcende la littérature, rejoignant l'humain. Il faut louer avant tout la cohésion totale de ces neuf acteurs, la juste répartition des rôles multiples et l'esprit de corps qui les soude en une unité d'interprétation théâtrale.

Pour lier le tout, la musique de Joël Bienvenue porte le jeu scénique sur un plan de presque oratorio dont les sources, tout en étant très proches de notre passé musical immédiat, dépassent tout esprit purement folklorique et entraînent le public dans une autre dimension de délire sensoriel.

La Complainte des hivers rouges est davantage que du théâtre. C'est un événement. Et un événement politique se situant sous ce rapport dans la lignée des trois versions, déjà vieilles d'une décennie, de *Chants et poèmes de la résistance*. La vraie différence, c'est qu'ici on sent la cohésion du texte et la maîtrise dramatique toute professionnelle d'une grande production scénique. Jamais je n'ai été aussi ému et de façon aussi soutenue au théâtre. D'ailleurs, l'ovation magistrale du public après la première, marquée de «oui» scandés au rythme des applaudissements, témoigne du fait que cette vive émotion étreignait la salle entière.

Bravo Lepage! Bravo Rossignol! Bravo toute l'équipe! □

auteur **Louis Caron**
parution **1981**

LE CANARD DE BOIS

roman historique

Puis il dénoua les lanières de ses raquettes et les planta dans la neige à la limite de la lueur.

Un bleu de fin de jour. La neige commençait à se tasser au pied des bouleaux. Bruno Bellerose finissait de couper des repousses sur le tracé d'un chemin qui n'avait pas servi depuis plusieurs années. C'était sur la concession des McBride, à une heure de marche du camp, à six heures de camion du plus haut relais dans la forêt, à quatre heures d'autobus ensuite de La Tuque, la ville la plus au nord, puis à deux heures de train de Trois-Rivières, d'où il fallait encore prendre le *Jean-Nicolet*, un bon petit bateau blanc, pour traverser le fleuve jusqu'au Port Saint-François, après quoi il restait encore une bonne demi-heure de marche pour arriver à la maison du père, si jamais il vous prenait l'envie de rentrer chez vous.

Bruno avait commencé son travail à la barre du jour, en bottines de feutre recouvertes de claques de caoutchouc, un bonnet d'étoffe sur la tête avec deux oreillettes de poil de lapin qui battaient l'air autour.

Seul. Bruno avait quinze ans. C'était en 1935.

Le bleu s'entrouvrit. C'était le gros Gagnon.

— Gingras veut te voir tout de suite !

Gagnon s'en retourna. Bruno était resté une patte en l'air.

— Qu'est-ce que j'ai fait ? Il ramassa sa poche : deux tranches de pain du midi, son couteau et des chaussettes au cas où il se serait mouillé les pieds.

— Qu'est-ce qu'il me veut, Gingras ?

Il y avait de l'air puisque Bruno faisait de la buée en expirant. Mais on n'entendait rien. Les troncs secs des bouleaux qui se frottaient et c'était tout. Bruno fourra sa hache dans sa poche de jute sur laquelle se lisait encore l'inscription «Potatoes – Product of New Brunswick». Il fit deux pas. Il n'y avait pas encore assez de neige pour marcher avec des raquettes.

— À l'heure qu'il est j'achevais ma journée ! Il aurait pas pu attendre, Gingras ?

Bruno se mit à éclabousser du bleu partout en marchant. Derrière lui, les traces de ses pas dans la neige s'emplissaient de silence. Une heure avant d'arriver au camp !

— S'il est pas content de mon ouvrage, Gingras, qu'il le dise !

Bruno s'arrêta au beau milieu du chemin. Rien que des épinettes, des sapins et des bouleaux. Il tira sa pipe de sa poche. Il l'avait mal culottée. Vaugeois l'avait prévenu :

— Une pipe c'est comme une femme, le jeune ! Faut partir ça bien tranquillement !

Maintenant que le bois de la pipe avait commencé à brûler, il était trop tard. Elle finirait par être trouée.

— Le diable l'emporte ! J'en achèterai une autre !

Il la bourra et frotta l'allumette sur ses gros pantalons lacés au mollet. Vaugeois disait aussi :

— Des culottes de cette étoffe, mon petit garçon, ça pique assez, c'est tout ce qu'il faut pour chasser les mauvaises pensées !

Avec son allumette, Bruno retarda un moment l'approche de la nuit. La fumée de sa pipe s'accrochait à l'humidité. Il tira le papier de sa poche et s'efforça de le déchiffrer :

«Moi, soussigné, reconnais m'être engagé de ma libre volonté à Wellie Gingras, agissant pour T.-C. McBride, lequel soussigné promet de se conformer à tout ordre qui lui sera donné de la part de Gingras. Il est entendu que tout temps qui sera perdu par le soussigné lui sera compté une piastre par jour. Il est aussi entendu que, si le soussigné fait son devoir comme un bon et fidèle serviteur, il sera payé à raison de huit piastres par mois.»

Bruno Bellerose avait signé de la main de l'écolier qui s'affranchit. Il replia la feuille de papier qui se cassait, et la glissa dans sa poche. Il se mit en marche du pas d'un homme.

D'autres avant lui avaient marché bien plus loin. Bien plus longtemps. Avaient porté beaucoup plus lourd. Des Bellerose comme lui. Un surtout, il devait bien y avoir cent ans. Les arbres s'en souviennent. C'était en janvier 1837.

Les sapins frissonnaient à l'orée de la clairière. Hyacinthe Bellerose regarda derrière lui sa cabane qui brûlait. Les flammes se tordaient dans la bourrasque. Sa vache, qu'il venait de libérer, restait là, enlisée à mi-pattes dans la neige, la corne tournée du côté de l'incendie. Un meuglement inquiet. Un coup de feu sec. Et la neige toute rouge.

Hyacinthe se pencha sur sa traîne, simple traîneau sans patins couché sur des lattes de frêne recourbées à l'avant. Une catalogne recouvrait son chargement. C'était une couverture à dominante mauve, confectionnée avec tous les bouts de tissu de cinq ans d'usage domestique. Hyacinthe en borda soigneusement la traîne. Il s'attela à une corde dont la longue boucle se refermait sur la partie recourbée de la traîne. Cette corde, il fallait la passer en avant sur la poitrine puis la renvoyer en arrière par-dessous les bras.

Il fit trois pas pour ramasser ses mitaines de laine grise que la neige commençait à dévorer. Il souleva ensuite une poche faite de plusieurs peaux de loup gris cousues ensemble. La poche avait des bretelles, il se la mit sur le dos. Puis il avança vers ses raquettes aux cadres de bois courbé et mince sur

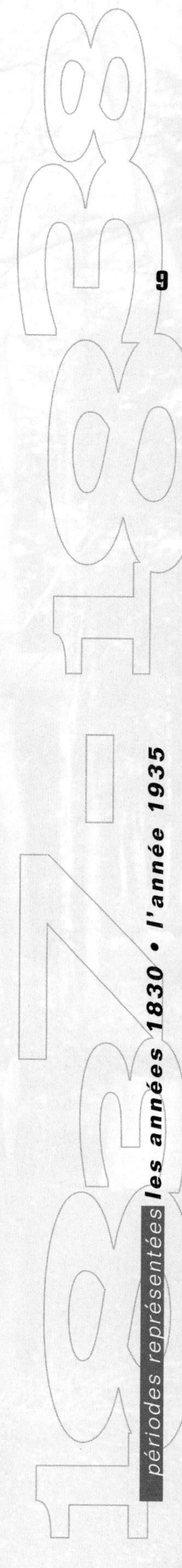

Cabane typique des chantiers.

lesquels étaient tressées des lanières de peau de chevreuil. Il les jeta devant lui, monta dessus avec ses mocassins relevés de hausses de cuir jaune, et les arrima à l'aide de lacets serrés.

Les flammes tordues par le vent s'agrippaient au bois de la cabane. Le toit de planches, d'écorce et de terre s'était effondré. La porte balançait sur ses charnières de cuir. Les quatre carreaux de la seule fenêtre, orientée au sud-ouest, avaient éclaté en même temps. La cheminée fumait, dérisoire.

Hyacinthe Bellerose se mit à marcher d'un bon pas. Il avançait dans un espace découvert où se dressaient des souches surgies des fonds neigeux. Elles cherchaient à le mordre aux chevilles.

La poudrerie sculptait un masque sur la face de l'homme. Les poils de son manteau se hérissaient. Il assujettit d'un coup la poche de loup sur son dos, et ce geste précipita des larmes dans sa barbe. Chacun de ses pas, haut relevé contre les houles de neige, le chavirait presque. Il marchait avec tant de détermination que les pins, les sapins et les érables semblaient s'écarter devant lui. Un bouleau finit cependant par lui arracher son bonnet. En se penchant pour le reprendre, il tomba de tout son long, la face dans la neige, la bouche ouverte et les dents serrées. La poche de loup avait fait trois bonds de côté.

Hyacinthe s'était roulé en boule, les mitaines sur la poitrine. Il ne fut plus et pendant longtemps qu'un gémissement sourd qui s'enveloppait sur lui-même. La poudrerie s'employa tout de suite à effacer sa trace. Les aiguilles des conifères grondaient.

Hyacinthe releva la tête. La morve et les larmes formaient une croûte glacée sur sa barbe. À quatre pattes, son manteau était raide de bas en haut, il fit un demi-tour sur lui-même en grognant. Il secoua vigoureusement son bonnet qu'il venait d'arracher à la neige et se l'enfonça sur la tête de manière à se couvrir les oreilles. Il replaça la poche de loup sur son dos et se remit à marcher à grands pas écartés, laissant derrière lui les traces invraisemblables d'un animal dix fois plus gros que lui.

Il pouvait être deux heures de l'après-midi. Hyacinthe Bellerose marcha deux heures. Il franchit une lieue. Quand il s'arrêta, le noir était partout. Hyacinthe ne voyait plus qu'avec sa main. Il reconnut qu'il était arrivé à un endroit convenable quand il toucha des troncs de forte corpulence, des érables sans doute. Il posa la poche de loup au pied d'un arbre et se défit de la corde de la traîne. Un givre fin recouvrait la catalogne mauve.

Hyacinthe tira une petite hache de sa ceinture et il s'enfonça dans le noir. Il s'y débattit un moment, puis vint jeter au pied de son arbre une bonne brassée de sapinages. Ainsi une dizaine de fois. Retourné dans les ténèbres, il s'acharna encore sur les branches et le tronc d'un long bouleau sec dont il fit des pièces de la longueur du bras d'un homme. Il disposa les moignons du bouleau en forme de cône juste devant l'endroit où il avait entassé ses branches. Il s'employa enfin à écorcer quelques-unes des pièces de bouleau dont il fourra les lambeaux sous le cône. Il tira alors son batte-feu de ses hauts-de-chausses en même temps que les accessoires indispensables. Il frappa avec ce batte-feu sur un morceau de pierre à fusil sur lequel il avait eu soin de placer une pièce d'amadou. Le feu sauta bien vite sur l'écorce de bouleau.

Puis il dénoua les lanières de ses raquettes et les planta dans la neige à la limite de la lueur. Il enleva ses mitaines qu'il déposa sur les branches à ses côtés. Il allongea les jambes en direction du feu jusqu'à ce que la pression de ses pieds sur la semelle de ses mocassins lui renvoie une sensation de chaleur. Puis il se retourna vers la poche de loup, appuyé sur un coude. Il en défit le lacet de cuir et il y plongea la main, en ramenant successivement un bout de pain dur, un morceau de lard enveloppé dans une écorce de bouleau et un couteau croche à manche usé. Un petit chaudron enfin, boule de fer grossière qu'il emplit de neige. Détachant son manteau, il prit à sa ceinture une bourse dans laquelle se trouvaient quelques grains de thé qu'on aurait facilement pu confondre avec du tabac. C'était du thé des bois dont les feuilles brunies s'étaient égrenées. Il en saupoudra la neige fondue dans le petit chaudron et réchauffa le quignon de pain en le passant au-dessus de la flamme. Il trancha ensuite deux épaisses tranches de ce pain qu'il recouvrit d'une mince couche de gras de lard. Et, comme si la perspective de manger lui eût rendu la parole, il se mit à parler à voix haute :

— Sors, mon hibou ! Sors, à présent !

À ces mots, la poche de loup se mit à tressauter en tous sens. Une tête apparut dans l'ouverture dénouée, une tête d'enfant roux, une tête de bête à yeux d'enfant sur lesquels la lueur du feu se jeta tout de suite. Hyacinthe se pencha sur l'enfant pour lui nouer le lacet de la poche sous les aisselles. Il traîna ensuite la poche près du feu et il tendit le pain à l'enfant. Celui-ci se jeta dessus en montrant toutes ses dents.

La nuit sifflait. Hyacinthe puisa un peu de thé brunâtre au fond de son chaudron de fer et il en présenta une tasse à l'enfant. Des yeux de feu au-dessus de l'étain brûlant.

[...]

Louis Caron, *Le Canard de bois*, © Louis Caron et Les Éditions du Boréal, coll. « Boréal Compact », 1989.

Louis Caron

Né à Sorel en 1942, Louis Caron exerce divers métiers, dont celui de journaliste, avant de se consacrer à l'écriture. À la fois conteur et écrivain populaire, il s'affirme par la suite comme l'un des meilleurs romanciers québécois. Il a publié, entre autres, *L'Emmitouflé* (1977), *Le Canard de bois* (1981), *La Corne de brume* (1982) et *Le Coup de poing* (1990).

Une histoire enracinée dans le quotidien

PAR NOËL AUDET

Le Canard de bois,
premier roman d'une séquence à venir, éd. Boréal Express, Montréal, 1981, 327 pages.

Premier roman d'une séquence à venir intitulée «Les fils de la liberté», *Le Canard de bois* propose une lecture très attachante d'un fragment de l'histoire des Patriotes. Le livre est réussi parce que l'auteur a su prendre le recul nécessaire par rapport aux événements consignés dans les textes historiques, sans renoncer à faire intervenir sa propre sensibilité et son imagination.

Le roman se compose de deux récits parallèles entremêlés, qui ne se boucleront qu'à la dernière page par le legs d'un canard de bois. Le premier récit, beaucoup plus mince, décrit le retour à la maison paternelle, depuis les chantiers, et l'accession à la maturité de Bruno Bellerose, descendant d'Hyacinthe Bellerose qui, cent années auparavant, avait participé à la rébellion des Patriotes et fera l'objet du récit principal. Les personnages sont vrais, vivants, la narration rondement menée, l'intérêt constant.

Car Louis Caron ne se contente pas d'approximations, et s'il prend ses distances par rapport à l'histoire, c'est après l'avoir longuement méditée et s'être documenté sur les conditions sociales et politiques des années 1830, la vie économique, les mœurs, l'habillement. L'histoire qui en découle n'a plus rien à voir avec le profil squelettique auquel nous avaient habitués les manuels. C'est une histoire enracinée dans le quotidien, encore prise dans sa gangue, mais déjà interprétée bien sûr. Et je dois admettre qu'avant ce livre je n'avais jamais compris concrètement l'échec des Patriotes ni leurs motivations premières. Ici, les enjeux sont habilement décrits et surtout les conditions matérielles de ce rêve: on ne reprend pas un pays, on ne fait pas la révolution, avec de la bonne volonté et trois fourches, dans le dénuement total et la désorganisation.

Mais l'auteur fait encore plus, il brosse un tableau vraisemblable des rapports entre les citoyens canadiens et l'occupant anglais, représenté par les marchands et les nouveaux seigneurs du pays, ces derniers pouvant seulement considérer qu'ils en font déjà trop pour de pauvres bougres qui ne semblent toujours pas disposés à se soumettre. La méfiance à l'endroit des parlementaires et des marchands, de même que les procès expéditifs imposés aux Patriotes, nous plonge au cœur de cette époque troublée. À cause de l'effet de vérité du texte sans doute, la justice nous semble loger dans la bouche d'Hyacinthe Bellerose qui en parle en termes inspirés.

Son étude préalable amène enfin Caron à produire une véritable ethnographie de la vie quotidienne du temps. La description des costumes, entre autres, donne à voir comme dans un musée – les sources sont peut-être ici un peu trop présentes – et plusieurs pratiques culturelles qui ont toujours la faveur populaire sont décrites à leur naissance pour ainsi dire: l'épluchette de blé d'Inde par exemple, dont la force d'évocation est si grande que l'on croirait se trouver devant une scène de cinéma.

Voilà pour la documentation et l'histoire, mais encore fallait-il en faire un roman. Ce que Louis Caron réussit avec une grande maîtrise, par-delà le beau sujet qu'il a choisi de traiter: la misère, la mort, la liberté individuelle et collective; la parole enfin qui demeure le dernier recours.

«— Défends-toi, Hyacinthe. C'est vrai ce que j'ai dit» (p. 318).

C'est ce que crie Marie-Moitié au patriote Hyacinthe, injustement accusé d'un meurtre qu'il n'a pas commis, et qui profitera de son procès pour faire le procès du conquérant au lieu de se défendre. Mais tout cela, sans forcer la note, dans la plus grande simplicité, comme si l'auteur avait pris des leçons de réalisme en se frottant à l'histoire.

Parmi les personnages, il y a bien sûr Hyacinthe Bellerose, ce marginal dans une société qu'on voulait marginaliser, dont on tenait à peine compte, et cette métisse appelée Marie-Moitié (moitié blanche, moitié indienne) qui deviendra sa seconde femme, et que sa dignité personnelle placera au-dessus du racisme dont elle est victime. Marie-Moitié, une figure séduisante, symbolisant la révolte la plus sourde et le courage le plus téméraire chez un être qui n'avait apparemment pas de cause à défendre sinon la sienne.

Quant à la langue utilisée par Caron, elle me semble à la fois juste relativement au sujet traité, et suffisante, c'est-à-dire sans fioritures. On pourrait dire la même chose de son style: net, parfois un peu carré, mais toujours efficace. Je crois en effet que la sobriété du ton et du style plus proche de l'allusif que du débordement romantique convient parfaitement aux personnages et à l'époque peu bavarde qui est mise en scène. Il ne se disait là que des choses essentielles. Écoutons un peu cette manière de décrire et de raconter:

«Les flammes se tordaient dans la bourrasque. Sa vache, qu'il venait de libérer, restait là, enlisée à mi-pattes dans la neige, la corne tournée du côté de l'incendie. Un meuglement inquiet. Un coup de feu sec. Et la neige toute rouge.

«Hyacinthe se pencha sur sa traîne, simple traîneau sans patins couché sur des lattes de frêne recourbées à l'avant. Une catalogne recouvrait son chargement. [...] Hyacinthe en borda soigneusement la traîne.» (p. 14-15).

Cette «neige toute rouge», c'était l'obligation de tuer la vache avant d'abandonner les lieux, et ce «chargement» bordé soigneusement, c'est le corps de sa femme comme on l'apprendra par la suite. Et pareillement, d'une poche de loup qu'il traîne sur son dos, émergera «une tête d'enfant roux, une tête de bête à yeux d'enfant sur lesquels la lueur du feu se jeta tout de suite. Hyacinthe se pencha sur l'enfant pour lui nouer le lacet de la poche sous les aisselles. Il traîna ensuite la poche près du feu et il tendit le pain à l'enfant. Celui-ci se jeta dessus en montrant toutes ses dents.» (p. 17).

Tout cela est raconté avec une extrême économie de moyens et une grande discrétion qui témoignent de la maîtrise à laquelle est parvenu Louis Caron. Il lui suffira peut-être de pousser un peu plus loin la machine de l'écriture et de l'émotion pour arriver à une œuvre tout à fait remarquable, au Québec et même à l'étranger. □

«Je veux mettre en évidence que le drame humain, la peur, l'amour sont des sentiments universels.»

— Louis Caron

«Je suis un romancier qui a le désir de révéler leur histoire aux Québécois», dit de lui-même le romancier Louis Caron, l'auteur du best-seller québécois *Le Canard de bois*.

Dans une interview qu'il a accordée en France, et qui est publiée dans le dernier numéro du journal français *Les Nouvelles littéraires*, il a expliqué que les Québécois ne connaissent pas leur histoire.

«Je suis un conteur d'histoires et je veux mettre en évidence que le drame humain, la peur, l'amour sont des sentiments universels.»

M. Caron a ajouté que «chez nous, il n'y a pas de héros, l'Histoire ne s'étant pas faite à coups de grands événements.

«On n'a rien fait de spectaculaire: ni 1789, ni 1968. Rien de spectaculaire que s'acharner à survivre et durer.»

Il a ajouté:

«Ce pays sans héros n'a pu se constituer sans une exceptionnelle solidarité, têtue et acharnée. La caractéristique de mon roman, et c'est là que se reconnaîtront les lecteurs québécois, c'est que le héros perd toujours parce qu'il est le héros, mais c'est la collectivité qui profite de ses erreurs.

«Si le héros parvient à changer quelque chose, c'est à son détriment et jamais à son profit.»

Le dernier livre de M. Caron qui est le premier récit d'une série de six intitulée «Les fils de la liberté», a déjà été filmé et présenté à la télévision française le 12 juin.

Le film produit par Interimage est une coproduction de la Société Radio-Québec et d'Antenne II, de France.

Le livre a été lancé simultanément aux Éditions du Seuil, à Paris, et aux Éditions Boréal-Express, à Montréal. □

***La Tribune*, 4 juillet 1981.**

Ozias Leduc dans son atelier.

Ozias Leduc

Rétrospective Ozias Leduc: une œuvre d'amour et de rêve

Neige dorée, 1916.

LA PRESSE, 24 FÉVRIER 1996

… et des pommes de Saint-Hilaire

Une superbe rétrospective attendue depuis longtemps

PAR JOCELYNE LEPAGE

Au cours d'une entrevue qu'il accordait à *La Presse* il y a quelques années, Guido Molinari avait une «surprise» à nous montrer. Ouvrant la porte épaisse de l'immense coffre-fort qui occupe une grande partie de son atelier – une ancienne banque de l'est de Montréal –, il en sortit avec infiniment de précautions un tout petit tableau, un paysage, d'Ozias Leduc. Molinari en avait fait l'acquisition la veille, dans un encan.

Qu'un peintre abstrait, minimaliste, anti-duplessiste, vénère ainsi Ozias Leduc, ce champion du trompe-l'œil, décorateur d'églises, fidèle de Lionel Groulx et peintre des pommes de Saint-Hilaire, cela peut surprendre.

Molinari n'est pas le seul peintre de la génération des plasticiens ni de celle des automatistes à tenir Ozias Leduc en haute estime. Borduas, qui travailla pour lui, l'a fait connaître à ses amis; Riopelle, dans une entrevue fort intéressante publiée dans le dernier numéro de *Vie des arts*, lui rend encore une fois hommage […]

Mais si Ozias Leduc (1864-1955) est un peintre aimé des peintres, ça ne l'empêche pas d'avoir été très apprécié de son vivant par un public assez large et de l'être encore aujourd'hui bien que ce public ait rétréci avec le temps. Et comme il fit de nombreux portraits d'hommes et de femmes de son époque, Ozias Leduc vit encore dans un grand nombre de foyers québécois et canadiens en plus d'être présent dans la plupart des musées du Canada.

La peinture et l'âme

En faisant le tour de la rétrospective consacrée à Ozias Leduc au Musée des beaux-arts de Montréal, une exposition qui regroupe 250 œuvres – peintures et dessins surtout –, la première question qui vient à l'esprit est la suivante: pourquoi a-t-on attendu si longtemps avant de consacrer une rétrospective d'envergure à celui qui fut, sinon le plus grand peintre québécois de son temps, du moins le plus raffiné?

«Je ne sais pas», avouait cette semaine l'historien d'art Laurier Lacroix, commissaire de cette exposition organisée en collaboration avec le Musée du Québec.

Le Musée des beaux-arts du Canada (autrefois la Galerie nationale) lui a consacré une exposition – 60 œuvres – en 1974 qui a fait le

L'Enfant au pain, 1892-1899.

Pommes vertes, 1914-1915.

tour du pays, peut-être que les conservateurs n'aiment pas revenir trop vite sur un sujet, estime-t-il.

«Ou peut-être a-t-on parlé moins d'Ozias Leduc que d'autres peintres de son temps, parce que ses œuvres, faites souvent pour des amis, sont restées dans les collections particulières, poursuit M. Lacroix. Les propriétaires, même s'il s'agit aujourd'hui des petits-enfants des acheteurs, ont des liens intimes avec ces œuvres et leur restent attachés. Ils ne les ont pas offertes à la spéculation.»

Avec le recul – et quelques mémoires et thèses –, il semble que l'on voie Ozias Leduc différemment aujourd'hui. On ne fait plus cette dichotomie entre le peintre de chevalet qui aurait peint pour son plaisir et exécuté des tableaux intimes parmi les plus raffinés de son temps, et le décorateur d'églises qui aurait gagné ainsi péniblement sa vie en même temps que son ciel.

C'est l'une des idées maîtresses de cette rétrospective: indépendamment des sujets exploités – natures mortes, portraits, paysages et scènes religieuses –, le même peintre est à l'œuvre et poursuit sa recherche. Et, deuxième idée maîtresse, ce même peintre croit en un certain ordre dans la nature, ordre qui n'est pas évident et que l'artiste doit découvrir. C'est là même une sorte de sacerdoce pour qui a la vocation de peintre. L'artiste doit chercher la vérité.

Plus moderne qu'on ne l'a cru

Une troisième idée: montrer qu'Ozias Leduc était plus «moderne» qu'on ne l'a cru jusqu'ici, peintre à la croisée des chemins entre Napoléon Bourassa et Paul-Émile Borduas, homme attaché aux traditions mais soucieux d'approfondir une pensée spirituelle par le moyen de la peinture.

En faisant le tour de la rétrospective intitulée *Ozias Leduc: une œuvre d'amour et de rêve*, vous verrez: dès ses débuts dans la carrière d'artiste, Leduc parle d'art. On le voit bien dans les natures mortes. Des natures mortes en trompe-l'œil rassemblant en plans successifs des instruments associés au métier de peintre, des ouvrages savants et religieux, des tableaux dans le tableau et, en même temps, faisant étalage des prouesses de l'artisan.

Certains amateurs préfèrent cette première période. D'autres sont plus éblouis par la conversion au symbolisme d'Ozias Leduc, le symbolisme se prêtant fort bien par ailleurs à la peinture religieuse. Les paysages symbolistes de Leduc font partie de ses œuvres les plus connues. *L'Heure mauve*, où se mêlent racines et neige, est un des moments magiques de cette période.

Pour représenter le travail que Leduc a fait dans plusieurs églises du Québec, le Musée a récupéré une grande peinture, *Le Martyre de saint Barnabé*, qui avait été faite pour l'église du même nom. [...] On peut y voir aussi quelques vitraux ainsi que de nombreuses études et ébauches menant aux principaux projets réalisés par Leduc au Canada ou aux États-Unis. □

À gauche: Travailleuses en manufacture.
À droite: Milieu rural dans les années 1930.

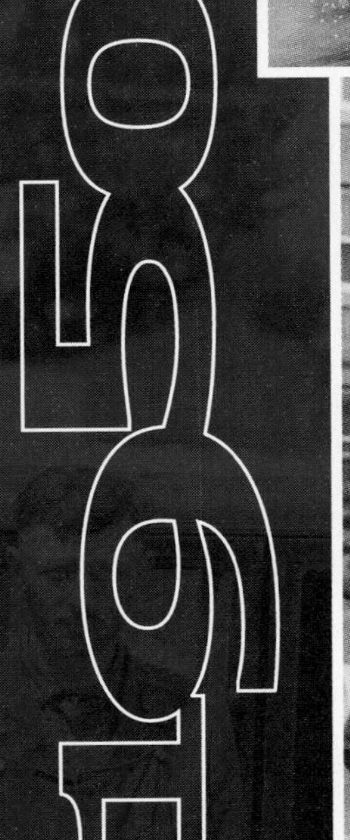

1920 1950

DES ANNÉES FOLLES AU BABY BOOM

Famille québécoise nombreuse dans les années 1930.

La crise économique, qui frappe le Québec de plein fouet à partir de 1929, marque la fin d'une époque de prospérité qui n'a cependant pas été partagée par tous. Complètement en déroute et désorganisée, l'économie québécoise sera en chute libre de 1929 à 1933, puis amorcera une lente reprise. Le taux de chômage frôlera les 25 %. En février 1934, à Montréal, on doit venir en aide à 62 000 chômeurs, ce qui représente, en comptant leurs dépendants, près d'un quart de million de personnes dans un extrême dénuement. L'État prend le relais, mais la misère reste grande.

Les années trente sont marquées par un regain de ferveur religieuse. Cette décennie est pourtant également celle de la recherche de solutions nouvelles qui se remarque, entre autres, par une percée du socialisme, sans doute alimentée par une perte de confiance de la population envers ses dirigeants.

À cette époque, la culture traditionnelle, basée sur le folklore, les chansons et les légendes, reste vive surtout dans les régions fortement rurales, mais elle est de plus en plus menacée par l'urbanisation et le développement des différents moyens de transport et de communication.

Alors qu'en 1931 moins de 30 % des ménages québécois possédaient un appareil radio, cette proportion passe à plus de 70 % dix ans plus tard. Le théâtre burlesque, les variétés et le mélodrame gagnent la faveur du public. La Bolduc, née Marie Travers, est la chanteuse la plus populaire du temps. Cette Gaspésienne exilée à

Montréal ira de succès en succès en chantant la vie quotidienne, la crise, le chômage et les faits divers.

La littérature n'échappe pas au contrôle de l'Église qui fait la pluie et le beau temps dans le domaine de l'édition grâce à l'Index, établi à Rome, mais sur lequel les évêques locaux ont quand même quelque pouvoir. Le roman *Les demi-civilisés* de Jean-Charles Harvey se retrouve ainsi prohibé en 1934 et l'auteur perd son poste de rédacteur en chef du journal *Le Soleil*. Malgré l'urbanisation croissante du Québec, les romans les plus populaires dépeignent encore la vie rurale, comme *Un homme et son péché* de Claude-Henri Grignon, *Trente arpents* de Ringuet, *Menaud, maître-draveur*, de Félix-Antoine Savard.

En 1936, Maurice Duplessis, chef du nouveau parti de l'Union Nationale, devient premier ministre du Québec. Le 10 septembre 1939, le Canada déclare la guerre à l'Allemagne. Le Québec sera relativement épargné si on excepte les milliers de morts, les restrictions et le remous causé par le plébiscite de 1942, court intermède où Duplessis a cédé le pouvoir à Adélard Godbout. La crise, puis la guerre, contribueront à doter le Québec de politiques sociales qui accroîtront le rôle de l'État dans les années à venir. Au terme de ce deuxième conflit mondial, l'infrastructure industrielle aura été renforcée. Les débuts, même timides, de la syndicalisation, auront entraîné l'amélioration des conditions de travail et de vie des travailleurs québécois. Les femmes auront fait une première entrée massive sur le marché du travail. Elles auront obtenu le droit de vote en 1940 et le gouvernement fédéral aura finalement accepté de leur verser à elles-mêmes plutôt qu'à leur mari les nouvelles allocations familiales.

Les romans québécois de cette époque auront finalement la ville pour cadre avec *Au pied de la pente douce* de Roger Lemelin et *Bonheur d'occasion* qui méritera à Gabrielle Roy le prix Femina. Plusieurs troupes de théâtre voient le jour. La plus célèbre, Les Compagnons de Saint-Laurent, deviendra une pépinière de comédiens dont la présence sur scène et au petit écran se perpétuera pendant des décennies.

EN ATTENDANT LA RÉVOLUTION TRANQUILLE

La guerre aura ramené au pays des peintres comme Pellan, qui prendra tout de suite la tête de l'avant-garde avec Borduas. L'ébullition dans le domaine artistique aboutira en 1948 à la rédaction du *Refus global* qui dénonce la stagnation de la société québécoise et lance un appel à la liberté. La même année, le Québec se donne un drapeau.

La Comédie canadienne, dirigée par Gratien Gélinas, ouvre en 1958 et deviendra un haut lieu du théâtre et de la chanson, au Québec. Au théâtre, on joue Marcel Dubé. Roger Lemelin publie *Les Plouffe*, André Langevin *Poussière sur la ville*, Gabrielle Roy *Alexandre Chênevert* et Anne Hébert *Les Chambres de bois*.

La chansonnette française dispute sa place au hit-parade et la chanson dite québécoise se limite pratiquement à l'adaptation de succès américains à deux exceptions près: Raymond Lévesque et Félix Leclerc, qui triomphera bientôt à Paris. En 1955, 38,6 % des foyers possèdent un téléviseur et cette proportion augmente rapidement pour atteindre 88,8 % à l'aube de la Révolution tranquille. Les Québécois suivent les exploits de Maurice Richard pendant les glorieuses années du Forum.

La société québécoise connaît d'importants bouleversements avec une hausse marquée de la natalité et une augmentation de l'immigration. En 1961, près de 45 % de la population québécoise a moins de 20 ans. Le taux d'urbanisation passe à 74,3 % en 1961. La même année, 16,8 % des Montréalais déclarent être nés à l'étranger. Le visage du Québec est en train de changer.

Ci-dessus: Maurice Duplessis et Mgr Charbonneau.

Ci-contre: Tramway, vers 1930.

Misères et grandeurs de *La Petite Aurore*

PAR DANIEL RIOUX

En dépit des failles qu'on y trouve, d'une technique déficiente et de la tentation de le taxer de film de mauvais goût, *La Petite Aurore, l'enfant martyre* reste la plus forte illustration emblématique du cinéma québécois des années cinquante et il ne se passe pas une année, même près de quarante-cinq ans après sa sortie, sans qu'il ne réapparaisse à la télévision.

Un arrière-plan historique et authentique se dissimule derrière cette production réalisée en 1951 par Jean-Yves Bigras.

Aurore Gagnon, 10 ans, fut portée en terre le 12 février 1920, décédée des suites des pires sévices infligés par Marie-Anne Houde, la deuxième femme de son père, Télesphore Gagnon. Dénoncés, les parents seront jugés en avril de la même année : la marâtre sera condamnée à être pendue et le père écopera dix ans de travaux forcés. (Enceinte, la Houde sera épargnée, mais mourra d'une maladie incurable. Gagnon fera cinq ans de pénitencier avant d'aller refaire sa vie comme menuisier.)

Le mélodrame idéal

On imagine vite qu'un tel drame émoustille la plume des scénaristes mélodramatiques et, en 1928, Léon Petitjean et Henri Rollin en font une pièce de théâtre à succès que des troupes présenteront partout au Québec, allant de théâtres en salles paroissiales. Quand on annonce en 1951 la production d'un film sur Aurore, la pièce de théâtre reprend vie et part en tournée au Québec, en Ontario, au Nouveau-Brunswick et en Nouvelle-Angleterre. Le succès est phénoménal. En vingt-trois ans, la pièce sera jouée plus de 4 000 fois*!

J. A. DeSève, le champion du mélodrame canadien, flaire la mine d'or. Il achète les droits de la pièce de théâtre et ceux du roman *Aurore l'enfant martyre* d'Émile Asselin et les vend ensuite, à fort profit, à Alliance.

Le tournage commence aux studios Renaissance le 16 juillet 1951, se transporte le 27 à Sainte-Geneviève pour les scènes de ferme et se complète à Montréal le 10 août. Le montage se fait presque parallèlement au tournage réalisé avec une seule prise par plan, et parfois deux, de sorte qu'on peut annoncer la première du film pour le 10 novembre 1951 au Théâtre Saint-Denis. La distribution comprend notamment Yvonne Laflamme (Aurore), Paul Desmarteaux (son père), Lucie Mitchell (la marâtre), Jean Lajeunesse et Janette Bertrand (Catherine), la responsable de la dénonciation des parents indignes auprès des autorités.

Coup de théâtre !

Éclate alors un coup de théâtre : la veille de la première, Télesphore Gagnon et dix membres de sa famille demandent une injonction permanente contre le film et son distributeur, France-Films, arguant une intrusion dans leur vie privée. Ils demandent 75 000 $ pour les préjudices et le déshonneur déjà causés. Un juge accorde une injonction provisoire, puis s'engage un véritable carrousel juridique qui ne prendra fin que le 19 mars 1952 par le rejet de toutes les requêtes présentées par la famille Gagnon.

Le film peut donc être présenté. La première a lieu le 25 avril au Saint-Denis où il tient l'affiche durant trois semaines en programme double avant d'être présenté ailleurs au Québec. Et la critique, tout en faisant la part des choses et en soulignant la prudence des producteurs de ne pas sombrer dans l'excès, lui réserve un accueil assez favorable. En moins d'un an, les recettes dépassent 100 000 $, contre un budget de production de moins de 50 000 $.

Les enfants maltraités

Sa projection provoque cependant un effet secondaire au sein de la société. Les gens se demandent en effet si un tel sort peut affliger les enfants canadiens-français des années cinquante. L'hebdomadaire *Le Petit Journal* fait enquête ; les autorités médicales et criminelles jurent que non, mais le doute plane dans la population et le journal conclut par un appel à venir en aide à tous les enfants maltraités en alertant les autorités.

Ce S.O.S. s'applique hélas encore aujourd'hui. □

***Le Journal de Montréal*, 22 avril 1995**

* Les producteurs de *Broue* estiment détenir le record de représentations avec plus de 2 000 en seize ans d'existence. Si l'on en croit les dossiers, ce record appartient encore à *La Petite Aurore, l'enfant martyre*.

auteurs **Léon Petitjean et Henri Rollin**
création de la pièce **15 janvier 1921**
première du film **25 avril 1952**

La maison de la famille Gagnon, à Sainte-Philomène de Fortierville.

SCÈNE 5

MÈRE
Ah ! c'est vous Monsieur le curé : entrez donc.

CURÉ
Bonjour les amis.

MÈRE
(*À Aurore.*) Voyons, donne une chaise à Monsieur le curé, montre que tu es une petite fille bien élevée. (*Aurore donne une chaise au curé.*)

CURÉ
Mais où sont les autres enfants ?

MÈRE
À l'école.

CURÉ
Aurore, pourquoi tu ne viens plus à l'église ?

AURORE
Je ne vais pas à l'église (*elle regarde la mère*) parce que...

MÈRE
Elle n'est pas bien forte.

CURÉ
Tu es bien pâle. Serais-tu malade ?

AURORE
Non... Monsieur le curé.

MÈRE
C'est la croissance. Elle a tellement grandi, cette chérie. Mais elle est si bien choyée, si dorlotée. Et puis, elle ne travaille pas, elle se lève quand elle veut. Plutôt que de la voir se fatiguer, j'aimerais mieux passer toutes mes nuits à travailler.

Le milieu rural de l'époque.

AURORE
C'est vrai, Monsieur le curé.

MÈRE
Elle n'est pas pieuse.

CURÉ
Puisque je suis sur place, veux-tu en profiter pour te confesser ?

AURORE
Me confesser !

MÈRE
(*En aparté.*) De quoi qu'il se mêle, celui-là ?

CURÉ
Dis, le veux-tu ?

AURORE
Je le veux bien, Monsieur le curé.

MÈRE
(*En aparté.*) Elle va tout lui raconter.

TÉLESPHORE
Viens, femme. (*Il l'entraîne vers la sortie.*)

MÈRE
Je voudrais bien entendre.

TÉLESPHORE
Viens, je ne veux pas avoir ça sur la conscience.

La mère et Télesphore sortent. Le curé s'assoit et Aurore vient s'agenouiller à ses pieds.

CURÉ
Tes parents ont-ils bien soin de toi ?

AURORE
Mon père quelquefois...

CURÉ
Et ta belle-mère ?

AURORE
Ma belle-mère... elle me bat.

CURÉ
Souvent ?

AURORE
Tous les jours, Monsieur le curé, et même plusieurs fois par jour.

CURÉ
Et ton père ?

AURORE
Mon père ? Il venait de me fouetter quand vous êtes entré.

CURÉ
C'est pour ça que tu pleurais ?

AURORE
Oh oui, Monsieur le curé, j'ai bien pleuré. Mais si ce n'était que ça.

CURÉ
Allons, allons, parle.

Musique très douce : le Rosaire, *sur orgue.*

AURORE
Ma belle-mère me fait boire de la lessive et manger du savon, me brûle les mains avec un fer rouge. J'ai les marques de ses coups sur tout le corps.

CURÉ
Oh ! la mégère !

AURORE
Il y a des moments où je souffre tellement, Monsieur le curé, qu'il me semble que je m'en vais et que mon âme va quitter la terre.

CURÉ
Non ! Non ! Cela ne sera pas.

AURORE
Ne dites jamais à personne ce que je vous ai raconté, Monsieur le curé.

CURÉ
Sois sans crainte, ma petite fille, et compte sur moi : je trouverai moyen de te sauver.

AURORE
Oh oui, Monsieur le curé, sauvez-moi vite ! vite ! car je suis à bout de force.

CURÉ
Surtout, conserve une grande confiance en Dieu. (*Il la bénit et l'aide à se relever. Aux parents :*) Venez, mes amis.

[...]

Léon Petitjean, Henri Rollin,
Aurore, l'enfant martyre, © VLB éditeur et Alonzo Le Blanc, 1982.

PHOTO-JOURNAL, 28 JUIN ▶1958◀

Triomphe de la laideur !

Pendant que, dimanche après-midi dernier, près de 50 000 membres des ligues du Sacré-Cœur se massaient à l'oratoire Saint-Joseph et défilaient dans les rues aux accents de «En avant marchons»; pendant qu'un sénateur et un ministre de la Justice proposaient une définition de la pornographie; pendant qu'un cardinal dénonçait la «littérature» obscène, j'assistais, à Montréal, dans un cinéma bondé d'adultes et d'enfants, au spectacle le plus laid qu'il m'ait été donné d'assister de ma vie.

Ce spectacle, qui a sans doute reçu l'approbation des autorités puisque des enfants y assistaient, est un film tourné par des nôtres, un chef-d'œuvre de sadisme et de méchanceté gratuite qui s'appelle «La Petite Aurore, l'enfant martyre».

Quand le film est sorti sur nos écrans, il y a déjà plusieurs années, j'étais en Europe, loin de notre médiocrité générale et de cette médiocrité particulière qu'a été notre aventure cinématographique. En allant voir ce film, pour mon information, je m'attendais à voir une niaiserie; j'ai vu une horreur !

Je ne sais comment le film a été accueilli à sa sortie; je ne sais si, par «indulgence» pour un «art» naissant chez nous, on a laissé passer cette ordure en fermant les yeux. Ce que je sais, par contre, c'est que s'il n'a pas soulevé la colère de ceux qui peuvent encore se mettre en colère, provoqué l'indignation et le dégoût d'une large partie du public, c'est que nous sommes décidément un peuple d'abrutis.

Car à un film pareil, il n'y a que la colère à opposer, au nom d'un public que l'on dégrade, au nom d'un art qui est descendu souvent bien bas, mais jamais jusqu'à cette bassesse. [...]

Quoi ? La censure veille avec un soin d'inquisiteur à bannir de nos écrans les décolletés trop généreux, interdit que nous voyions un homme embrasser la femme d'un autre, dénonce la brutalité de certaines productions et ferme les yeux sur ce que j'ai vu : une femme qui jette une petite fille en bas d'un escalier, lui brûle les mains sur un poêle rouge, lui fait manger du savon, boire de l'eau de lessive, lui brûle les cheveux et la tête, lui caresse les joues avec un fer à repasser brûlant, et j'en passe, un homme qui brise sur la tête de la même petite fille un manche de hache, tout cela montré dans le détail, avec insistance, sans la suggestion de l'art mais avec la brutalité de l'image directe, tout cela, dis-je, est permis ? Tout cela est beau, recommandable, fait pour être vu par toute la famille ? Mais il faut être malade pour avoir tourné un film pareil, une monstruosité de cette taille. Ou être totalement inconscient et fermé à tout ce qui s'appelle intelligence et sensibilité. Et dire que des gens ont sans doute été fiers de présenter cette «œuvre bien canadienne» au public...

Mais les malades qui ont tourné le film ont cru tout sauver en mettant un prêtre dans leur histoire, en lui faisant dire de belles paroles de résignation et de courage avec promesse de ciel. Et pour que la morale soit sauve de façon plus éclatante encore, pour que le public soit vengé de toutes ces horreurs, à la fin, on donne en pâture à une salle surexcitée, survoltée, qui crie, glapit, lance des injures à la marâtre, une tête de pendue... Alors la salle éclate en bravos. Un spectateur a même lancé, avec rage : «Chienne !»

Yvonne Laflamme (Aurore) et Lucie Mitchell (la marâtre).

Voilà le spectacle que des enfants ont vu : un spectacle à faire vomir. Mais comment se peut-il qu'un peuple dit chrétien jouisse devant ce sadisme ? Comment peut-il être sorti d'un peuple qui se dit sain autant d'insanité ? Je ne comprends pas, si ce n'est que notre morale est bien mal en point, notre sensibilité émoussée, notre intelligence au bord de l'abrutissement, nos sentiments troubles. Ce que ce film implique de refoulements chez une collectivité a de quoi faire peur à tout homme sain d'esprit...

[...] □

NOTRE TEMPS, 29 MAI 1948

Gratien Gélinas nous donne une grande pièce de théâtre

JEAN AMPLEMAN

Nous ne pourrons plus dire qu'il ne s'est pas encore trouvé un Canadien de langue française pour écrire une véritable pièce de théâtre. Gratien Gélinas vient en effet de donner la première, *Tit-Coq*, qui possède toutes les conditions requises d'une œuvre dramatique : le sens du dialogue, le déroulement logique de l'action, la caractérisation des personnages, enfin, le souffle de vie avec des conflits de sentiments et des chocs d'idées.

Gélinas affirme dans un texte à la fois dramatique et rythmique une maîtrise remarquable de son métier d'homme de théâtre, qu'il confirme de plus par une mise en scène tout à fait adaptée au développement normal du drame et au caractère propre des personnes en scène. Jamais encore un écrivain ou auteur de chez nous n'avait atteint le sommet où s'est élevé Gratien Gélinas avec *Tit-Coq*, qui est, en même temps qu'une œuvre typiquement canadienne, une pièce universelle, susceptible d'affronter les années et les peuples.

Canadienne, la pièce l'est parce que son personnage principal, Tit-Coq, comme tous les autres personnages d'ailleurs, est essentiellement canadien. Il faut naturellement entendre ici Canadien français du Québec. Que l'action se passe à Montréal, à Saint-Anicet, en mer ou en Angleterre, Tit-Coq, Jean-Paul, Marie-Ange, Germaine, le père et la mère Desilets, le padre, la tante Clara parlent, pensent et vivent en Québécois. Leurs problèmes et leurs mœurs sont québécois. En les étudiant, Gélinas les a peints tels qu'ils sont.

Dans sa pièce, l'auteur Gratien Gélinas joue le rôle du personnage principal, Tit-Coq.

La peinture dépasse cependant cette étude réaliste et véridique, mais évidemment régionale. Non content d'avoir saisi sur le vif les traits caractéristiques de nos gens, comme leur parler frustre mais savoureux, leur hospitalité sans cérémonie, leur cœur prêt à tout donner mais prompt aussi à tout casser, Gratien Gélinas grave les lignes essentielles d'un problème universel, celui des enfants de l'amour, des «bâtards» pour employer le mot même de l'auteur.

Tit-Coq, né d'une mère qu'il ne connaît pas et d'un père qu'il n'a jamais vu, a été élevé d'abord dans une crèche, puis dans un orphelinat, d'où il se sauva vers l'âge de quatorze ans pour se lancer seul à l'assaut de la vie. Aussi quand son compagnon d'armes, Jean-Paul, le traîta de «maudit bâtard», Tit-Coq vit rouge et lui flanqua son poing en pleine figure. C'est pourquoi ils comparaissent tous deux devant le commandant, dans le premier tableau de la pièce.

Dès la première scène, l'auteur nous place presque brutalement en face du nerf dramatique de *Tit-Coq*. Malheureux et presque honteux d'être un enfant trouvé, Arthur Saint-Jean, c'est le nom que l'État civil a donné à Tit-Coq, cherche à oublier lui-même et à faire oublier aux autres sa naissance illégitime. C'est probablement dans ce but qu'il est devenu frondeur et batailleur, méritant ainsi le surnom de «Tit-Coq», dont même la jolie Marie-Ange se sert à son égard.

Elle est la sœur de Jean-Paul. Tit-Coq la rencontre chez les Desilets, où Jean-Paul l'a amené passer les Fêtes. C'est là que pour la première fois Tit-Coq découvre la vie de famille, la vraie joie, les sains plaisirs, le bonheur et l'amour. Car il aime aussitôt Marie-Ange, qui lui rend son amour. Dès lors, il n'a plus qu'un rêve, qu'il avoue d'ailleurs au padre: fonder lui aussi un foyer, avoir des enfants légitimes, élever une famille, vivre heureux.

Mais la guerre, qui lui a permis de rencontrer Jean-Paul et par lui Marie-Ange, vient tout défaire ce qu'elle a commencé, en séparant par un océan les deux amoureux. Seule, Marie-Ange l'attend un an, deux ans, puis à la fin succombe aux attaques sincères de sa famille et de ses amis qui l'encouragent à sortir, à s'amuser, à épouser un autre, qu'elle n'aime pas. Un jour Tit-Coq revient, le drame atteint son paroxysme, le dénouement approche.

S'apercevant que Marie-Ange l'aime, Tit-Coq lui demande de partir avec lui. Elle accepte, Jean-Paul s'oppose. Tit-Coq se révolte. Comment lui, qui n'a jamais été un favori de la Providence, n'aurait pas le droit de reprendre la femme qu'on lui a volée? «Pars, lui dit le padre, mais avant, pense un peu aux enfants qui naîtront de ton union illégitime.» Tit-Coq est foudroyé; il refuse de passer à ses enfants le boulet que ses parents l'ont obligé à porter. Marie-Ange part seule. Tit-Coq se redresse et sort avec le padre.

L'action s'est terminée logiquement et surtout le drame s'est dénoué en beauté, après que chacune des scènes se fût succédé rapidement, mais humainement, en de courts et vrais tableaux de vie, s'enchaînant les uns aux autres sans une seule faille. Le rideau n'est pas tombé que la salle applaudit à tout rompre. Les bravos fusent à chaque lever de rideau. C'est une ovation quand Tit-Coq revient seul saluer les spectateurs. Gratien Gélinas a gagné la partie.

En plus d'avoir écrit la pièce, Gratien Gélinas l'a mise en scène avec Fred Barry et surtout il défend magnifiquement le rôle-titre. Bien que les acclamations s'adressent d'abord au grand auteur dramatique qui vient de se révéler, il ne faut cependant pas oublier en Gratien Gélinas le grand acteur que nous connaissions déjà, mais qui s'affirme une fois de plus, de son entrée en scène à sa sortie. À ses côtés, chacun donne le meilleur de lui-même. Il faut tous les nommer: Fred Barry, Amanda Alarie, Juliette Béliveau, Olivette Thibault, Juliette Huot, Clément Latour, Mary Barclay, George Alexander et Albert Duquesne. Enfin, une fois de plus, les décors et les éclairages de Jacques Pelletier sont remarquables.

Tit-Coq est non seulement à voir, mais à revoir. □

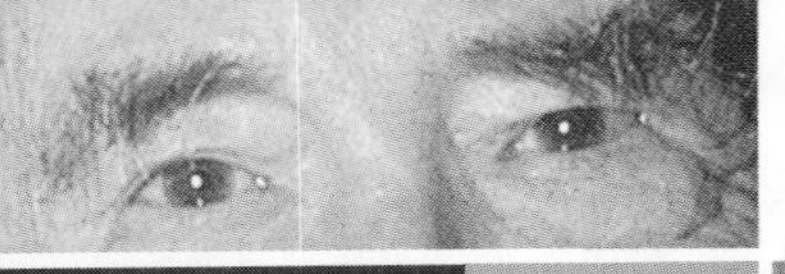

auteur **Gratien Gélinas**
création **22 mai 1948**

Manifestation contre la conscription.

Les femmes participent aussi à l'effort de guerre.

Acte III, tableau 2

LE PADRE

Alors, Marie-Ange, tu veux quitter ton mari pour suivre Tit-Coq ?

MARIE-ANGE
(*butée*)

Oui.

LE PADRE

Ce geste-là, tu sais qu'il est très grave de conséquences. Mais tu es décidée à le poser en te disant qu'au moins tu rendras heureux un pauvre diable qui mériterait bien de l'être.

MARIE-ANGE

Il a rien que moi au monde.

LE PADRE
(*sans animosité*)

Eh bien ! tu te trompes : c'est son malheur que tu vas faire, son malheur et le tien.

TIT-COQ

Ça, c'est à voir.

LE PADRE

D'autres pourraient peut-être s'accommoder de la vie qu'elle t'offre, mais toi, jamais.

TIT-COQ

Pourquoi ?

MARIE-ANGE
(*misérable*)

Oui, pourquoi, Padre ? Pourquoi je pourrais pas faire son bonheur, quand je l'aime tellement ?

LE PADRE

Parce que lui, Marie-Ange, il est né à la crèche, abandonné par sa mère dès ses premiers jours... Il a passé sa jeunesse dans un orphelinat, sans affection, sans tendresse, avec un cœur pour aimer, bien sûr...

TIT-COQ

Autant que n'importe qui !

LE PADRE

Peut-être même plus. (*À Marie-Ange.*) Un jour, il t'a rencontrée, et il s'est rendu compte que, dès le moment où tu l'épouserais, il sortirait de son isolement pour devenir un homme aimé, non seulement de toi, mais de toute ta famille. Ta famille qui deviendrait sa parenté, la plus belle du monde. (*Il est allé chercher l'album là où il l'avait déposé plus tôt.*) Celle qu'il me montrait fièrement dans cet album que tu lui avais donné...

TIT-COQ

Qu'est-ce que vous déterrez là, vous ?

LE PADRE

(*ouvrant l'album*)

La veille de son départ en bateau, il a écrit là-dedans une page qui m'a profondément touché. Un beau dimanche soir, il serait l'homme le plus important de la terre, il réaliserait son rêve le plus ambitieux: lui, le sans-famille, il s'en irait tout simplement visiter sa parenté, c'est-à-dire la tienne. (*Lisant dans l'album.*) «... avec mon petit dans les bras, et, accrochée après moi, ma Toute-Neuve... On s'en va veiller chez mon oncle Alcide. Mon oncle par alliance, mais mon oncle quand même... Le bâtard, tout seul dans la vie, ni vu ni connu: dans le tramway, il y aurait un homme comme tout le monde, en route pour aller voir les siens. Pas plus, mais pas moins. Pour un autre, ce serait peut-être un bien petit avenir. Mais moi, avec ça, je serai sur le pignon du monde. Grâce à Marie-Ange Desilets, qui me donnera en cadeau toute sa famille. C'est pourquoi je pourrai jamais assez l'aimer et la remercier.» (*Il referme l'album. À Marie-Ange.*) Peux-tu encore lui apporter ce bonheur-là, irremplaçable pour lui ? Peux-tu toujours lui offrir en cadeau l'affection, l'amour des tiens ?

MARIE-ANGE

(*elle se cache la figure dans les mains*)

LE PADRE

Tu as vu Jean-Paul, tout à l'heure, prêt à se battre à poings nus avec celui qui avait été jusque-là son meilleur ami, parce qu'il voulait partir avec toi ? Tu as entendu ton père, aussi. Crois-tu qu'il a parlé à la légère quand il a juré que la famille Desilets, c'était fini pour Tit-Coq ? (*Devant son silence.*) Réponds honnêtement.

MARIE-ANGE

(*la tête dans ses mains*)

Il changera jamais d'idée.

TIT-COQ

S'ils nous refusent, on fichera le camp au diable vert !

LE PADRE

Ça ne réglerait rien: ton idéal était de te rapprocher, pas de t'éloigner d'eux.

TIT-COQ

D'accord, je le voulais tout ça. Je le voulais comme un maudit toqué ! Mais c'est fini maintenant, c'est perdu. Raison de plus pour la garder: elle est tout ce qui me reste.

LE PADRE

Oui. Mais aussi tout ce que tu auras jamais. En quittant son mari pour te suivre, elle peut t'empêcher d'être seul, oui; mais elle te condamne par le fait même à être toujours seul avec elle, à ne jamais avoir ce que bien d'autres femmes peuvent encore te donner. Tout ce que tu voulais est encore possible avec une autre. Rien n'est perdu sauf elle.

TIT-COQ

Et l'amour, qu'est-ce que vous en faites ?

LE PADRE

L'amour ?

TIT-COQ

Oui, l'amour ! La passion entre un homme et une femme. Ça compte pas dans votre monde, mais dans le nôtre, oui ! Elle m'aime, elle, et ça me consolera de tout le reste. Parce que l'amour, c'est fort. Plus fort que tout, vous saurez.

Camillien Houde, maire de Montréal, a dénoncé publiquement l'enrôlement volontaire.

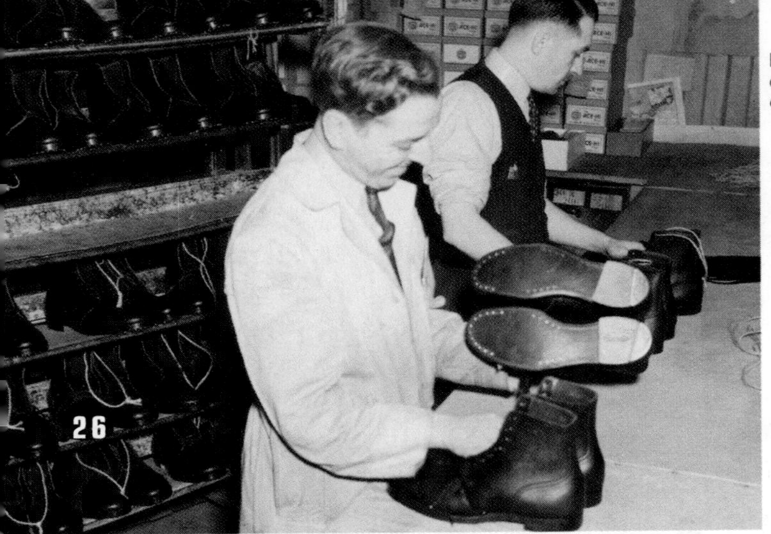

Des manufactures traditionnelles deviennent des manufactures de guerre.

LE PADRE

Si c'était si fort, l'amour, elle t'aurait attendu, elle.

TIT-COQ

(*Menaçant.*) Qu'est-ce que vous dites ?

LE PADRE

Oui, ça peut exister, un grand amour, et pour un temps compenser bien des épreuves. Mais ce n'est peut-être pas là le sentiment qu'elle a eu pour toi, celle qui t'a laissé tomber sans même avoir le courage de t'écrire sa décision, qui a juré fidélité à un autre pour la vie, mais qui est prête maintenant à te retomber dans les bras.

MARIE-ANGE

(*Du fond de sa peine.*) Tit-Coq... pourquoi tu m'as pas épousée, avant de partir ? Pourquoi ? J'étais prête, moi : je te désirais tellement !

TIT-COQ

Moi aussi, je te désirais, plus que tout au monde...

LE PADRE

Tu veux savoir, Marie-Ange, pourquoi il ne t'a pas épousée il y a deux ans ?

TIT-COQ

J'avais mes raisons !

LE PADRE

(*Enchaînant, à Marie-Ange.*) Il tenait à embrasser dès sa naissance l'enfant qu'il aurait pu avoir de toi. Il ne voulait pas le priver une heure d'une tendresse que son père à lui ne lui avait jamais donnée. Et cette passion-là était plus forte à elle seule que celle qu'il avait de te posséder. Crois-tu encore, Marie-Ange, qu'il te désirait plus que tout au monde ?

TIT-COQ

(*Les poings serrés.*) C'est assez.

LE PADRE

Vous avez raison : l'amour, c'est plus fort que tout. Mais il faudrait s'entendre sur le sens qu'on donne au mot *amour*. Il en a plusieurs. Et certains sont plus forts que les autres. C'est là *tout* ton problème, Tit-Coq.

TIT-COQ

(*À la fois menaçant et pitoyable.*) C'est assez... C'est assez !

LE PADRE

Oui, c'est assez. Ce que j'avais à dire pour vous convaincre, je l'ai dit. (*Se préparant à partir.*) Je ne peux rien de plus. J'ai essayé de faire la lumière : vous êtes libres de voir clair ou de fermer les yeux. (*Il sort.*)

Gratien Gélinas, *Tit-Coq*, (1948),

Gratien Gélinas

Né en 1909 à Saint-Tite-de-Champlain, Gratien Gélinas fait ses débuts comme comédien en 1927, puis crée le fameux personnage de Fridolin dans *Les Fridolinades* (1938-1946). Il est l'auteur du plus grand succès du théâtre québécois : *Tit-Coq* (1948), ainsi que de *Bousille et les justes* (1960), *Hier les enfants dansaient* (1966) et *La Passion de Narcisse Mondoux* (1987). Il meurt à Montréal le 16 mars 1999.

auteure **Gabrielle Roy**
parution **1945**

BONHEUR D'OCCASION

roman

JULIA RICHER

L'honneur qui échoit aujourd'hui à madame Gabrielle Roy rejaillit sur le Canada tout entier. C'est la première fois, en effet, qu'un écrivain canadien mérite un grand prix littéraire français. Le prix Femina ainsi décerné à *Bonheur d'occasion* n'est pas sans créer un magnifique précédent.

C'est de plus la consécration officielle, si on peut dire, d'une littérature canadienne parfaitement autonome, capable de figurer en excellente place parmi les œuvres des écrivains renommés du monde entier.

Nous écrivions le 18 juillet 1945, quelques jours à peine après la publication du livre de madame Gabrielle Roy: «Un grand livre. Un témoignage. Le symbole littéraire du peuple canadien-français, de son opiniâtre résistance à la misère, de son héroïsme quotidien... Un grand livre. Un livre d'une humanité si profonde que les pulsations du cœur du pauvre y sont perceptibles.»

Nous n'avons pas changé d'avis. Le livre de madame Gabrielle Roy mérite l'honneur qui lui est octroyé. Le nombre de voix qu'il a remportées au prix Femina – 11 voix sur 18 – est significatif. Les membres du jury ont ainsi rendu hommage à la valeur littéraire et à la portée sociale de l'œuvre.

Il faut se réjouir du succès de madame Gabrielle Roy, car il ouvre pour nos écrivains de magnifiques avenues sur l'avenir.

Nos chaleureuses félicitations à madame Gabrielle Roy. ■

Notre temps, 6 décembre, 1947

Quartier populaire dans les années 1940.

I

À cette heure, Florentine s'était prise à guetter la venue du jeune homme qui, la veille, entre tant de propos railleurs, lui avait laissé entendre qu'il la trouvait jolie.

La fièvre du bazar montait en elle, une sorte d'énervement mêlé au sentiment confus qu'un jour, dans ce magasin grouillant, une halte se produirait et que sa vie y trouverait son but. Il ne lui arrivait pas de croire que son destin, elle pût le rencontrer ailleurs qu'ici, dans l'odeur violente du caramel, entre ces grandes glaces pendues au mur où se voyaient d'étroites bandes de papier gommé, annonçant le menu du jour, et au son bref, crépitant du tiroir-caisse, qui était comme l'expression même de son attente exaspérée. Ici se résumait pour elle le caractère hâtif, agité et pauvre de toute sa vie passée dans Saint-Henri.

Par-delà les cinq ou six dîneurs qu'elle avait à servir, son regard fuyait vers les comptoirs du magasin – le restaurant occupant le fond du 5-10-$1 –, et dans le miroitement de la verroterie, des panneaux nickelés, de la ferblanterie, son sourire vide, taciturne et morose s'accrochait sans but à quelque objet chatoyant qu'elle ne voyait pas.

Sa tâche de serveuse laissait ainsi à sa pensée, non point de longs moments pour revenir au souvenir excitant et trouble de la veille, mais de petits fragments de

Le train, symbole d'activités économiques, fait effrontément sentir sa présence dans les quartiers défavorisés des milieux urbains.

temps où elle retrouvait au fond d'elle-même le visage de ce garçon inconnu. Cependant le fracas de vaisselle, les ordres lancés à voix hautes et aiguës par les jeunes filles de table ne la dérangeaient pas toujours de la rêverie qui, par instants, envoyait à son visage un bref frémissement.

Et soudain elle fut déroutée, vaguement humiliée. Le jeune étranger, pendant qu'elle surveillait la foule entrant au magasin par les portes à battants vitrés, avait pris place à la longue table de simili-marbre et, d'un geste impatient, l'appelait. Elle s'avança vers lui, les lèvres disjointes en une moue plutôt qu'en un sourire. Comme il lui déplaisait déjà qu'il pût la surprendre ainsi à un moment où elle essayait dans son souvenir de ressaisir ses traits et le timbre de sa voix.

— Comment t'appelles-tu ? fit-il brusquement.

Plus que la question, la manière de la poser, familière, gouailleuse, presque insolente, irrita la jeune fille.

— C'te question ! fit-elle avec mépris, mais non d'une façon définitive, comme si elle eût tenté de lui imposer le silence. Au contraire, sa voix invitait une réplique.

— Voyons, reprit le jeune homme en souriant. Moi c'est Jean... Jean Lévesque. Et toi, je sais toujours bien pour commencer que c'est Florentine... Florentine par ici, Florentine par là... Oh, Florentine est de mauvaise humeur aujourd'hui; pas moyen de la faire sourire !... Oui, je sais ton petit nom, je le trouve même à mon goût...

Il changea imperceptiblement de ton, durcit un peu son regard.

— Mais tu es mademoiselle qui ? Tu me le diras pas à moi ? insista-t-il avec une feinte de sérieux.

Il avançait le visage et levait sur elle des yeux où elle discerna en un éclair toute l'effronterie. La mâchoire dure, volontaire, l'insupportable raillerie des yeux sombres, voilà ce qu'elle remarquait le plus aujourd'hui dans ce visage et qui l'indignait contre elle-même. Comment avait-elle pu depuis plusieurs jours accorder tant d'attention à ce garçon-là ? Elle se redressa d'un coup sec qui fit claquer à son cou un petit collier d'ambre.

— Et pis après, dit-elle, vous me demanderez où c'est que je reste et qu'est-ce que je fais à soir. Je vous connais, vous autres !

— Vous autres ! Qui ça, vous autres ? se moqua-t-il en faisant le geste de regarder par-dessus son épaule si quelqu'un se trouvait derrière lui.

— Oh, vous autres ! fit-elle à demi excédée.

Et cependant cette touche familière, quelque peu vulgaire qui mettait le jeune homme sur son plan à elle, lui déplaisait moins que son langage, sa tenue habituelle dont elle sentait vaguement qu'ils établissaient entre eux une distance. Un sourire irrité et provocant revint sur ses lèvres.

— Okay, dit-elle, qu'est-ce qui vous faut astheur ?

Il eut de nouveau ce regard d'une brutale familiarité.

— J'étais pas encore rendu à te demander ce que tu fais à soir, reprit-il. J'étais vraiment pas si pressé que ça. Normalement, j'aurais mis encore trois jours au moins avant d'en arriver là... Mais puisque tu me tends la perche...

Il se renversait légèrement sur la chaise tournante, oscillait un peu d'un côté et de l'autre. Et l'examinant, ses yeux se rétrécirent.

— Eh bien, Florentine, qu'est-ce que tu fais à soir ?

Il vit aussitôt qu'elle se troublait. Sa lèvre inférieure trembla et d'un petit coup de dents elle la mordit. Puis s'affairant, elle tira une serviette de papier d'une boîte nickelée, la déplia et l'étala à la place du jeune homme.

Elle avait un visage mince, délicat, presque enfantin. L'effort qu'elle mettait à se maîtriser gonflait et nouait les petites veines bleues de ses tempes et, en se pinçant, les ailes presque diaphanes du nez tiraient vers elles la peau des joues, matte, lisse et fine comme de la soie. Sa bouche était mal assurée, et parfois esquissait un tremblement, mais Jean en regardant les yeux fut soudain frappé de leur expression. Sous le trait surélevé des sourcils épilés que prolongeait un coup de crayon, les paupières en s'abaissant ne livraient qu'un mince rayon de regard mordoré, prudent, attentif et extraordinairement avide. Puis les cils battaient et la prunelle jaillissait entière, pleine d'un chatoiement brusque. Sur les épaules tombait une masse de cheveux brun clair.

Sans aucun projet déterminé, le jeune homme l'observait avec intensité. Elle l'étonnait plus qu'elle l'attirait. Et même cette phrase qu'il venait de prononcer: «Qu'est-ce que tu fais à soir ?»... il ne l'avait pas prévue, elle s'était formée en lui à son insu, il en avait fait l'essai comme on sonde une profondeur inconnue du jet d'un caillou. Cependant l'étendue révélée l'incitait à une nouvelle tentative. «Est-ce que j'aurais honte de sortir avec elle ?» songea-t-il. Et puis l'idée qu'une considération telle, au point où il en était, se souciant peu au fond de la jeune fille, pût intervenir, le vexait et le poussait justement à une plus grande audace. Les coudes au comptoir, les yeux rivés à ceux de Florentine, il attendait maintenant d'elle, comme dans un jeu cruel, avec patience, un premier mouvement sur lequel il réglerait le sien.

Elle se raidit sous ce brutal examen, et il la vit mieux; il la vit reflétée à mi-corps dans la glace du mur et il fut frappé de sa maigreur. Autour de sa taille, elle avait pourtant tiré jusqu'au bout le ceinturon de son uniforme vert, mais on devinait que ses vêtements adhéraient à peine à son corps fluet, presque débile. Et le jeune homme eut soudain une vision de ce que pouvait être sa vie, dans l'inquiet tourbillon de Saint-Henri, cette vie des

Une famille victime de la situation économique précaire de l'époque.

Une ruelle d'un quartier populaire de Montréal dans les années 1940.

jeunes filles fardées, pimpantes qui lisent des romans-feuilletons de quinze cents et se brûlent à de pauvres petits feux d'amour fictif.

Sa voix devint incisive, presque coupante.

— Tu es d'ici, de Saint-Henri ? demanda-t-il.

Elle balança les épaules, lui fit un sourire ironique et vexé du bout des lèvres en guise de réponse.

— Moi aussi, ajouta-t-il avec une condescendance moqueuse. Alors on peut être amis ? Non ?

Il remarqua le tressaillement de ses mains, frêles comme celles d'un enfant; il vit les clavicules se découper dans l'échancrure du corsage.

Au bout d'un moment, elle se mit à se reposer sur une hanche devant lui, cachant son énervement sous une expression boudeuse, mais il ne la voyait plus telle qu'elle était là, de l'autre côté du comptoir. Il la voyait parée, prête à sortir le soir, avec beaucoup de fard pour couvrir la pâleur de ses joues, des bijoux claquants sur toute sa maigre personne, un petit chapeau ridicule, peut-être même une voilette derrière laquelle ses yeux avivés de khôl brilleraient : une petite fille drôlement attifée, volage et toute tourmentée déjà par le désir de lui plaire. Et ce fut en lui comme une poussée de vent destructeur.

— Tu viendras aux vues avec moi ce soir ?

Il sentit qu'elle hésitait. Sans doute son invitation, s'il prenait la peine de lui donner une tournure plus aimable, trouverait-elle la jeune fille consentante. Mais justement, il la voulait ainsi, puisqu'il la lui offrait malgré lui, malgré sa volonté : dure et directe.

— Alors, c'est entendu, fit-il... Apporte-moi donc maintenant votre fameux spécial.

Puis il tira un bouquin de la poche de son pardessus qu'il avait jeté sur une chaise près de lui, l'ouvrit et s'absorba immédiatement.

[...]

Gabrielle Roy, *Bonheur d'occasion*, Les Éditions du Boréal, coll. «Boréal compact», 1993, © Fonds Gabrielle Roy.

Gabrielle Roy

Née en 1909 à Saint-Boniface, au Manitoba, Gabrielle Roy a créé l'une des plus importantes œuvres de la littérature canadienne-française. Enseignante puis journaliste, elle s'installe au Québec en 1939 et se consacre uniquement à l'écriture. Elle est l'auteure, entre autres, de *Bonheur d'occasion* (1945), *Rue Deschambault* (1955), *La Route d'Altamont* (1966), *Ces enfants de ma vie* (1977) et *La Détresse et l'enchantement* (1978). Elle meurt à Québec le 13 juillet 1983.

LA PRESSE, 21 JUILLET 1945

Bonheur d'occasion

PAR JEAN BÉRAUD

Il n'y a pas d'imagination, a dit Pierre MacOrlan: il y a la réalité observée d'une certaine façon.

Mme Gabrielle Roy devait le savoir et le croire en écrivant son roman en deux tomes «Bonheur d'occasion», que les Éditions Pascal viennent de publier, et qui est bien l'une des œuvres les plus étonnantes de la littérature canadienne. Étonnante et tellement inattendue! On quitte les champs et les clochers de village, on oublie la traite des vaches et le majestueux Saint-Laurent; on entre en ville, mais sans s'y arrêter aux hôtels cosmopolites, aux salons littéraires; on pousse jusqu'à Saint-Henri, au cœur d'une population canadienne-française dont on a loué souvent à la fois la rudesse et la chrétienne résignation; et là se présente, après 525 pages fouillées, observées, vraies, ce bonheur d'occasion qui a tout le visage et le sens d'un tragique destin.

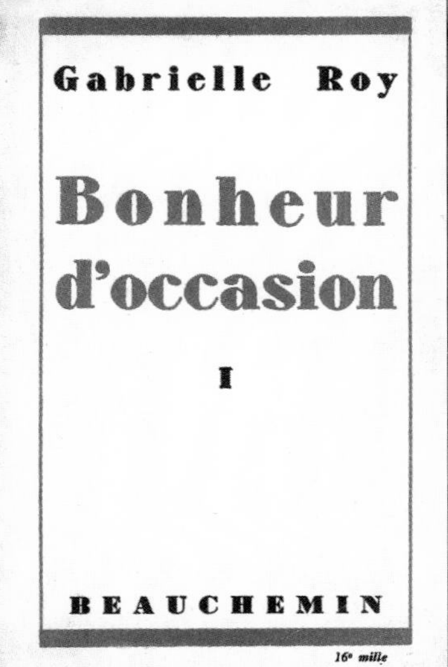

L'ouvrage est d'autant plus nouveau dans notre littérature qu'il n'est pas de la littérature. Entendons-nous: *Bonheur d'occasion* est fort bien écrit, composé savamment, sans une page de trop. Mais son sujet, son thème, ses personnages ne sont pas imaginaires. Ils sont là devant nos yeux; l'auteur les a vus, étudiés, décrits avec un art, assez proche de celui du peintre qui, de dégoût, a renoncé à l'anecdote pour rechercher d'abord l'humanité.

La famille d'Azarius Lacasse vit au croisement de voies de chemin de fer, de rails de tramways, de circuits d'autobus, dans l'atmosphère empuantie de la suie, des odeurs d'usines, des relents de la rue: le père fainéant de la malchance; la mère, Rose-Alma, occupée d'année en année à élever un nouvel enfant; l'aînée, Florentine, commis à un 5-10-$1; l'aîné, rongé par l'idée de s'enrôler pour assurer quelque argent à la maisonnée. Et il y a deux autres personnages importants: les amoureux de Florentine, Jean Lévesque, qui la lâche, et Emmanuel Létourneau, qui l'épousera en ignorant bien des choses avant son départ pour «l'autre côté». Dans les rues, au restaurant du coin, chez les Lacasse, chez les Létourneau, les tranches de vie succèdent aux tranches de vie, mais sans discontinuité, et dans un langage qui est proprement le langage de tous les jours, pas un «canayen» littéraire, pas un parler de paysan à la George Sand.

La façon dont ces gens envisagent la vie, l'amour, les autres grands sentiments, les courants d'idées coulant dans les préoccupations du peuple, n'est pas que la façon de les envisager dans un quartier particulier de la Métropole canadienne. Le tableau s'élargit, s'agrandit sans que le lecteur le discerne tout d'abord; puis il se rend compte que c'est là le fond d'une race qui se laisse surprendre et décrire sans avoir conscience qu'on lui prête la moindre attention. Un seul passage, le lyrisme d'Azarius au sujet de la France qui va tomber, si beau soit-il, «fait littéraire».

La fin du roman, c'est l'enrôlement des gars de Saint-Henri, pas par patriotisme, pas pour secourir la France, pas pour sauver l'Empire, pas pour protéger nos côtes, mais, tout simplement, pour apporter du pain à la maison... Bonheur d'occasion, acheté bien cher... Il aura du moins inspiré à une femme de cœur un livre grand et beau. □

Le prix Médicis à Marie-Claire Blais

PARIS (AFP) – C'est à la jeune romancière canadienne Marie-Claire Blais qu'a été attribué, aujourd'hui, le prix Médicis pour son roman *Une saison dans la vie d'Emmanuel*.

C'est au sixième tour que le jury du prix Médicis s'est mis d'accord, par une majorité de six voix, sur le roman de Marie-Claire Blais, *Une saison dans la vie d'Emmanuel*, publié par les éditions Grasset.

Quatre voix étaient allées à Jean-Louis Gergonzo pour son livre *L'Auberge espagnole*, et deux voix étaient allées à Jean-Claude Emery pour *Curriculum Vitæ*.

Marie-Claire Blais, qui vient d'obtenir le prix Médicis, est née en 1941 dans un quartier populaire de Québec d'une famille modeste de quatre enfants. Elle a « subi » une éducation religieuse qui lui a laissé une certaine amertume : « On nous a tellement enseigné la peur de Dieu et la peur de vivre », a-t-elle déclaré récemment à une émission de la radio canadienne... « Les livres sont pour moi une évasion, une délivrance. J'essaie de créer un monde différent de moi. »

À 17 ans, en classe de seconde, elle doit cesser ses études pour devenir secrétaire. Mais elle est dévorée du désir d'écrire. Un an plus tard, à 18 ans, voici son premier roman, *La Belle Bête*, d'abord publié au Canada, puis traduit aux États-Unis et, en 1963, édité en France, chez Flammarion.

Depuis lors, les livres se succèdent. Des romans surtout. *Tête blanche* fut publié en 1961 au Canada et aux États-Unis. Le troisième, *Le Jour est noir*, a été écrit au cours d'un séjour difficile à Paris où elle était venue comme boursière du Conseil des arts du Canada. Il fut publié au Canada l'année suivante. C'est le quatrième, *Une saison dans la vie d'Emmanuel*, qui lui a valu son prix.

Marie-Claire Blais a aussi écrit pour le théâtre. Ses deux pièces, *Floonore* et *La Roulotte aux poupées* ont été jouées, l'une à Québec, l'autre à Montréal. Elle a encore publié une série de dix poèmes en 1961 et, deux ans plus tard, deux recueils, *Pays voilés* et *Existences*.

Elle vit actuellement aux États-Unis, dans une grande maison solitaire et ombragée à Wellfleet, Mass., à proximité de la mer, grâce à une bourse de la fondation Guggenheim. Elle y a terminé un cinquième roman, *L'Insoumise*, une pièce de théâtre, *L'Exécution*, et mis en chantier encore un roman *Le Testament de Jean Le Maigre*, héros central de *Une saison dans la vie d'Emmanuel*.

Cette jeune femme, menue et frêle, qui a l'air d'une gamine dans les chandails et les pantalons d'homme qu'elle aime à porter, recherche la solitude, où, en dehors de son incessant travail littéraire, elle lit ses auteurs favoris, Kafka, Thomas Mann, Virginia Woolf, André Breton et aussi Jean Cocteau.

La littérature, c'est pour elle la seule raison de vivre. L'amour ? « Vivre avec une autre personne, c'est exigeant, épuisant même, a-t-elle confessé un jour. Quand on a reçu l'éducation que j'ai eue, on se méfie de toutes les religions, même de celle de l'amour humain. »

Comme on lui demande si elle a l'impression d'être consacrée par ce prix, elle a un sursaut de défense : « Non, l'avenir seul répondra. Tout ce que j'attends, c'est d'avoir un auditoire plus large. Mais je ne veux pas être prisonnière d'une formule. »

Sur son livre, elle affirme d'abord : « La famille que j'ai dépeinte oui, c'est une famille de partout, une famille misérable comme on peut en trouver dans le monde entier. » Mais bientôt elle entre dans la voie des confidences : « Bien sûr, ma famille, je l'ai dépeinte d'après des traits réels que j'ai trouvés au Canada même. En ce sens, mon roman est un roman purement canadien. Ce que j'ai voulu faire sentir, c'est l'hiver. Hiver moral, hiver physique, la misère matérielle et la misère morale, la prison du gel et des préjugés. Mais toutefois, mon livre n'est pas autobiographique car les héros ont souffert plus que moi. Moi, j'ai dû arrêter mes études à 17 ans. Mais j'ai eu la chance de conquérir ma liberté morale. » □

Agence France Presse, novembre 1966.

auteure **Marie-Claire Blais**
parution **1965**

roman

1920-1950

période représentée **l'hiver 1940**

Il faisait froid dans la maison.

CHAPITRE PREMIER

Les pieds de Grand-Mère Antoinette dominaient la chambre. Ils étaient là, tranquilles et sournois comme deux bêtes couchées, frémissant à peine dans leurs bottines noires, toujours prêts à se lever: c'étaient des pieds meurtris par de longues années de travail aux champs (lui qui ouvrait les yeux pour la première fois dans la poussière du matin ne les voyait pas encore, il ne connaissait pas encore la blessure secrète à la jambe, sous le bas de laine, la cheville gonflée sous la prison de lacets et de cuir...), des pieds nobles et pieux (n'allaient-ils pas à l'église chaque matin en hiver ?), des pieds vivants qui gravaient pour toujours dans la mémoire de ceux qui les voyaient une seule fois – l'image sombre de l'autorité et de la patience.

Né sans bruit par un matin d'hiver, Emmanuel écoutait la voix de sa grand-mère. Immense, souveraine, elle semblait diriger le monde de son fauteuil. «Ne crie pas, de quoi te plains-tu donc ? Ta mère est retournée à la ferme. Tais-toi jusqu'à ce qu'elle revienne. Ah ! déjà tu es égoïste et méchant, déjà tu me mets en colère !» Il appela sa mère. «C'est un bien mauvais temps pour naître, nous n'avons jamais été aussi pauvres, une saison dure pour tout le monde, la guerre, la faim et puis tu es le seizième...» Elle se plaignait à voix basse, elle égrenait un chapelet gris accroché à sa taille. Moi aussi j'ai mes rhumatismes, mais personne n'en parle. Moi aussi, je souffre. Et puis, je déteste les nouveau-nés; des insectes dans la poussière ! Tu feras comme les autres, tu seras ignorant, cruel et amer... «Tu n'as pas pensé à tous ces ennuis que tu m'apportes, il faut que je pense à tout, ton nom, le baptême...»

«C'est un bien mauvais temps pour naître (…) et puis tu es le seizième…»

Il faisait froid dans la maison. Des visages l'entouraient, des silhouettes apparaissaient. Il les regardait mais ne les reconnaissait pas encore. Grand-Mère Antoinette était si immense qu'il ne la voyait pas en entier. Il avait peur. Il diminuait, il se refermait comme un coquillage. «Assez, dit la vieille femme, regarde autour de toi, ouvre les yeux, je suis là, c'est moi qui commande ici! Regarde-moi bien, je suis la seule personne digne de la maison. C'est moi qui habite la chambre parfumée, j'ai rangé les savons sous le lit... Nous aurons beaucoup de temps, dit Grand-Mère, rien ne presse pour aujourd'hui...»

Sa grand-mère avait une vaste poitrine, il ne voyait pas ses jambes sous les jupes lourdes mais il les imaginait, bâtons secs, genoux cruels, de quels vêtements étranges avait-elle enveloppé son corps frissonnant de froid?

Il voulait suspendre ses poings fragiles à ses genoux, se blottir dans l'antre de sa taille, car il découvrait qu'elle était si maigre sous ces montagnes de linge, ces jupons rugueux, que pour la première fois il ne la craignait pas. Ces vêtements de laine le séparaient encore de ce sein glacé qu'elle écrasait de la main d'un geste d'inquiétude ou de défense, car lorsqu'on approchait son corps étouffé sous la robe sévère, on croyait approcher en elle quelque fraîcheur endormie, ce désir ancien et fier que nul n'avait assouvi – on voulait dormir en elle, comme dans un fleuve chaud, reposer sur son cœur. Mais elle écartait Emmanuel de ce geste de la main qui, jadis, avait refusé l'amour, puni le désir de l'homme.

— Mon Dieu, un autre garçon, qu'est-ce que nous allons devenir? Mais elle se rassurait aussitôt: Je suis forte, mon enfant. Tu peux m'abandonner ta vie. Aie confiance en moi.

Marie-Claire Blais, *Une saison dans la vie d'Emmanuel*, Les Éditions du Boréal, coll. «Boréal compact», 1991, © Marie-Claire Blais.

Marie-Claire Blais

Née à Québec en 1939, Marie-Claire Blais est l'une des plus importantes voix de la littérature québécoise du XXe siècle. En 1959, elle publie son premier roman, *La Belle Bête*, puis s'installe aux États-Unis pendant une vingtaine d'années avant de revenir définitivement au Québec. Elle est l'auteure, entre autres, de *Une saison dans la vie d'Emmanuel* (1965), *Les Manuscrits de Pauline Archange* (1968) *Le Sourd dans la ville* (1979) et *Soifs* (1998).

Zola au Canada

PAR YVES BERGER

Une saison dans la vie d'Emmanuel
par Marie-Claire Blais
Grasset, 180 p., 10 F.

«Marie-Claire Blais est un vrai phénomène: il se peut que nous ayons affaire à un génie.» Ainsi, Edmund Wilson, le plus écouté des critiques américains, a-t-il salué une Canadienne française de moins de trente ans, dont nous ne savons à peu près rien en France, Marie-Claire Blais, sauf désormais que *Une saison dans la vie d'Emmanuel* est un chef-d'œuvre.

On pensera souvent, au fil des pages, à *La Route au tabac* et au *Petit Arpent du Bon Dieu*, avec la neige en place du soleil. Ici, comme là, une chronique familiale, la misère et la ruse, la violence et le sadisme, les délires mythomaniaques et le mysticisme. Emmanuel comptera une saison à la fin du roman. Il est le dernier-né d'une famille qui comprendrait seize enfants n'était que Léopold, par exemple, s'est pendu – dans sa robe de séminariste, un vendredi saint. Restent, parmi les autres, Jean le Maigre, Pomme, les trois A (trois filles dont le prénom commence par cette lettre), le Septième (c'est, en effet, et de haut en bas, le septième)...

Tout ce monde vit sous la férule de grand-mère Antoinette, peut-être l'incarnation du système matriarcal propre à l'Amérique du Nord, dure avec des tendresses imprévues et folles, autoritaire au point que l'homme, son gendre, la redoute, orgueilleuse et méprisante. Autour de ses jupes, dans ses jupes mêmes, immenses et superposées, se rassemble, se coule le troupeau des gosses, qui craignent sa sévérité, la recherchent, auxquels elle ne s'intéresse vraiment qu'au moment du baptême, ou s'il faut les enterrer, et dont elle se débarrasse en les adressant, aussi souvent qu'elle le peut, au curé, qui les destine, lui, au noviciat.

C'est la dîme cléricale. Au noviciat mourra Jean le Maigre, véritable héros du livre, tuberculeux dévoré par son imagination autant que par les microbes et les poux, qui écrit des poèmes, des romans en latin ou français, qu'il retrouve, le soir, dans les latrines en plein air où son père les range, pour l'usage que l'on devine. [...]

[...] *Une saison dans la vie d'Emmanuel*: ce pourrait n'être qu'une tranche de vie. C'est tout autre chose, et un chef-d'œuvre, parce que Marie-Claire Blais raconte l'horreur de cette famille canadienne sans insister, comme sans y toucher, par touches légères, en souriant, par le biais de couleurs fraîches, naïves, avec allégresse et bonne humeur, avec la grâce ingénue qu'elle eût mise à concevoir une pastorale, avec plein de Ah! et de Oh!, sans jamais s'attarder, se répéter, sans jamais prendre parti ni apparaître, en passante et en passant, et peut-être comme Emmanuel voit ce monde infernal: par ses yeux d'enfant qui n'a pas encore une saison d'âge. L'effet, sur le lecteur, est saisissant. On n'en croit pas son esprit d'abord. On se demande si on est dans le rêve ou dans le monde, d'autant que Marie-Claire Blais, très savante à composer, mêle les deux univers, celui de la réalité et celui de l'imaginaire, celui des propos pratiques, laconiques et celui du délire. Conçoit-on Zola revu par Giraudoux? Sur l'Église, sur la condition du prolétariat et sur l'égoïsme des nantis, sur la famille, on trouve ici une condamnation comme la littérature en offre peu d'exemples. Seulement l'auteur ne pratique ni la grosse caisse, ni le trombone, ni la trompette. Son instrument littéraire, c'est la flûte, dont elle joue à ravir d'horreur. □

marie-claire blais

une saison dans
la vie d'emmanuel

roman

prix médicis 1966

éditions du jour

Paul-Émile Borduas dans son atelier.

Chanteclerc, N° 6, Tête de coq, 1942.

PAUL-ÉMILE BORDUAS

Rétrospective Borduas

LE DEVOIR, JANVIER ▸1962◂

Au Musée des beaux-arts La Rétrospective Borduas

PAR LAURENT LAMY

C'est la première fois à Montréal qu'on voit une rétrospective aussi complète d'un peintre canadien. Cet honneur était dû à Borduas, puisqu'il est le plus important de nos peintres, tant par son œuvre que par l'influence qu'il a exercée sur toute une génération de créateurs et sur le milieu artistique en général.

Ceux qui ne suivent la peinture à Montréal que depuis quelques années seulement seront surpris de voir dans cette exposition toutes les étapes franchies par le peintre, ou plutôt le cheminement de sa pensée toujours plus exigeante. L'œuvre de Borduas se situe de 1923 à 1960 : trente-sept années de joies, de peines, d'émotions, de difficultés ; de recherches avec lesquelles Borduas a vécu et survécu.

L'exposition est divisée arbitrairement en grandes étapes, dans quatre salles qui communiquent. Dans la première salle : les œuvres de jeunesse (de 1929 à 1940), tableaux figuratifs dont le dessin accuse déjà de la vigueur. Avec *La Femme au bijou* et le *Portrait de Madame G.*, Borduas s'affirme comme un peintre de talent, en particulier par la qualité de la lumière qui éclaire le visage de Madame G. Lumière qui s'étend à tout le tableau, jusqu'à la robe noire qui en est tout imprégnée. Ce problème de la lumière qui restera inhérent à toute l'œuvre de Borduas, nous savons qu'il s'est déjà imposé à lui.

De 1942, toute une série de gouaches abstraites qui montrent à quels résultats Borduas est arrivé avec ce médium plus facile que l'huile. Combien ces gouaches sont plus vivantes dans leurs mouvements entrelacés que les œuvres précédentes ! Faites avec la minutie habituelle qu'on lui connaît, elles sont éblouissantes de couleurs, souvent très crues, mais dont la violence est atténuée par un frottis noir qui donne un modèle aux formes. Dans ces

L'Étoile noire, 1957.

Portrait de Madame Gagnon, 1941.

premières œuvres automatistes, on voit que l'automatisme n'a pas été un but, mais un moyen qui a libéré l'homme et lui a permis d'exprimer sa vigueur, sa force, toute l'ardeur de sa nature chaleureuse. Dans les grands tableaux des dernières années, on retrouvera cette même ardeur, cette même générosité.

Dans la deuxième salle du musée, les œuvres de 1943 à 1953, qui représentent une étape décisive dans l'œuvre de Borduas. Ces dix années que l'on voit en raccourci font voir les expériences du peintre qui va de plus en plus vers le non-figuratif. La présentation et le choix des toiles ont été très bien étudiés dans toute l'exposition et on le remarque surtout dans cette salle-ci où il est ainsi plus facile de suivre l'évolution de Borduas à travers chaque tableau très représentatif d'une période. Des toiles de 1948, où sur des fonds très doux des échafaudages colorés vivent dans un espace sans limite, on passe à des tableaux d'une atmosphère colorée très dense, mais dont la palette sombre reste tout aussi riche. De 1950, quelques encres et aquarelles nous rappellent les gouaches de 1942, mais avec des transparences et une construction plus aérée qui préparent les tableaux des années suivantes. D'ailleurs, en 1950, Borduas écrit: «Ma peinture est en pleine transformation ou mutation...»

Dans la troisième et la quatrième salle: le travail des années 1953 à 1960. Dans ces grands tableaux où le blanc prend de plus en plus d'importance, la touche devient plus large, la pâte plus généreuse, plus épaisse. C'est une écriture nouvelle, impétueuse, qui paraît très spontanée. Encore une fois, Borduas a cherché à se dépasser, à changer de langage, craignant d'en avoir trouvé un. Pour en arriver à un tableau presque tout blanc, comme *Chatoiement* de 1956, la perte de la couleur s'est faite graduellement. Chaque couleur atteint alors une plus grande efficacité et une force de contraste plus puissante. La troisième dimension n'existe plus par des plans superposés, la couleur n'est plus un intermédiaire, la pâte prend toute l'importance, devient masse par ses mouvements et ses reliefs. Là où l'on pourrait penser qu'il n'y a que sécheresse et désolation, il y a véritable dépouillement.

Mais Borduas n'est pas l'homme d'un style: c'est pour cela que son œuvre de recherche incessante, fragmentée par des ruptures décisives, est très attachante et reste sans doute difficile à connaître et à définir. En 1960, Borduas semble à la limite d'une recherche; tout devient noir, et c'est la fin. La voyait-il venir, cette fin?

Même si nous ne sommes qu'en janvier, je crois que nous pouvons dire de cette exposition, qu'elle est la grande exposition de l'année. Elle a été préparée avec beaucoup de soin et de tact. [...] □

À gauche : Exposition universelle de Montréal en 1967.

À droite : Première livraison de trois voitures du métro de Montréal, en 1965.

Ci-dessous : Barrage Daniel-Johnson, Manic 5.

1960

DE LA RÉVOLUTION DITE TRANQUILLE À LA CRISE D'OCTOBRE

La guerre, puis la télévision auront contribué à ouvrir le Québec sur le monde, mais ce n'est encore qu'un début. Quand Jean Lesage et son «équipe du tonnerre» prennent le pouvoir en 1960, après la mort de Duplessis qui aura régné sur la province pendant les quinze dernières années de sa vie, le Québec est mûr pour le changement.

Nourrie par le réformisme et le nationalisme, la Révolution tranquille baigne dans un climat de relative prospérité. La nationalisation de l'électricité, réalisée en 1963 à la suite de la campagne «Maîtres chez nous», attise la flamme nationaliste des Québécois. C'est l'époque de grands travaux qui stimulent à la fois l'économie et la fierté populaire : le métro de Montréal (1966), l'Exposition universelle de Montréal (1967), les barrages hydroélectriques de Manic 5 (1968), qui se poursuivront dans la décennie suivante avec les Jeux olympiques de Montréal et le chantier de la baie James. À partir des années soixante, une nouvelle génération de gens d'affaires québécois prendra sa place, favorisée par un fort taux de croissance économique.

Manifestation du front commun, à Québec, en 1972.

À la suite du rapport de la commission Parent, le ministère de l'Éducation est créé en 1964, les cégeps voient le jour en 1967 et l'Université du Québec l'année suivante. De 1966 à 1970, les universités produisent plus de diplômés qu'au cours des dix années précédentes.

Les années soixante sont celles de la jeunesse. Entre 1960 et 1970, près de 1 200 000 Québécois atteignent l'âge de 14 ans et le droit de vote sera abaissé à 18 ans en 1970. La natalité reste relativement élevée jusqu'en 1965. Le nombre de mariages commencera à décliner à partir de 1972, la taille des familles diminuera, la proportion des enfants nés de parents non mariés augmentera et les mariages seront plus éphémères. D'autre part, les Québécoises obtiennent l'égalité juridique avec leur époux grâce à la loi 16 qui leur accorde la possibilité d'exercer des responsabilités civiles ou financières.

C'est le début d'un temps nouveau avec une implication grandissante de l'État et une multiplication des politiques sociales. Le programme d'assurance-hospitalisation est adopté en 1961 et le programme d'assurance-santé, qui fournit gratuitement les soins de santé, entre en vigueur en 1970. En 1964 est créé le régime des rentes.

Le Parti québécois ralliera les partisans du Rassemblement pour l'indépendance nationale (RIN) et du Ralliement national (RN) en 1968 et connaîtra une croissance rapide, passant de 23 % des votes en 1970 à 30 % en 1973, pour finalement prendre le pouvoir en 1976.

Congrès du Parti québécois en 1973.

La littérature s'épanouit. Gérard Bessette publie *Le Libraire* (1960), Hubert Aquin *Prochain Épisode* (1965), Marie-Claire Blais *Une saison dans la vie d'Emmanuel* (1965), Claude Jasmin *Pleure pas Germaine* (1966), Réjean Ducharme *L'Avalée des Avalés* (1966), Jacques Godbout *Salut Galarneau*, Roch Carrier *La Guerre, yes sir !* et Pierre Vallières *Nègres blancs d'Amérique* (1968).

Au théâtre, on joue *Bousille et les justes* de Gratien Gélinas, et Michel Tremblay révolutionnera la dramaturgie québécoise avec *Les Belles-Sœurs*, pièce créée en 1968, l'année de tous les possibles.

La chanson québécoise est d'abord influencée par Ferré, Brassens, Brel. Les premiers émules de Félix Leclerc et Raymond Lévesque ont pour nom Léveillée, Ferland, Vigneault, Gauthier, Létourneau, Calvé. En 1968, le vent tourne quand Robert Charlebois troque sa guitare acoustique contre une électrique et un synthétiseur et quand Stéphane Venne commence à écrire des chansons à succès. Ils ouvriront la voie à Beau Dommage, Claude Dubois, Richard Séguin, Kevin Parent et bien d'autres.

Le cinéma québécois poursuit ses timides débuts avec *Pour la suite du monde* de Pierre Perreault et Michel Brault (1961) avant d'exploser avec *Valérie* de Denis Héroux (1968) et une pléthore de films sont produits dans l'euphorie du nationalisme culturel des années soixante-dix.

La planète semble se rétrécir. Les Américains ont marché sur la Lune en juillet 1969 et, encore rares dans les années soixante, les voyages en avion se banalisent. L'habitude des vacances en Europe, surtout en France, et dans le Sud en hiver, se répand.

Les folles années soixante se terminent sur une note dramatique avec la crise d'Octobre. Entre 1970 et 1980, on assiste à une radicalisation sur les fronts du nationalisme, du syndicalisme et du féminisme. Les événements d'octobre et la grève illimitée du front commun laisseront un goût amer, mais l'élection de René Lévesque à la tête du Parti québécois en 1976 est porteuse de promesses. Le référendum de 1980 clôturera la décennie. Le 20 mai 1980, 60 % des Québécois votent non, mais René Lévesque les convie «à la prochaine».

Ci-dessus : Soldat pendant la crise d'Octobre.

Un best-seller de la Révolution tranquille:

Les Insolences du frère Untel

Nous sommes en 1959, Desbiens, nom de famille laïque du frère mariste Pierre-Jérôme, enseigne le français à l'Académie commerciale de Chicoutimi (1958-1960) où on lui a également confié la direction de l'AJC (Association des jeunes Canadiens). Ce mouvement, qui n'a rien à voir avec celui des Jeunes-Canada dans lequel Laurendeau a milité au début des années trente, est lui aussi d'inspiration nationaliste.

C'est un bloc-notes de Laurendeau et un billet signé du pseudonyme de Candide dans les pages du *Devoir* (le 21 octobre) qui déclenchent une vive réaction chez Pierre-Jérôme. Poussé par un sentiment de révolte, le frère enseignant appuie les accusations portées par l'éditorialiste. Dans une lettre transmise à ce dernier (le 23 octobre), le frère mariste note ses impressions sur l'enseignement au Québec, sur la pauvreté de la langue écrite et parlée des étudiants et sur les lacunes du département de l'Instruction publique. Ces quelques paragraphes révèlent tout de suite à Laurendeau la griffe d'un écrivain doué. Adoptant un ton à la fois humoristique et satirique, le frère mariste entreprend tout bonnement une critique en règle du système d'enseignement. Par ricochet, ses propos rejaillissent sur la société tout entière. À cette époque, des règles communautaires interdisent aux religieux de publier des textes de quelque nature que ce soit sans avoir préalablement reçu l'approbation des autorités religieuses compétentes. Laurendeau, au courant de cet état de choses, décide de passer outre à la confidentialité demandée par Pierre-Jérôme et il publie la lettre le 3 novembre en page quatre du *Devoir* sous la rubrique «L'opinion du lecteur». Cependant, pour conserver l'anonymat de son correspondant, il lui donne le pseudonyme de frère Untel, que l'auteur des *Insolences* découvre au même moment que les lecteurs. Dans l'esprit du frère mariste, il s'agit là de sa seule et dernière lettre, mais les réponses et les réactions des lecteurs, ainsi que les remarques de Laurendeau, l'obligent à rédiger sept autres articles. Sa production s'étend sur une période de neuf mois, soit du 3 novembre 1959 au 13 juillet 1960. Rapidement, ses lettres captent l'attention du public. Pourtant, elles traitent de questions plutôt arides comme la langue, l'éducation, l'autorité et la vie religieuse. Mais, comme le souligne l'historien Jean Hamelin, «La parole est crue et l'écriture, juteuse; frère Untel s'exprime dans le son d'un authentique nous autres.» Pendant les semaines où le frère revient à la charge, Laurendeau se garde bien de révéler l'identité de ce mystérieux pamphlétaire qui aurait pu être trop rapidement lapidé sur la place publique, ou tout simplement réduit au silence. [...] □

Alain Fournier,
***Un best-seller de la Révolution tranquille: Les Insolences du frère Untel*,**

Visage anglophone du centre-ville de Montréal dans les années 1950.

Lettres au *Devoir*

Je trouve désespérant d'enseigner le français

Candide
a/s *Le Devoir*, Montréal.
Monsieur,

Je viens de lire votre «actualité» du 21 octobre, touchant le langage. Je suis d'accord avec vous: nos élèves parlent joual. J'enseigne dans une petite ville d'une région très française de la province depuis deux ans (une 11e année commerciale): mes élèves parlent joual, écrivent joual, ne veulent pas parler ou écrire autrement. Le joual est leur langue. Les choses se sont détériorées au point où ils ne savent même plus déceler une faute qu'on leur pointe du bout du crayon. (L'homme *que* je parle; *nous* allons *se* déshabiller; cela leur semble même élégant...) Pour les fautes d'orthographe, c'est un peu différent: si on leur signale une faute d'accord, du bout du crayon, ils savent encore l'identifier. Le vice est donc profond: il est au niveau de la syntaxe. Il est aussi au niveau de la prononciation: sur vingt élèves à qui vous demandez leur nom, au début de la première classe, il ne s'en trouvera que deux ou trois dont vous saisirez le nom du premier coup. Vous devrez faire répéter les autres. Ils disent leur nom comme on avoue une impureté.

Atelier de débossage ! Débosselage !

Cet après-midi, je lisais votre «actualité» en classe. Les élèves reconnaissent qu'ils parlent joual. Mais ils ne voient pas la nécessité d'en changer. «Tout le monde parle comme ça.» «On fait rire de nous autres si on parle bien.» Et comme je leur disais qu'ils ne parlaient ni le français ni l'anglais, mais une langue bâtarde, un élève me répondit : «On est fondateur d'une nouvelle langue.»

Je ne suis point vieux, point trop grincheux, j'aime l'enseignement; et pourtant, je trouve désespérant d'enseigner le français.

C'est trop vite fait de rejeter le tort sur l'École. Ou d'ironiser sur les concours de bon langage. En vérité, le problème est ailleurs : nos élèves parlent joual, parce qu'ils vivent joual. On ne réglera rien en agissant au niveau du langage (concours, campagne, congrès, etc.); c'est au niveau de la civilisation qu'il faut agir. Cela aussi est vite dit. En fait, quand on réfléchit au problème et qu'on en arrive à la question : quoi faire ? On est désespéré. Quoi faire ? Que peut un instituteur pour enrayer la déroute ? Tout ce qu'il gagne est aussitôt perdu; les efforts qu'il fait sont dérisoires; dès quatre heures de l'après-midi, il commence d'avoir tort car toute la civilisation le nie; nie ce qu'il défend; piétine ou ridiculise les valeurs qu'il prône.

Direz-vous que je suis pédant, ou que je remonte au déluge, si je rappelle ici le mot de Bergson, sur la nécessité d'un supplément d'âme ? Nous vivons joual, par pauvreté d'âme; nous parlons joual, par voie de conséquence. Je pose qu'il n'y a aucune différence substantielle entre la dégradation du langage et la désaffection vis-à-vis des libertés fondamentales, que révèle l'enquête du *Maclean's*, que vous avez commentée à deux reprises. Quand on a renoncé aux libertés fondamentales, comme il semble que la jeunesse a fait, on renonce facilement à la syntaxe. Et les apôtres de la démocratie, comme les apôtres du bon langage, font figure de doux maniaques. Nos gens n'admirent que machines et technique; ils ne sont impressionnés que par l'argent et le cossu; les grâces de la syntaxe ne les atteignent pas. Je me flatte de parler un français correct; je ne dis pas courant, je dis correct. Mes élèves n'en parlent pas moins joual. Je ne les impressionne pas. Je leur échappe plutôt. Pour me faire comprendre, je dois parfois recourir à l'une ou l'autre de leurs expressions jouales. Nous parlons deux langues, eux et moi, et je suis le seul à parler les deux !

Quoi faire ? C'est toute la société canadienne-française qui abandonne. C'est nos commer-

La culture américaine s'installe chez nous.

çants qui affichent des raisons sociales anglaises ici même à X... Et rappelez-vous l'enquête sur le même sujet, faite à Saint-Jean, il y a deux ou trois ans. Et voyez les panneaux-réclames, le long des routes. Nous sommes une race servile. Nous avons eu les reins cassés il y a deux siècles, et ça paraît.

Signe: le gouvernement, via divers organismes, organise des cours du soir. Les cours les plus courus sont les cours d'anglais. Tout le monde veut apprendre l'anglais. Il n'est évidemment pas question d'organiser des cours de français. Nous sommes une race servile. Mais qu'est-ce que ça donne de voir cela? Voir clair et mourir. Beau sort. Avoir raison et mourir.

Signe: la comptabilité s'enseigne en anglais, avec des manuels anglais, dans la catholique province de Québec, où le système d'éducation est le meilleur au monde, puisque les évêques siègent aux réunions du département de l'Instruction publique. Dormons, dormons, d'autres veillent...

Signe: on organise une treizième année, dans certaines localités, dont ici. Le programme très spécial de ces classes comporte quatre heures de français par semaine, et cinq d'anglais. Nous sommes une race servile.

Joseph Malègue dit quelque part: «En un danger mortel au corps, les hommes tranchent tout lien, bouleversent vie, carrière, viennent au sanatorium deux ans, trois ans. Tout, disent-ils, plutôt que la mort.» N'en sommes-nous pas là? Quoi faire? Quand je pense, je pense liberté; sitôt que je veux agir c'est le dirigisme qui pointe l'oreille. Il n'est d'action que despotisme. Pour nous guérir, il faudrait des mesures énergiques:

a) contrôle absolu de la radio et de la T.V. Défense d'écrire ou de parler petit-nègre, sous peine de mort;

b) destruction, par la police provinciale, en une seule nuit, de toutes les enseignes commerciales anglaises;

c) autorisation de tuer à bout portant tout fonctionnaire, tout instituteur, tout curé qui parle joual.

Mais cela ne serait pas encore agir au niveau de la civilisation. Ferons-nous l'économie d'une crise majeure? Ferons-nous l'économie d'un péril mortel, qui nous réveillerait, mais à quel prix?

Là-dessus, je vous assure de mon estime.

Frère Un Tel, *Le Devoir*, 3 novembre 1959.

Jean-Paul Desbiens

Né en 1927 à Métabetchouan, au Lac-Saint-Jean, Jean-Paul Desbiens prend la soutane en 1944. Après des études de philosophie, il devient professeur puis éditorialiste et chroniqueur au journal *La Presse*. Célèbre pour *Les Insolences du frère Untel* (1960), il publie également de nombreux ouvrages sur l'éducation ainsi que plusieurs tomes de son journal: *Journal d'un homme farouche* (1993), *Les Années novembre* (1996) et *À l'heure qu'il est* (1998).

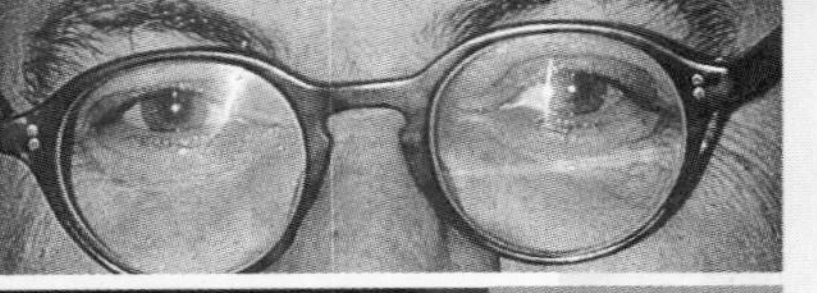

auteur **Michel Tremblay**

création **28 août 1968**

LES BELLES-SŒURS

pièce de théâtre

Moé, j'aime ça le bingo !

Premier acte

[...]

Noir. Projecteur sur Lisette de Courval.

LISETTE DE COURVAL – On se croirait dans une basse-cour ! Léopold m'avait dit de ne pas venir ici, aussi ! Ces gens-là sont pus de notre monde ! Je regrette assez d'être venue ! Quand on a connu la vie de transatlantique pis qu'on se retrouve ici, ce n'est pas des farces ! J'me revois, là, étendue sur une chaise longue, un bon livre de Magali sur les genoux... Pis le lieutenant qui me faisait de l'œil... Mon mari disait que non, mais y avait pas tout vu ! Une bien belle pièce d'homme ! J'aurais peut-être dû l'encourager un peu plus... Puis l'Urope ! Le monde sont donc bien élevés par là ! Sont bien plus polis qu'ici ! On en rencontre pas des Germaine Lauzon, par là ! Y a juste du grand monde ! À Paris, tout le monde perle bien, c'est du vrai français partout... C'est pas comme icitte... J'les méprise toutes ! Je ne remettrai jamais les pieds ici ! Léopold avait raison, c'monde-là, c'est du monde *cheap*, y faut pas les fréquenter, y faut même pas en parler, y faut les cacher ! Y savent pas vivre ! Nous autres on est sortis de là, pis on devrait pus jamais revenir ! Mon Dieu que j'ai donc honte d'eux autres !

Les lumières se rallument.

[...]

Noir. Quand les lumières reviennent, les neuf femmes sont debout au bord de la scène.

LISETTE DE COURVAL – Ode au bingo !

OLIVINE DUBUC – Bingo !

Pendant que Rose, Germaine, Gabrielle, Thérèse et Marie-Ange récitent «l'ode au bingo», les quatre autres femmes crient des numéros de bingo en contrepoint, d'une façon très rythmée.

GERMAINE, ROSE, GABRIELLE, THÉRÈSE ET MARIE-ANGE – Moé, j'aime ça le bingo ! Moé, j'adore ça le bingo ! Moé, y a rien au monde que j'aime plus que le bingo ! Presque toutes les mois, on en prépare un dans'paroisse ! J'me prépare deux jours d'avance, chus t'énarvée, chus pas tenable, j'pense rien qu'à ça. Pis quand le grand jour arrive, j't'assez excitée que chus pas capable de rien faire dans'maison ! Pis là, là, quand le soir arrive, j'me mets sur mon trente-six, pis y a pas un ouragan qui m'empêcherait d'aller chez celle qu'on va jouer ! Moé, j'aime ça, le bingo ! Moé, c'est ben simple, j'adore ça, le bingo ! Moé, y a rien au monde que j'aime plus que le bingo ! Quand on arrive, on se déshabille pis on rentre tu-suite dans l'appartement oùsqu'on va jouer. Des fois, c'est le salon que la femme a vidé, des fois, aussi, c'est la cuisine, pis même, des fois, c'est une chambre à coucher. Là, on s'installe aux tables, on distribue les cartes, on met nos pitounes gratis, pis la partie commence ! (*Les femmes qui crient des numéros continuent seules quelques secondes.*) Là, c'est ben simple, j'viens folle ! Mon Dieu, que c'est donc excitant, c't'affaire-là ! Chus toute à l'envers, j'ai chaud, j'comprends les numéros de travers, j'mets mes pitounes à mauvaise place, j'fais répéter celle qui crie les numéros, chus dans toutes mes états ! Moé, j'aime ça, le bingo ! Moé, c'est ben simple, j'adore ça, le bingo ! Moé, y a rien au monde que j'aime plus que le bingo ! La partie achève ! J'ai trois chances ! Deux par en haut, pis une de travers ! C'est le B 14 qui me manque ! C'est le B 14 qui me faut ! C'est le B 14 que je veux ! Le B 14 ! Le B 14 ! Je r'garde les autres... Verrat, y ont autant de chances que moé ! Que c'est que j'vas faire ! Y faut que je gagne ! Y faut que j'gagne ! Y faut que j'gagne !

LISETTE DE COURVAL – B 14 !

LES CINQ FEMMES – Bingo ! Bingo ! J'ai gagné ! J'le savais ! J'avais ben que trop de chances ! J'ai gagné ! Que c'est que j'gagne, donc ?

LISETTE DE COURVAL – Le mois passé, c'était le mois des chiens de plâtre pour t'nir les portes, c'mois icitte, c'est le mois des lampes torchères !

LES NEUF FEMMES – Moé, j'aime ça, le bingo ! Moé, c'est ben simple, j'adore ça, le bingo ! Moé, y a rien au monde que j'aime plus que le bingo ! C'est donc de valeur qu'y en aye pas plus souvent ! J's'rais tellement plus heureuse ! Vive les chiens de plâtre ! Vive les lampes torchères ! Vive le bingo !

Éclairage général.

[...]

LES CINQ FEMMES, *ensemble* – Quintette : Une maudite vie plate ! Lundi !

LISETTE DE COURVAL – Dès que le soleil a commencé à caresser de ses rayons les petites fleurs dans les champs et que les petits oiseaux ont ouvert leurs petits becs pour lancer vers le ciel leurs petits cris...

LES QUATRE AUTRES – J'me lève, pis j'prépare le déjeuner ! Des toasts, du café, du bacon, des œufs. J'ai d'la misère que l'yable à réveiller mon

Angle Fabre et Mont-Royal (Montréal) au début des années 1960.

monde. Les enfants partent pour l'école, mon mari s'en va travailler.

MARIE-ANGE BROUILLETTE – Pas le mien, y est chômeur. Y reste couché.

LES CINQ FEMMES – Là, là, j'travaille comme une enragée, jusqu'à midi. J'lave. Les robes, les jupes, les bas, les chandails, les pantalons, les canneçons, les brassières, tout y passe ! Pis frotte, pis tord, pis refrotte, pis rince... C't'écœurant, j'ai les mains rouges, j't'écœurée. J'sacre. À midi, les enfants reviennent. Ça mange comme des cochons, ça revire la maison à l'envers, pis ça repart ! L'après-midi, j'étends. Ça, c'est mortel ! J'haïs ça comme une bonne ! Après, j'prépare le souper. Le monde reviennent, y ont l'air bête, on se chicane ! Pis le soir, on regarde la télévision ! Mardi !

LISETTE DE COURVAL – Dès que le soleil...

LES QUATRE AUTRES FEMMES – J'me lève, pis j'prépare le déjeuner. Toujours la même maudite affaire ! Des toasts, du café, des œufs, du bacon... J'réveille le monde, j'les mets dehors. Là, c'est le repassage. J'travaille, j'travaille, j'travaille. Midi arrive sans que je le voye venir pis les enfants sont en maudit parce que j'ai rien préparé pour le dîner. J'leu fais des sandwichs au béloné. J'travaille toute l'après-midi, le souper arrive, on se chicane. Pis le soir, on regarde la télévision ! Mercredi ! C'est le jour du mégasinage ! J'marche toute le journée, j'me donne un tour de reins à porter des paquets gros comme ça, j'reviens à la maison crevée ! Y

Le plateau Mont-Royal au début des années 1960.

faut quand même que je fasse à manger. Quand le monde arrive, j'ai l'air bête ! Mon mari sacre, les enfants braillent... Pis le soir, on regarde la télévision ! Le jeudi pis le vendredi, c'est la même chose ! J'm'esquinte, j'me désâme, j'me tue pour ma gang de nonos ! Le samedi, j'ai les enfants dans les jambes par-dessus le marché ! Pis le soir, on regarde la télévision ! Le dimanche, on sort en famille : on va souper chez la belle-mère en autobus. Y faut guetter les enfants toute la journée, endurer les farces plates du beau-père, pis manger la nourriture de la belle-mère qui est donc meilleure que la mienne au dire de tout le monde ! Pis le soir, on regarde la télévision ! Chus tannée de mener une maudite vie plate ! Une maudite vie plate ! Une maudite vie plate ! Une maud...

(*L'éclairage redevient normal. Elles se rassoient brusquement.*

[...]

Michel Tremblay, *Les Belles-Sœurs*, © Leméac, 1972.

Michel Tremblay

Né à Montréal en 1942, Michel Tremblay est l'un des plus importants écrivains du Québec. Auteur prolifique, il est à la fois dramaturge : *À toi pour toujours, ta Marie-Lou* (1971), *Les Belles-Sœurs* (1972), *Albertine en cinq temps* (1984) ; romancier : *La Grosse Femme d'à côté est enceinte* (1978), *Thérèse et Pierrette à l'école des Saints-Anges* (1980) ; et chroniqueur : *Les Vues animées* (1990), *Un Ange cornu avec des ailes de tôle* (1994).

1960-1970

LA PRESSE, 29 AOÛT ▸1968◂

L'amour du «joual» et des timbres-primes

PAR MARTIAL DASSYLVA

Lisette de Courval (Janine Sutto) et Rose Ouimet (Denise Filiatrault).

Les Belles-Sœurs, la comédie de Michel Tremblay qui vient de prendre le départ au Rideau Vert, suscite chez moi des réactions contraires dont je ne saurais, dans les quelques heures à ma disposition, faire la synthèse complète.

D'une part, je reconnais volontiers que nous avons en Michel Tremblay un auteur dramatique de talent possédant un extraordinaire don d'observation et dont l'humour parfois féroce tombe pile. Sur ce plan-là, il ne fait aucun doute que l'entrée de Michel Tremblay au théâtre est fracassante.

Mais, d'autre part, devant la grossièreté et la vulgarité de son texte, je ne puis m'empêcher de penser que la direction du Rideau Vert a peut-être rendu un mauvais service à l'auteur en acceptant de produire sa pièce.

Je ne suis pas bigot de nature, mais je dois bien avouer que c'est la première fois de ma vie que j'entends en une seule soirée autant de sacres, de jurons, de mots orduriers de toilette.

Cette grossièreté et cette vulgarité procèdent de la théorie archiréaliste suivant laquelle le «joual» est la langue naturelle et nationale des Québécois et qu'en conséquence, lorsqu'on met en scène des gens d'une certaine classe de la société québécoise, il faille, quoi qu'il en coûte, user du langage que, prétend-on, ils emploient.

En partant d'une telle prémisse, il est presque fatal que l'on exagère le langage que l'on prête aux personnages qui évoluent sur la scène et qu'on ne sache ni où ni quand s'arrêter. Au grand ébaudissement des snobs pour qui le «joual» est devenu non seulement une curiosité mais encore un jeu de société !

J'ai déjà dit en d'autres circonstances combien la préciosité vers le bas pouvait être artificielle et détestable. Inutile d'y revenir. Et dans cette voie, il est difficile d'aller plus loin que Michel Tremblay. Les romanciers de l'École de «Parti Pris» se sont rendu compte que l'utilisation du «joual» ne débouchait sur rien. Espérons qu'après *Les Belles-Sœurs* nos auteurs dramatiques – et aussi les directeurs de troupe – s'apercevront de la futilité et de l'ineptie du procédé.

D'une situation assez farfelue mais qui n'a rien de gratuit, Tremblay tire tous les effets possibles. Au départ, il y a Germaine Lauzon (incarnée avec un métier parfait par Denise Proulx) qui, après avoir gagné un million de timbres-primes, invite ses belles-sœurs et quelques voisines à une séance de «collage». La séance se déroule avec tous les rebondissements, querelles, papotages imaginables et se termine en tragédie, les invitées dépouillant Germaine Lauzon de son précieux trésor et même de quelques pièces de son mobilier.

À condition de ne pas être trop allergique au «joual», on peut passer une bonne soirée au Rideau Vert. Car le talent de Michel Tremblay, s'il ne force pas l'admiration, force tout de même le respect.

Sans doute ce respect doit-il beaucoup aux inventions du jeune André Brassard qui signe ici sa première mise en scène dans un théâtre professionnel et qui passe l'épreuve avec succès. Brassard laisse sa griffe sur tout ce qu'il touche et ceux qui ont suivi son travail au Mouvement Contemporain se sont retrouvés en terrain connu devant ces chœurs tantôt drôles, tantôt tragiques où s'expriment le désarroi, la colère ou l'enthousiasme des *Belles-Sœurs*. Brassard croit à la valeur incantatoire du verbe et il a plusieurs fois montré antérieurement quels effets dramatiques on pouvait en tirer.

Tout dans la mise en scène de Brassard n'est pas au point et on pourrait relever quelques éclairages mal contrôlés. De même les gens du métier dénicheront un certain manque de précision dans les déplacements d'ensemble.

Mais la petite scène du Stella exige des metteurs en scène qui sachent modérer leurs transports. Ce qui n'est pas du tout facile lorsque l'on sait que, dans le cas des *Belles-Sœurs*, il y a presque du commencement à la fin quinze personnes en scène. Par ailleurs, il est évident que pour assurer la distribution il a fallu faire appel à des personnes au métier parfois hésitant.

Il n'en demeure pas moins que les principaux rôles sont admirablement défendus (on croirait même que certains ont été faits à la mesure de leurs détentrices) par une pléiade de comédiennes qui ne ratent aucun de leurs effets et donnent aux belles-sœurs une vie souvent incomparable et dans plusieurs cas une rondeur absolument désopilante. Denise Proulx, Denise Filiatrault, Hélène Loiselle, Germaine Giroux, Marthe Choquette et Odette Gagnon excellent tout spécialement.

Cependant, au delà de la mise en scène qui est pleine de surprises, de l'interprétation qui est pleine d'intérêt, et du problème du langage qui n'est pas secondaire, loin de là, mais ne doit pas nous empêcher d'aller plus avant, un fait brutal et éloquent demeure: il se dégage de la caricature – le réalisme poussé jusqu'à l'obsession aboutit fatalement à la caricature – de Michel Tremblay une humanité, mal définie mais continuellement présente.

Sur le plan technique, l'auteur est limité et il limite encore ses moyens en poussant jusque dans ses derniers retranchements l'utilisation du «joual». En dépit de cela, les *Belles-Sœurs* sont vivantes, humaines, savoureuses et pittoresques.

Le jour où Michel Tremblay acceptera de jouer franchement le jeu de l'écrivain dramatique, en d'autres termes qu'il consentira à accorder les ressources de son intuition, de sa sensibilité et de son intelligence et les exigences de l'écriture dramatique véritable, nous aurons probablement de lui une œuvre forte, généreuse et aisément audible. À moins, bien entendu, qu'il veuille se complaire dans la vulgarité appuyée et continuer d'emprunter des avenues qui ne mènent nulle part. □

LE DEVOIR, 30 AOÛT 1968

Une entreprise familiale de démolition

PAR JEAN BASILE

En pleine séance de collage de timbres.

Après tant et tant de cadavres empilés sur les scènes de la métropole par des acteurs sans vie agités par des metteurs en scène sans âme, voici qu'un grand souffle nous provient du Rideau-Vert qui ouvre sa saison sur ce qu'il faut bien appeler un chef-d'œuvre.

Chef-d'œuvre en effet que *Les Belles-Sœurs* de Michel Tremblay, sur les trois plans de l'intelligence, de la sensibilité et de l'écriture. Il faut immédiatement joindre au nom de l'auteur celui de son metteur en scène, André Brassard.

Sur le plan de l'intelligence, *Les Belles-Sœurs* est, je crois, un des premiers véritables regards critiques qu'un dramaturge québécois jette sur la société québécoise.

Sur le plan de la sensibilité, le monde de Michel Tremblay est d'une justesse et d'une acuité qui le classe immédiatement parmi les véritables artistes.

Sur le plan de l'écriture, la pièce est la démonstration éclatante que le «joual» employé dans son sens peut prendre des dimensions dans le temps et dans l'espace qui font de lui l'arme la plus efficace qui soit contre l'atroce abatardissement qu'il exprime. [...] □

réalisateur **Michel Brault**
première **septembre 1974**

L'application de la Loi sur les mesures de guerre, 1970.

Les Ordres : un double hommage

PAR JEAN-GUY DUBUC

Bien qu'il soit encore tout jeune, le cinéma canadien a reçu ses cartes de noblesse à Cannes la semaine dernière : le jury a décerné à Michel Brault, pour son film *Les Ordres*, le prix de la meilleure mise en scène, ex æquo avec le très réputé Costa-Gavras, pour son film *Section spéciale*. En cinq ans de participation au plus prestigieux des festivals, c'est tout un chemin parcouru. On serait fier à moins.

Pourtant, jusqu'à maintenant, le film de Brault a connu un très mince succès de salle. À Montréal, il a attiré une clientèle assez grande, mais trop restreinte pour que l'on parle de succès populaire. À Toronto, il n'a pas marché. À Paris, programmé dans trois salles, il attire seulement 300 personnes par jour. Malgré la quasi-unanimité de la critique (*Le Figaro* faisant cavalier seul avec ses jugements négatifs). Il faut donc conclure que le jury de Cannes ne se laisse pas influencer, comme à Hollywood, par le sentiment populaire.

On peut même supposer que ce jury a voulu saluer particulièrement deux qualités dans le film de Brault. D'abord, sa liberté : ce n'est pas en France que l'État participerait au financement d'un film critiquant une de ses politiques. *Les Ordres* en a surpris plusieurs par sa liberté d'expression : l'hommage, à ce moment, s'adresse autant au pays qu'aux hommes.

Michel Brault et Louise Forestier pendant le tournage.

Mais aussi, Michel Brault a reçu un prix concernant son travail de metteur en scène. Là, c'est le talent de l'auteur que l'on souligne. Brault a su très bien manier une technique de dépouillement, de simplicité, de vérité. Quiconque a connu un tant soit peu « Octobre 70 », quel que soit son jugement sur l'attitude des gouvernements et sur les comportements policiers, trouvera dans *Les Ordres* un souci de vérité que l'artiste a su honnêtement préserver dans tout son film. Ce qui fait un film « engagé » honnête. C'est déjà beaucoup plus que bien d'autres prises de positions politiques, entendues ici ou ailleurs. □

La Presse, 28 mai, 1975

***Les Ordres*, de Michel Brault**

Un très grand film sur un très grand sujet

PAR ROBERT LÉVESQUE

Des gardiens avancent dans un long corridor. Ils poussent un chariot sur lequel il y a une vingtaine de sacs en papier brun. Ce sont les «commandes». Les prisonniers doivent sortir chacun à son tour pour signer un papier en échange d'un sac. Ils n'ont mangé que du mauvais gruau depuis 4 jours. Dans chaque sac brun, des chips, des tablettes de chocolat, des canettes de Pepsi.

La caméra, qui précède les gardiens, laisse passer ceux-ci et revient, lentement, discrètement, regarder en biais dans la cellule de Clermont Boudreau. Assis sur le bout de son lit, Boudreau sort un sac de chips, ouvre sa canette, puis soudain sa figure se décompose. Il pleure, la main dans le sac de chips.

Clermont Boudreau travaille dans une usine de textile. Il est délégué syndical. Pour faire vivre sa famille, il fait du taxi le soir. Le 16 octobre 70, le matin où les forces de l'ordre ont reçu les pleins pouvoirs, on est venu chez lui l'arrêter. Sa femme aussi. Elle est restée six jours en prison, lui plus d'un mois. Ils n'ont jamais su pourquoi.

C'est à partir de 50 interviews réalisées avec des Québécois qui furent ainsi emprisonnés lors de la crise d'Octobre que Michel Brault a bâti le scénario de son film *Les Ordres*. Avec ce que lui ont raconté ces Québécois ordinaires (et non les vedettes de la gauche), Brault a tracé le portrait de trois hommes et de deux femmes qui ont subi l'humiliation de la loi des mesures de guerre.

Les Ordres, qui devait être au départ un film sur l'intolérance exercée sur ceux qui avaient été arrêtés, est devenu, en recueillant les divers témoignages, un film sur l'humiliation des hommes à qui on enlève toute liberté. Un très grand film sur un très grand sujet.

L'art de Michel Brault a été de réunir tous ces témoignages, toutes ces sensations, toutes ces colères, et d'en faire le scénario des *Ordres*, le film le plus intense jamais réalisé au Québec, le film le plus important politiquement et le plus envoûtant sur le plan esthétique.

Sans aucune concession à la facilité, à l'effet, au spectaculaire, *Les Ordres* se contente d'observer cinq drames particuliers reliés entre eux par cette décision du gouvernement Trudeau qui donna lieu aux pires excès: faire croire à des gens qu'on allait les fusiller dans trois jours; refuser à quelqu'un d'aller voir son père qui venait de mourir, etc.

Le sujet aurait pu se prêter à la surcharge. C'est plutôt du côté de Bresson que de celui de Costa-Gavras qu'a penché Michel Brault. Le film n'en est que plus fort. Il en a fait un film intimiste, une œuvre qui scrute à l'intérieur de ses personnages pour aller à l'essentiel.

Tout est retenu dans *Les Ordres*. Du début à la fin, dans le jeu des comédiens, dans la construction du film, dans son rythme régulier, le spectateur est constamment soutenu dans un état de grande émotion face à ce qui se déroule sur l'écran, mais il n'est jamais provoqué par le film lui-même. Il l'est uniquement par ce qui habite les principaux personnages.

La caméra de Brault n'appuie sur rien, elle est d'une grande subtilité, se faisant oublier. Le dépouillement du film lui-même correspond à cet état que Brault a essayé (et a magistralement réussi) de décrire chez ces hommes et femmes qui, soudain, ne savaient plus ce qui «pouvait» leur arriver. Ce viol de la liberté humaine qu'Octobre a représenté pour ceux-là qui, le 16 octobre au matin, ont pris le chemin des prisons.

Hélène Loiselle est tragique, elle demeurera inoubliable. Quelle comédienne! Jean Lapointe est bouleversant, inoubliable également, comme Claude Gauthier, comme Guy Provost, comme Louise Forestier. La distribution des *Ordres* est parfaite. Jamais un film québécois n'a été aussi bien joué. C'est là une des richesses des *Ordres*.

La façon dont chaque comédien se présente, au début, n'est pas qu'une trouvaille («Mon nom est Hélène Loiselle, dans ce film je serai Marie Boudreau...»). c'est l'indication de la distance qu'ont prise ces Québécois comédiens vis-à-vis de ces Québécois humiliés qu'ils ont à interpréter. Tout le principe du théâtre de Bertolt Brecht si efficace pour un théâtre (ou un cinéma) politique.

Intensité

Michel Brault vient de donner avec *Les Ordres* le premier véritable chef-d'œuvre du cinéma québécois. Un film ancré dans la réalité du peuple d'ici, un film juste, authentique, mais une œuvre qui rejoint l'universel par son sujet et surtout par la grande sensibilité avec laquelle le cinéaste a abordé ce sujet.

J'aime à classer les films, parfois, par le degré d'intensité auquel ils nous font parvenir. Dans cette optique, je classe *Les Ordres* au même niveau que des films, fort différents par ailleurs, comme *Cris et chuchotements* de Bergman, *Fat City* de John Huston ou *Prima della revoluzione* de Bertolucci, *Les Ordres* est un chef-d'œuvre.

On savait que Brault était l'un des meilleurs caméramen du monde. Pour faire *Les Ordres* (il a fallu 4 ans de démarches et de patience), il a refusé plusieurs contrats comme directeur de la photo pour des films étrangers. Ici, il a donné au cinéma québécois ses plus belles images, depuis *Les Raquetteurs* de Gilles Groulx en 58, en passant par *À tout prendre, Pour la suite du monde, Mon Oncle Antoine, Le Temps d'une chasse* et *Kamouraska*. On sait maintenant qu'il est un véritable auteur.

Le premier scénario des *Ordres* avait été refusé par le commissaire en chef de l'ONF. Brault le modifia mais sans plus de succès auprès de Sidney Newman. À la Société de développement de l'industrie cinématographique canadienne (SDICC), il n'eut pas plus de succès une première fois. Ce n'est qu'après une nouvelle modification (la quatrième) qu'il reçut l'aide de cet organisme fédéral. Brault savait qu'il fallait faire ce film. Il avait raison. □

Jean Lapointe.

Guy Provost.

125 000 personnes sur les plaines d'Abraham pour voir Leclerc, Vigneault et Charlebois !

PAR JEAN-PAUL BROUSSEAU

Pour la première fois de ma vie de critique, je vais couvrir avec une certaine incohérence mais dans un enthousiasme ravi, touché, un «show» que j'ai vu à plus d'un quart de mille de la scène où il s'est déroulé, mais auquel j'ai participé par une sorte de magie de la communication humaine qui fait déjà dire à des amis qui sont des citoyens de la Vieille Capitale que le Festival international de la jeunesse francophone est l'événement marquant de 1974 «dans la ville et peut-être dans la province de Québec».

Cela fait une bien longue phrase. Je voudrais détailler. Au moment où j'écris, par exemple, Robert Charlebois et Gilles Vigneault sont dans le bar du centre de presse de l'hôtel Le Concorde. Charlebois dit qu'il n'a jamais rien vu de semblable depuis... quelque chose qui s'appelle la Journée ou la Fête de l'humanité, il y a quelques années, en Europe.

Et puis il fait remarquer que Félix Leclerc a 60 ans, que Vigneault en a 45 et que lui-même vient d'en avoir 30. Et voilà l'un des aspects uniques de cette immense fête: je ne sais pas exactement quand elle a commencé ce soir. Elle a fini à 23 h 15. Et comme j'ai dit, si j'étais sur les Plaines quelque part, mes amis de la ville de Québec, après m'avoir exhorté à abandonner mon petit point de vue montréalais, ont dit qu'il n'y a jamais eu tant de monde. On est «monté» aux Plaines en masse...

Le «pot» et la bière omniprésents

Les hélicoptères de la police estiment la foule à 125 000. Et ce n'est plus la seule «jeunesse» qui est là: ce sont les trois générations Leclerc-Vigneault-Charlebois. Robert, lui, avoue qu'il n'avait pas vu ça par anticipation, une affaire pareille, et que c'est précisément pour cette raison-là qu'elle est arrivée comme elle est arrivée...

Le «pot» est quasi omniprésent – mais aussi la caisse de bière; pas une bouteille cassée. C'est comme si deux – et peut-être trois – générations de Québécois et de visiteurs étrangers avaient comblé ce gouffre des générations dont on a tant parlé, non sans fondement.

J'ai vu ça de loin – mais de si près, quand même ! Même de l'intérieur des murs de la Vieille Bastille, où se trouve le Village des arts qu'inaugure ce matin le ministre des Affaires culturelles du Québec – avant une autre (!) réception pour la presse (nous sommes très gâtés) –, le mur de ciment contient la murale peinte la plus imposante sur le continent: plusieurs centaines de pieds d'une sorte de courant d'air ou d'eau où flottent des comètes ou des ballons, je ne sais... Nous nous sommes pris à penser aux adolescents qui l'avaient escaladé pour voir le spectacle, à un quart de mille de là; il ne venait pas à l'esprit que des hommes, avant eux, en avaient été prisonniers, et encore, sans le spectacle d'un mur qui n'est plus celui d'une prison mais d'un chantier d'artisans asiatiques, africains, européens et québécois qui vont travailler, à partir d'aujourd'hui, au niveau le plus humble de l'invention humaine: les métaux, la terre, le feu – devant tout le monde.

Qu'est-ce que tout ce lyrisme a à voir avec un spectacle que j'avais à «couvrir» ce soir, comme

Une foule jamais vue. Festival international de la jeunesse francophone (Québec).

journaliste de spectacle ? Eh bien, lyrique il faut être : je viens de voir, de si loin – mais de si près, plutôt de près – quelque chose qui bouleverse les règles de «couverture» ordinaire d'un spectacle. Déjà Charlebois dit que ça ne pourra jamais plus arriver parce qu'alors, cela aura été prémédité – et donc faux. [...]

60, 45, 30 ans. Brassens, Bécaud, Brel, pour rester dans les trois «B». «Nous nous sommes amusés tantôt à faire des trios d'à peu près ces âges-là. Mais ce qui n'arrivait dans aucun cas, c'est que nous puissions nommer trois Québécois qui aient réussi un coup pareil – ni étrangers non plus.

C'est une première «incouvrable» autrement. Et c'est aussi une dernière. Car mes amis de Québec m'ont montré des herbes hautes et fleurs des plaines d'Abraham qui n'avaient pas été foulées de la sorte depuis longtemps. Bonsoir. □

Jean-Paul Lemieux

Hommage à Émile Nelligan, 1971.

JEAN-PAUL LEMIEUX

Exposition de peinture

LE SOLEIL, 29 JUIN ▶1974◀

Jean-Paul Lemieux: le long voyage

PAR JEAN ROYER

Lundi, Moscou accueillera 70 des tableaux les plus remarquables de Jean-Paul Lemieux. L'exposition sera ensuite présentée à Leningrad, puis à Prague et à Paris, où le voyage se terminera en décembre.

Jean-Paul Lemieux est peut-être le peintre le plus représentatif du Québec. Dans sa quête du temps et de l'espace. De l'identité des saisons et des visages. Jean-Paul Lemieux cherche à définir notre solitude, en cette terre d'Amérique. À même l'horizon, frontière de l'ailleurs et de l'ici, du rêve et du pays. Là où l'œil cherche à reconnaître l'âme. De la vie à la mort. De l'été à la neige.

Car le peintre québécois médite essentiellement sur la solitude au cœur du temps. Pour lui, la vie est bien ce «long voyage». Où passe *Le train de midi*. Où, sur le chemin de l'amour, cette jeune fille rencontre *Les deux cavaliers* (1972): de la jeunesse à la mort. Jusqu'au bord de l'horizon, toujours.

Les derniers tableaux continuent le voyage

Les dernières toiles de Lemieux, depuis 1970, continuent d'explorer le temps par l'espace. Comme on peut les voir dans le catalogue du ministère des Affaires culturelles, pour la présente exposition itinérante.

Sylvain et les étoiles (1970) pénètre dans la nuit d'*Orion* (1967). *La visite des dames* et *Le chapeau noir* (1971) continuent de percer le mur du silence. *La visite du Jour de l'An* (1971) et *Les noces de juin* (1972) font le tableau de la vie traditionnelle, à même l'événement d'une des trois ou quatre saisons de la vie. Puis, il y a, comme le visage d'un pays sauvage, *La chasse d'octobre* (1971). Peint à la même époque que cet *Hommage à Émile Nelligan*, où le regard d'éternité du poète porte la mémoire de ce carré Saint-Louis, promenade de sa mère et de ces femmes comme des âmes continuelles. Il y a encore ce *Portrait d'Anne* (1972), comme la vie étonnée, déjà pleine et droite. Enfin, *La plage américaine* et *Les masques* (1973), deux tableaux d'une puissante évocation. L'un, du désir de la vie. L'autre, du mensonge et de la mort.

On reconnaît toujours le long voyage qu'entreprenait Jean-Paul Lemieux il y a plus de 30 ans. On y entend chanter Vigneault: *Quand vous mourrez de nos amours*. On se retrouve au cœur du «tombeau des rois» qu'a

Autoportrait, 1974.

Les Ursulines, 1951.

exploré aussi Anne Hébert. Avec Jean-Paul Lemieux, nous traversons la mémoire du pays de l'homme.

La meilleure introduction de notre pays

C'est bien ce qu'a reconnu Anne Hébert dans l'œuvre de Lemieux. Le texte du poète ne peut mieux présenter l'exposition, tant à Moscou qu'à Paris.

Résumons, pour le bénéfice de tout le monde, ce texte d'introduction d'Anne Hébert, accessible jusqu'ici aux seuls acheteurs du catalogue publié par le ministère des Affaires culturelles, pour l'occasion. Anne Hébert y analyse le long voyage du peintre québécois.

«Le premier regard que le peintre Jean-Paul Lemieux pose sur le monde est un regard d'enfant ironique. Il joue avec une petite ville, aux murs sans épaisseur, comme des décors (*Les disciples d'Emmaüs*, *Fête-Dieu*, *Enterrement*, *Lazare*, *Les Ursulines*).

«La grande époque du peintre commence à la fin des années 50. Désormais, cela se passe sur une scène presque nue. Sur la ligne d'horizon. Au plus haut point de l'attention, dans toute sa densité muette (*Matins clairs*, *Crépuscules*, *Grands prés*, *L'orpheline*, *La veuve*, *Le train de midi*, *Le long voyage*, *Julie et l'univers*, *Les servantes*, *Le supermarché*).

«Le temps ici est plus que réel, décanté de tout ce qui pèse et attache. Le visible et l'invisible sont sur le même plan, convoqués. Il semble ne pas y avoir de coulisses, avant la scène du tableau. Les paysages et les créatures vivantes surgissent d'eux-mêmes, à la fois denses et fluides. (*1910 Remembered*).

«Les créatures de Jean-Paul Lemieux, placées dans leurs propres paysages, exercent la vérité, comme une fonction et un art de vivre autonome. Il nous faut faire le silence en nous. Ce silence profond qui nous permet seul d'entendre le prodigieux silence de l'univers, à la fois austère et splendide, de Lemieux. Plus que le silence, c'est l'invisible qui rôde, qui demande à être capté par nous. Car nous sommes invités à cette contemplation. À cet au-delà. [...]

«Un grand peintre a pris notre pays natal et l'a fait passer au crible de son cœur singulier», conclut Anne Hébert.

«L'œuvre de Jean-Paul Lemieux, si particulière et si personnelle qu'elle soit, n'en demeure pas moins la meilleure introduction, la plus précise, la plus exacte, la plus rêveuse et la plus poétique de notre pays, immense et désert, habité, de-ci de-là, par des créatures éprouvant la vie et la mort, dans l'étonnement des premiers jours du monde. Le cœur mis à nu, sans faute, dans son évidence irréfutable.» □

1980 à nos jours

À gauche : Quartier ju
à Montréal.

À droite : Des partisan
de la Loi 101.

DIVERSITÉ CULTURELLE ET RAYONNEMENT MONDIAL

Au rythme de la diversité culturelle.

Tempête de verglas, en janvier 1998.

Au cours des années 1970, de nouvelles réalités, comme l'inflation et le chômage, émergent. En 1980, le dollar de 1971 aura perdu la moitié de son pouvoir d'achat et le taux de chômage oscillera autour des 10 %. La crise du début des années 1980 est la plus grave depuis celle de 1929 et, en 1983, un jeune travailleur sur trois se retrouve sans emploi.

À l'aube de l'an 2000, la population québécoise atteint 7 350 000 personnes, mais son poids diminue dans l'ensemble du Canada. La chute du taux de natalité s'accélère encore. De 3 % en 1957, il tombe à 1,9 % en 1966 et à moins de 1,5 % en 1972 pour se maintenir autour de 1,3-1,5 % depuis, le plus bas taux au Canada, et un des plus bas dans le monde occidental. Puisque l'espérance de vie continue à progresser depuis 1960, il y a moins de jeunes et plus de personnes âgées. En 1981, 88 % des Québécois se disent toujours catholiques, mais la pratique a perdu beaucoup de sa ferveur.

Le taux de natalité des immigrants, qui continuent d'arriver en bon nombre, dépasse celui des Québécois d'origine. Les groupes ethniques se diversifient. La proportion de Québécois nés à l'étranger est passée de 5,6 % en 1951 à 8,3 % en 1981. Montréal est depuis longtemps le point de chute des nouveaux arrivants et la majorité francophone de la ville s'effrite.

Le visage du Québec devient cependant résolument français. Après quelques lois plus timides visant à promouvoir la langue française, la Loi 101, ou Charte de la langue française, est adoptée en 1977. Le rapatriement unilatéral de la Constitution, les échecs de l'Accord du lac Meech et de Charlottetown et la défaite du oui au référendum de 1995 avec 49,4 % des voix ont un effet démobilisateur sur le nationalisme québécois. La récession du tout début des années 1980 a entraîné une crise des finances publiques qui, à long terme, a eu pour effet de remettre en question l'État providence.

Depuis 1971, la proportion de Québécois détenant un diplôme universitaire a fait un grand bond en avant. La création d'emplois n'est maintenant pas suffisante pour combler les besoins des diplômés qui arrivent massivement sur le marché du travail.

La place des femmes dans la société est à l'ordre du jour. Elles forment 48 % de la main-d'œuvre en 1981, soit 20 % de plus qu'en 1961. Cependant, même si elles ont accès à l'enseignement supérieur, elles sont le plus souvent confinées dans des ghettos d'emplois féminins et, même à travail égal, elles ont la plupart du temps un salaire inférieur. L'augmentation des divorces accroît le nombre de familles monoparentales qui ont quatre fois sur cinq une femme à leur tête et les femmes forment la grande majorité des personnes démunies au Québec comme au Canada.

Une enquête de 1978 révèle que les Québécois passent en moyenne 25 heures par semaine devant leur téléviseur. Ils suivront plus tard les téléséries *Lance et compte*, *Les Filles de Caleb*, *Urgence* et *Omertà* et seront rivés à leur fauteuil pour voir et revoir les épisodes de *La Petite Vie* qui fracassera des records de cotes d'écoute.

Les Chroniques du plateau Mont-Royal de Michel Tremblay (1978-1997), *Pélagie-la-Charette* d'Antonine Maillet qui mérite le prix Goncourt en 1979 et *Le Matou* d'Yves Beauchemin (1981) sont les succès de librairie. De nouveaux noms émergent, comme Christyne Brouillet, Gaétan Soucy, Francine Noël, Robert Lalonde et Monique Proulx.

Rien qu'en 1998, on a produit trente-six longs métrages québécois. Le film de François Girard, *Le Violon rouge*, fait le tour du monde, *L'Erreur boréale* fait scandale et *Les Boys* fait fureur avec un million cent-vingt cinq mille entrées et plus de 6 millions de recettes.

De nouveaux visages font leur apparition au firmament de la dramaturgie québécoise. René Richard Cyr, Marie Laberge, Jean-Pierre Ronfard et René-Daniel Dubois partagent maintenant l'affiche avec Michel Tremblay, dont le cœur balance entre le roman et le théâtre. Des artistes provenant des minorités ethniques font leur entrée au panthéon culturel québécois qui accueille ainsi Ying Chen, Dany Laferrière, Marco Micone, Wajdi Mouawad, Anne-Marie Alonzo et quelques autres.

Autre temps, autres mœurs, le hockey ne fait plus recette et l'humour fait salle comble. Après le succès de *Starmania* en 1976, Luc Plamondon triomphe en 1999, à Paris, avec la comédie musicale *Notre-Dame de Paris*. La chanteuse la plus populaire au monde est québécoise et le créateur Robert Lepage est acclamé aux quatre coins de la terre.

Ci-haut : Famille nucléaire : un seul enfant.

Nouveau visage ethnique des milieux urbains.

Les nouvelles technologies au cœur du quotidien.

ELDORADO
film

réalisateur **Charles Binamé**
sortie **1995**

Pascale Bussières et James Hyndman.

Charles Binamé discutant avec les comédiennes Pascale Bussières et Pascale Montpetit.

***Eldorado*, un film sur la vie, l'amour, la solitude et l'espoir.**

JOURNAL DE MONTRÉAL, 4 AOÛT 1994

Avec Pascale Bussières

ELDORADO : UN FILM VRAI

Au printemps 95, six jeunes personnages, que l'on pourrait dire en quête d'auteur, révéleront néanmoins leur mal de vivre, à l'écran, dans le long métrage *Eldorado* (titre de travail), de Charles Binamé.

PAR PAUL VILLENEUVE

Ces six jeunes Montréalais contemporains sont Rita (Pascale Bussières), la squatteuse à *roller-blades* qui fuit son besoin d'être aimée; Lloyd (James Hyndman), l'animateur-vedette, à la fois provocateur et fragile; Marc (Robert Brouillette), le romantique, l'amoureux fou; Loulou (Macha Limonchik), l'orpheline triste, l'excédée; Roxan (Isabel Richer), la pauvre petite fille riche qui a le cœur sur la main; Henriette (Pascale Montpetit), la survivante.

Produit par Cité-Amérique, ce film est vrai, en ce sens qu'il est, non seulement actuel, mais de plus né de la démarche personnelle de ses acteurs et de son réalisateur.

Réunis en ateliers d'improvisation pendant près d'un an, Charles Binamé et ses comédiens ont mis à contribution leurs expériences de vie et leur imaginaire pour tracer la dramatique, les traits des personnages, les thèmes et les liens qui les unissent, les univers qui les hantent.

Au tournage de ce film sans scénario arrêté, l'improvisation était donc au rendez-vous. Ce qui en fait donc aussi un film événement.

L'action de ce long métrage sur la vie, l'amour, la solitude et l'espoir, que l'on dit à la fois drôle et émouvant, se déroule dans un Montréal d'asphalte et de canicule.

Dans une lettre d'intentions, Charles Binamé écrit:

«Ce projet est né à la fois d'un désir et d'une volonté: questionner notre façon de prendre certains acquis de production pour des vérités absolues et réfléchir à la production de films sans calquer pour autant la facture, les conventions de jeu et les conditions d'exercice des modèles en usage.»

Rita (Pascale Bussières), personnage central d'*Eldorado*.

Eldorado
Troublante jeunesse d'aujourd'hui

PAR NORMAND PROVENCHER

La jeunesse des années 1990 représentée par les comédiens d'*Eldorado*.

À son premier long métrage, le cinéaste Charles Binamé montrait déjà un souci marqué pour la jeunesse et ses tourments. Souvenez-vous: elle s'appelait Chili, avait les blues, et le titre était long comme ça.

Moins d'un an plus tard, Chili n'est plus la seule à avoir les blues. Ils sont six, quatre filles et deux garçons, âgés de 24 à 32 ans, à se dire qu'elle était chanceuse la Chili au fond.

En décembre 63, le 12 du 12 plus précisément, le boulot ne manquait pas, le sida n'avait pas été inventé, on croyait encore aux promesses électorales, et la dette... quelle dette ?

Si Chili avait eu à vivre à notre époque, elle serait sûrement internée, pourraient penser Rita, Lloyd, Marc, Loulou, Roxan et Henriette, les personnages de la jungle urbaine d'*Eldorado*, un petit film qui bouleverse et dérange par son portrait sans fard d'une jeunesse en détresse.

Tourné avec des moyens volontairement dérisoires mais un souci de vérité extraordinaire, *Eldorado* nous fait les témoins du parcours tortueux et torturé d'êtres en quête d'un sens à donner à leur vie, sur fond de jungle montréalaise.

Il y a Rita (Pascale Bussières), une squatteuse qui trouve dans la délinquance une façon de fuir un terrible souvenir d'adolescence; Lloyd (James Hyndman), un animateur de radio au discours hystérico-provocateur; Marc et Loulou (Robert Brouillette et Macha Limonchik), qui font l'apprentissage à la dure de la vie de couple à l'heure des «McJobs»; Roxan (Isabel Richer), une fille de riches convertie en missionnaire du macadam; et, finalement, Henriette (Pascale Montpetit), plus à l'aise à nouer des liens avec les animaux qu'avec l'âme sœur tant souhaitée.

Au gré d'un scénario «puzzle», les destins de quelques-uns d'entre eux se croiseront, le temps d'écouter l'autre sans savoir quoi dire pour l'aider, de trahir son amitié pour payer une dette de drogue, ou encore de baiser à la sauvette, dans les toilettes d'une discothèque *underground*.

«Je ne sais pas comment vivre», dira l'une d'elles, en pleurs devant la photo de sa mère disparue. «Meurt-on de la solitude comme on meurt du sida ?» demande le second. «J'chu pus capable de parler ni de toucher à personne. Ça sent le pourri», ajoute une troisième.

Rien de particulièrement très réjouissant, il est vrai, mais d'une brûlante actualité. Les travailleurs de rue pourraient témoigner des mêmes discours au centre-ville de Montréal, où le film a été tourné, ou à la place d'Youville, lieu de rassemblement de la fameuse «génération X» de la capitale.

Binamé, en voulant s'affranchir des techniques contraignantes du cinéma traditionnel, n'a pas négligé pour autant l'esthétisme de son film – chapeau au directeur photo, Pierre Gill – pas plus que les dialogues n'ont à souffrir de l'exercice périlleux de l'improvisation commandée.

Malgré son discours peu réjouissant, *Eldorado* entrouvre la porte à l'espoir en fin de parcours. Rien pour nous faire oublier la morosité de notre époque, mais assez en tout cas pour ne pas désespérer complètement du genre humain. □

auteur **Wajdi Mouawad**
création **décembre 1998**

LITTORAL

pièce de théâtre

Le Liban, pays dévasté par la guerre.

Après Robert Lepage,
Limoges consacre Wajdi Mouawad

Le Festival de théâtre francophone de Limoges vient de consacrer l'auteur et metteur en scène montréalais Wajdi Mouawad, comme il l'avait fait pour Robert Lepage ou Michel-Marc Bouchard.

Sa pièce *Littoral*, interprétée par sa troupe du Théâtre Ô Parleur, a créé l'événement, suscité l'émotion des spectateurs et l'intérêt des producteurs. Il y a des années qu'on n'avait assisté aux Francophonies à un tel triomphe.

***Littoral*, créé en 1997 au Festival des Amériques de Montréal, est une pièce dense, forte et émouvante, à la fois noire et drôle, sur l'errance, l'exil, l'absence, la mort du père, la guerre, la mémoire [...]**

Presse canadienne, 29 septembre 1998.

Après avoir appris la mort de son père, Wilfrid décide de se rendre dans son pays natal pour lui offrir une sépulture.

49. Récitatif III

Wilfrid sort. Les cinq autres restent autour du père. Ils entreprendront de le laver chacun son tour pendant la mélopée du père.

[...]

Approche à ton tour
Celui que j'ai jadis
Abandonné.
Délaissé.
Toi qui peux affirmer en regardant les autres:
«Je suis celui qui ne peut pas dire vos paroles
Car je n'ai pas eu de père.»
Massi, viens-t'en, enfant humain.
J'embrasse mon enfant qui rit et le serre contre [moi,
J'entends le vent sourd du monde qui tous deux [nous appelle,
Je pars pour de bon vers la rive opposée,
Je te quitte, je te laisse,
Et que ton rire embrase le temps.
Nous nous retrouverons, père et fils,
Nous nous retrouverons, homme et enfant.

période représentée **les années 1990**

1980 à nos jours

Le jour tombe,
La lumière tombe,
La vie tombe,
La tombe tombe...
Je suis inquiet aujourd'hui, je suis inquiet.
Je suis le bateau dont la vigie crie «Terre».
Voici que se lève l'heure prévue
Où je dois accoster au port.
Mais sans ancre pour m'empêcher de dériver,
Mon coeur se remplit de terreur.

50. Le chevalier Guiromelan

Wilfrid marche le long de la plage. Il est rejoint par le chevalier Guiromelan.

LE CHEVALIER. Tu m'as appelé, Wilfrid ?

WILFRID. Oui.

LE CHEVALIER. Je sais ce que tu veux me dire.

WILFRID. Je sais que tu sais.

LE CHEVALIER. Alors ce n'est pas la peine de le dire.

WILFRID. J'ai besoin de le dire.

LE CHEVALIER. Ça va me faire mal pour rien.

WILFRID. Tant pis.

LE CHEVALIER. C'est fini alors ?

WILFRID. Oui. C'est fini.

LE CHEVALIER. Tu es devenu grand. Ne pleure pas.

WILFRID. Je ne pleure pas. C'est la vie qui me brûle les yeux. Regarde-moi, chevalier Guiromelan, regarde-moi; aujourd'hui, plus personne ne m'appellera son fils ! Aujourd'hui, il y a une peine en moi que je ne soupçonnais pas. Où j'irai elle ira, où je dormirai elle dormira. Je veux que tu deviennes à jamais invisible pour que je puisse mieux l'affronter.

LE CHEVALIER. Le roi Arthur vient de guérir alors.

WILFRID. Oui, il a nettoyé le corps de son père avec de l'eau qui provient du Graal sacré. Son cœur respire. Il est devenu plus lucide.

LE CHEVALIER. Le vent se lève.

WILFRID. Tout à l'heure, lorsque nous donnerons le corps de mon père à la mer, tu redeviendras alors l'ange que tu as toujours été pour moi. Invisible, je te devinerai mieux.

LE CHEVALIER. Tu veux donc que je plie bagage, que je dépose les armes ?

WILFRID. Ce n'est pas ça ! Ce que je te dis, chevalier, c'est que je veux devenir un homme. Tu comprends ?

LE CHEVALIER. On peut devenir cet homme ensemble.

WILFRID. Non. Je dois être seul.

LE CHEVALIER. Mais comment tu vas faire sans moi ?

WILFRID. Je n'ai pas le choix.

LE CHEVALIER. Je ne pourrai pas te laisser tout seul.

WILFRID. Ne t'inquiète pas. J'ai bien appris ce que tu m'as montré. Appris à mourir surtout, qui est la plus grande leçon, mais maintenant, je dois faire le dur apprentissage de la vie et pour ça, je dois être seul, sans filet, sans rien, je dois marcher dans le vide à mon tour sans fantôme pour me tenir la main, mais avec un esprit dans le cœur. Sois cet esprit, sois cet ange sur ma

L'horreur de la guerre oblige bien des gens à quitter leur pays. Le Québec et le Canada ont accueilli un bon nombre de ces exilés.

De nombreux enfants de la guerre ont été coupés de leurs racines et ont grandi dans un pays d'adoption.

route, cette étoile à laquelle mon âme sera attachée. Je n'ai plus besoin de te voir pour continuer à croire en toi. Tu vois, je ne te demande pas de partir, je ne cherche pas non plus à te quitter, au contraire, je veux que tu vives tellement en moi que nous ne soyons plus en mesure de nous voir. Et plus tard, lorsque je mourrai moi aussi, tu viendras me chercher sur ton dragon et nous irons slalomer entre les étoiles, en riant d'un grand rire et en tuant les plus poilus de tous les monstres sidéraux.

LE CHEVALIER. Wilfrid, même invisible, même entraîné vers les profondeurs du ciel au moment où ton père le sera vers celles de la mer, même si c'est la dernière fois que nous nous voyons, je te jure, je te jure, je te jure, Wilfrid, qu'au-delà de nos catastrophes de cœur, nous resterons fidèles l'un à l'autre. Mon amitié pour toi est si grande que malgré toi je resterai ta force. Ton amitié est si claire que tu n'as qu'à ouvrir la bouche pour que moi, pauvre rêve, je parte en voyage. Wilfrid, rien n'est plus fort que le rêve qui nous lie à jamais.

WILFRID. L'enfance est terminée, chevalier, et tu vas me manquer.

LE CHEVALIER. Regarde dans le ciel, il y a des oiseaux qui dansent dans une lumière magnifique.

WILFRID. Une lumière diaphane.

LE CHEVALIER. Oui, Diaphane la lumière. Le temps de la dernière prise est arrivé.

Wajdi Mouawad, *Littoral*, © Leméac/Actes Sud, 1999.

Wajdi Mouawad

Figure marquante du jeune théâtre québécois, Wajdi Mouawad ne cesse de susciter l'admiration et de provoquer la controverse. Né en 1968 au Liban, il vit en France avant d'immigrer au Québec, où il étudie à l'École nationale de théâtre, à Montréal. Il co-fonde ensuite le Théâtre Ô Parleur, et signe l'écriture et la mise en scène de nombreuses pièces qui connaissent un grand succès aussi bien en Europe qu'au Québec. Entre autres, *Journée de noces chez les Cromagnons* (1992), *Alphonse* et *Willy Protagoras enfermé dans les toilettes* (1993), *Les Mains d'Edwidge au moment de la naissance* (1995), *Le Songe* (1996), *Couteau* et *Littoral* (1997), *Rêves* (1999).

Le théâtre de Wajdi Mouawad se caractérise par une écriture lyrique et foisonnante, où s'exprime un sentiment d'urgence quant à la déshumanisation de la société. On y sent le métissage des cultures qui ont marqué l'auteur, à la croisée du Québec, de la France et du Liban.

Une balise dans la dramaturgie québécoise

LITTORAL

Texte: Wajdi Mouawad. Idée originale: Wajdi Mouawad et Isabelle Leblanc. Mise en scène: Wajdi Mouawad, assisté de Michèle Laliberté. Scénographie et costumes: Charlotte Rouleau, assistée de Magalie Amyot. Éclairage: Michel Beaulieu. Musique originale en direct: Mathieu Farhoud-Dionne. Avec David Boutin, Manon Brunelle, Pascal Contamine, Claude Despins, Steve Laplante, Isabelle Leblanc, Miro et Gilles Renaud. Une production du Théâtre Ô Parleur présentée à La Licorne jusqu'au 19 décembre 1998.

PAR SOLANGE LÉVESQUE

Fécondée par diverses paroles d'auteurs, cette pièce foisonnante de Wajdi Mouawad fraye un chemin d'espoir à travers la grisaille et le pessimisme qui teintent cette fin de siècle. Il y est question de mort et de deuil, de guerre et de pertes, mais au-delà de toutes ces douleurs éclate la grande joie de la rencontre et du rassemblement. Habilement découpée, cette saga dure presque quatre heures mais ne paraît pas longue car, comme le violon de Simone (Isabelle Leblanc), un personnage qui joue un rôle clé dans le succès de l'entreprise de Wilfrid, ses dialogues sonnent toujours juste.

Gilles Renaud, au centre de la scène, joue le rôle du père de Wilfrid.

Willy Protagoras enfermé dans les toilettes montrait un adolescent en butte au groupe formé par sa famille et ses voisins. Dans *Littoral*, Willy est devenu Wilfrid (Steve Laplante), un jeune homme de 20 ans dont la quête est de renouer avec le groupe en retrouvant ses origines. Un soir qu'il est en train de faire l'amour avec sa blonde, le téléphone sonne, son père (Gilles Renaud, très fort, qui m'a fait penser à Gunther Lamprecht) vient de mourir. Il faut reconnaître le corps. Poursuivi par ses peurs et ses angoisses, Wilfrid convoque, pour se donner du courage, un chevalier du roi Arthur, héros de ses lectures d'enfant, qui viendra le défendre au besoin, armé d'une épée-jouet.

Comme on le voit, Mouawad jongle avec les conventions du théâtre, mêle aux dialogues les artifices du conte et du merveilleux, emprunte à la tragédie grecque, au cinéma et à la bande dessinée. Wilfrid partira avec le cadavre de son père pour aller l'enterrer dans son village d'origine, de l'autre côté de l'océan, dans un pays dévasté par la guerre (le Liban, où l'auteur est né). Coquettement vêtu d'un complet blanc, le mort parle, donne son avis et commente les situations! Tout cela pourrait s'avérer macabre et triste; ça ne l'est pas du tout! Au contraire, c'est même souvent très drôle, toujours axé sur la vie.

Pendant plusieurs jours, Wilfrid traîne sur son dos le cadavre de son père qui se décompose peu à peu. Pendant son voyage, il fait la rencontre de sa mère morte à sa naissance et d'étrangers qui, eux aussi, ont perdu un parent et deviendront pour lui des compagnons qui l'aideront à trouver un lieu de sépulture pour son père. À travers cette tentative commune de faire un deuil, tous réparent ensemble symboliquement les blessures du passé. Dans une ultime scène bouleversante, c'est à la mer qu'ils confieront le corps du père (que d'allitérations suggestives!) après y avoir attaché les bottins contenant tous les noms des habitants du village que Joséphine (Manon Brunelle), conservatrice de la mémoire, a notés pour qu'ils ne soient pas perdus à jamais et dont le père deviendra le gardien éternel.

Mouawad est un formidable conteur d'histoires et ses acteurs nous tiennent en haleine. Sa mise en scène ne compte sur aucun décor, si ce n'est une toile écrue en fond de scène. Aucun accessoire compliqué non plus: quelques chaises, des bouts de chiffon, des sacs et des seaux suffisent à créer des lieux et des situations qui jouent habilement avec l'imaginaire du spectateur. Celui-ci est d'ailleurs constamment épaulé, dans l'effort qui lui est demandé, par la musique de Mathieu Farhoud-Dionne. Aux péripéties des personnages, cet homme-orchestre offre un contrepoint remarquable.

Ce spectacle plante une balise dans le champ de la dramaturgie québécoise. □

auteur **Jean-François Beauchemin**
parution **septembre 1999**

GARAGE MOLINARI

roman

... je me suis accoudé un moment à la fenêtre de la cuisine et j'ai regardé les gens marcher sur le trottoir.

C'était pourtant un jour de printemps, et dans les nids les oisillons perçaient leur coquille avec leurs becs de débutants. Une fois sortis de l'œuf ils commençaient leur chanson mais en se trompant un peu dans les notes, à cause de l'inexpérience. Puis au bout d'un couplet ou deux ça s'arrangeait et on comprenait que les beaux jours étaient bel et bien revenus dans le quartier.

Ce matin-là maman est morte, et tout le jour Joëlle, Jules et moi on est restés à brailler au HLM parce qu'après l'hôpital, sur le chemin du retour, les oiseaux qui nous apercevaient avec nos faces d'enterrement s'arrêtaient de chanter et c'était dommage pour le printemps. Le soir quand les oiseaux ont fermé les paupières et que les chansons ont cessé pour de bon, Joëlle est descendue dormir chez elle et j'ai dit à Jules *demain on ira choisir une pierre tombale pour maman. En attendant ce n'est pas tout d'être triste, il faut enfiler ton pyjama aussi* puis j'ai éteint dans sa chambre.

Ensuite pour la distraction je me suis accoudé un moment à la fenêtre de la cuisine et j'ai regardé les gens marcher sur le trottoir. Là-haut la lune éclairait les rues mais de temps à autre un nuage passait, et pour continuer leur promenade les passants n'avaient plus que les lampadaires. Au coin de la rue on voyait la fabrique de semelles avec ses carreaux brisés et ses travailleurs qui besognaient encore à une heure pareille. Au loin des chiens jappaient dans la nuit sans raison, puisque ce jappement c'était leur façon d'être heureux. Au bout du quartier des trains arrivaient puis repartaient de la gare de triage, et parfois on entendait les ouvriers qui déchargeaient les wagons lancer des jurons, sans raison aussi. Dans les cours et les ruelles c'était l'heure où les chats se préparaient à draguer, et pour la séduction

Au bout du quartier des trains arrivaient puis repartaient de la gare de triage.

chacun se parfumait en se laissant mijoter un moment dans les meilleures poubelles, celles qui sentaient le poisson. Pour finir ils attrapaient des souris, qu'ils offriraient aux dames plus tard dans la soirée.

En bas les gens circulaient le plus souvent en groupes, et de la cuisine on les entendait qui riaient ou qui racontaient des choses légères. À un moment à force de voir tous ces gens marcher si sereinement sur le trottoir je me suis penché sur le bord puis j'ai crié *votre mère aussi, elle crèvera un jour!* et ce rappel lancé dans la foule ça vous consolait un peu de l'insouciance des choses et du monde. En entendant ça, cinq ou six personnes ont tout de même levé le nez vers la fenêtre et un type a demandé *ça va, là-haut?* et parce que la cuisine restait sans réponse toute la troupe est montée chez nous pour y voir de plus près. Comme arrêt d'insouciance je n'en demandais pas tant, et en ouvrant j'ai dit au chef avec un peu de gêne *ça ira, merci, merci, allez, bonsoir*. Mais comme ils restaient tous sur le palier sans rien dire, à la fin j'ai dû expliquer pour maman, les oiseaux, les jappements, les jurons, les chats dragueurs, la légèreté et la sérénité des gens. J'ai dit *vous comprenez, toute cette joie et cette insouciance juste sous la fenêtre, pour un orphelin encore tout frais c'est trop injuste.* Ça les a renseignés, et au moment de partir le chef m'a mis la main sur l'épaule et il a dit *faut pas vous faire tout ce souci. Les gens meurent, c'est normal* puis derrière lui sur le palier les autres ont fait *ouais*. Cette façon de voir les choses ça ne changeait pas le fait que maman n'y était plus, mais finalement j'ai souri pour la première fois de la journée puis j'ai dit *ouais* moi aussi mais sans trop y croire, et tous ont souri avec moi. Toute cette gentillesse sur le palier ça consolait tellement qu'en refermant la porte l'humidité m'est montée dans les yeux, et pendant que je me mouchais j'ai trouvé apaisant de brailler enfin pour une autre raison que le chagrin.

Ensuite pour ne plus déranger les passants je me suis assis dans le salon et j'ai fermé les yeux. Sur le sofa à cause de la fatigue et du chagrin j'ai revu maman qui allait et venait dans le HLM. À la fin j'ai levé les paupières mais maman est restée encore un moment à repriser une chaussette. Puis elle s'est levée, elle a enfilé son châle et en ouvrant la porte elle a dit doucement *au revoir, Jérôme* comme si elle partait quelques minutes pour acheter des allumettes. Même si c'était un peu cruel j'ai été content de la revoir une dernière fois, et pendant que le pas de maman diminuait dans l'escalier j'ai été reconnaissant à la vie d'insister encore un bout même après la mort.

À présent les rues étaient désertes, alors je suis sorti pour marcher dans le quartier. Dehors un chat qui ressemblait à un devoir de cancre avec ses taches d'encre partout sur le pelage m'a suivi sous les lampadaires. En temps normal j'aime les bêtes, mais à ce moment j'avais l'amour des bêtes un peu à plat à cause de maman qui n'y était plus, et en me retournant j'ai crié au chat *j'ai l'air d'un hareng ou quoi?* Puis j'ai repris ma promenade un peu honteux tout de même, à cause de maman qui m'avait pourtant appris à toujours rester gentil malgré les embêtements. Au coin pour souffler je me suis assis à l'arrêt mais sans attendre l'autobus. À cette heure à part la gare et les ouvriers on n'entendait plus que quelques insectes égarés qui crépitaient dans l'obscurité, peut-être pour lancer des S.O.S. à leurs semblables restés tranquillement dans les campagnes. C'était l'heure où ces bestioles affolées se réfugiaient dans les fissures des HLM pour y passer la nuit. Les plus chanceuses dénichaient un passage qui menait dans les cuisines, et si en plus elles avaient assez de flair pour dépister un sac de farine ou de sucre alors c'était la fête, elles sifflaient un coup pour appeler leurs copines et toutes s'empiffraient jusqu'à l'aube. Au matin quand ils ouvraient les sacs les gens criaient d'horreur et leurs cheveux se dressaient sur leurs crânes de locataires. Chez nous c'était la seule chose qui faisait oublier à maman sa règle de la gentillesse obligatoire et continuelle. Au HLM quand elle découvrait les cancrelats soûlés de farine dans le garde-manger, d'un seul coup maman perdait beaucoup de sa gentillesse pour mieux se concentrer sur les injures qu'elle adressait au destin. Puis ça se calmait et elle reprenait sa gentillesse puisque bien sûr le destin n'avait pas tous les torts, maman savait bien que pour se sortir de cette pauvreté de malheur il lui fallait elle-même faire les efforts nécessaires. Sauf que justement maman est morte à trente-neuf ans en plein effort de correction de destin, et en pensant à ça on se disait qu'au fond elle avait eu bien raison avec ses injures.

Sur le banc après avoir beaucoup réfléchi à maman et aux blattes j'ai senti mes paupières plus lourdes puis j'ai repris le chemin de la maison. En route c'est curieux mais j'ai pressé le pas et je me suis dit machinalement *il est tard, maman va encore s'inquiéter* mais cette fois ce n'était pas une question de chaussette, ce n'était que l'habitude.

Plus tard dans mon lit je me suis rappelé que j'avais vingt ans et Jules sept, et comme orphelin j'ai pensé qu'à cet âge pour la question du deuil familial mon demi-frère et moi on n'était encore tous les deux que des oisillons. La preuve c'est qu'à ce moment mon traumatisme a commencé à faire des siennes. Au milieu de la nuit j'ai quitté mon lit en douce et j'ai ouvert tous les robinets dans l'appartement. À la fin Jules s'est réveillé à cause du vacarme des chutes, et quand il a aperçu le Mississippi qui faisait son chemin partout dans la maison il a crié avec ses yeux écarquillés *non mais, qu'est-ce qu'c'est qu'toute cette eau ?!* Puis il a couru pour fermer et on a commencé tous les deux à éponger à genoux et à trois heures du matin. Au bout d'un moment mais plus calmement, dans son pyjama tout mouillé Jules a redemandé *non mais Jérôme, qu'est-ce qu'c'est qu'toute cette eau ?* et avec maman dans la tête j'ai répondu *c'est mon inexpérience dans l'effondrement de la famille.*

Mais cet effondrement c'était bien pire encore pour lui, avec son enfance qui en était encore à ses débuts. En rentrant de l'hôpital, Joëlle et moi on se demandait comment le petit réagirait comme débutant, mais très vite la réponse est venue. Quand maman a été couchée pour de bon sous la pelouse, Jules a si mal encaissé le coup que son enfance est restée bloquée à sept ans pour protester. Une fois maman raide morte on aurait dit que mon demi-frère avait été jeté dans le vinaigre pour se conserver à jamais comme jeune cornichon. Et pour ajouter aux embêtements, non seulement son enfance s'est arrêtée au septième, mais pendant ce temps son physique a continué vers les étages supérieurs, c'est dire le décalage entre les deux horloges. Bref, cet effondrement de famille normale ça augurait mal pour le petit, alors Joëlle et moi on a décidé d'habiter ensemble tous les trois et de prendre la relève comme famille synthétique.

Jean-François Beauchemin, ***Garage Molinari***, **© Éditions Québec Amérique, 1999.**

Dans les cours et les ruelles c'était l'heure où les chats se préparaient à draguer.

Jean-François Beauchemin

Titulaire d'une maîtrise en études françaises à l'Université de Montréal, Jean-François Beauchemin a été rédacteur, concepteur, puis réalisateur à la Société Radio-Canada. Il a également effectué de nombreux dessins, surtout destinés aux enfants. Jean-François Beauchemin est l'auteur de deux romans : *Comme enfant je suis cuit* (1998), prolongement logique de ces innombrables coups de crayons inspirés par la profondeur de l'enfance, et *Garage Molinari* (1999).

LE DEVOIR, 4 SEPTEMBRE 1999

Et si la vie se faisait belle ?

PAR ROBERT CHARTRAND

GARAGE MOLINARI
Jean-François Beauchemin
Québec Amérique, 1999,
259 pages

Une lectrice m'a écrit récemment. Désireuse de «*se gaver de livres heureux*», elle me demandait de lui en suggérer, parmi les parutions récentes, qui ne soient «*ni bêtes ni sombres*» et dont les personnages ne seraient pas des adultes incapables de se remettre de leur enfance blessée. L'affaire n'était pas simple, notamment pour le domaine québécois: nos auteurs n'ont pas la vocation du malheur, mais les critiques français, qui, récemment, se sont dits frappés par le «*mélancolisme*» de notre littérature, ont-ils tout à fait tort ? Nous serait-il plus difficile qu'à d'autres de trouver dans l'époque – voire dans la vie en général – matière à rire ou à se moquer ? Après avoir escamoté de graves questions, je suis parvenu à faire une liste, courte et probablement peu satisfaisante, où figuraient quelques romans québécois.

Les derniers romans de Michel-E. Clément et de Jean-François Beauchemin auraient pu y figurer. Dans les deux livres, assez proches d'esprit et de propos, on devine une intention manifeste de raconter le bon côté des choses, de le découvrir lorsqu'il se cache ou de l'inventer au besoin. Le contexte est plutôt flou, surtout dans *Garage Molinari*, et l'affabulation est ouvertement fantaisiste. Dans l'un et l'autre récit, nous sommes en congé de réalisme, ce qui n'empêche pas d'y croire, l'espace d'une lecture. Coïncidence amusante, les deux auteurs ont travaillé à la radio-télévision d'État: le premier y a été recherchiste et scripteur, alors que le second est réalisateur. [...]

Un regard d'enfant

L'univers du roman de Jean-François Beauchemin fait penser à ceux de son homologue bien connu, Yves Beauchemin, sauf que le ton de la narration paraît plutôt emprunté au Romain Gary-Émile Ajar de *La Vie devant soi. Garage Molinari* est la suite de *Comme enfant je suis cuit*, paru l'an dernier chez le même éditeur. Si le narrateur, Jules Des Ruisseaux, ce fils d'une prostituée au grand cœur, a grandi – il devient chauffeur d'un autobus scolaire –, il ne s'est pas départi de son regard d'enfant déluré, mi-naïf, mi-malin, et de son style culottes-courtes. Avec son amoureuse, la petite voisine, Joëlle, dont le père est un butor, il s'occupe du petit Jules, son demi-frère, né lui-même d'un père «*passager*» et qui décide de se fixer à l'âge de sept ans, ce qui, aux dires d'un des personnages, est probablement le secret du bonheur. À eux trois, ils forment une famille «*synthétique*», où on se tient chaud au milieu de la froideur du monde. Jérôme le délinquant devient, dans ce deuxième roman, un gentil rêveur. En compagnie de son patron, M. Molinari, d'un ami, Humphrey, expert en zoologie, ou de M. Garcia, un vieux Chilien, il s'interroge sur la vie après la mort et glane des instants de joie à observer les animaux: chiens, chats, lucioles, crapauds, mais surtout oiseaux. On travaille, on bavarde, on fait des petites sorties. Il y a quelques fêtes. Et on se demande en sourdine: «*Qu'est-ce qu'on attend pour être heureux ?*» Le bonheur est bref et rare; il faut le saisir au vol, voire se le fabriquer, en se reconstituant une famille avec les moyens du bord. Il y a dans ce roman de Jean-François Beauchemin du Gary-Ajar, mais enrobé de sucre candi. Toutefois, il est malaisé d'en vouloir à l'auteur qui, dans une note liminaire, précise qu'à l'âge de huit ans il a miraculeusement eu la vie sauve, ramené de chez les morts par «*un chirurgien paisible comme un grand fauve repu*». D'où «*l'improbable univers où n'existent que le printemps et l'été*», ce monde artificiel et parfait que Beauchemin a fabriqué de toutes pièces, style et anecdotes compris. On comprend alors que ce roman soit un remerciement béat du romancier à la vie, dont chaque instant, depuis trente ans, est un cadeau, un sursis. □

le temps d'un instant

«La nouvelle, selon la tradition anglo-saxonne, doit mener à une épiphanie, une prise de conscience brutale qui vient changer le cours de la vie du personnage principal. Un flash cruel et décisif qui nous enseigne une vérité primale et souvent nous fait mal.»

DAVID HOMEL

Combien de temps dure cet instant décisif? Moins d'une seconde? Plusieurs minutes? Chacune des nouvelles de ce recueil constitue une réponse à cette question.

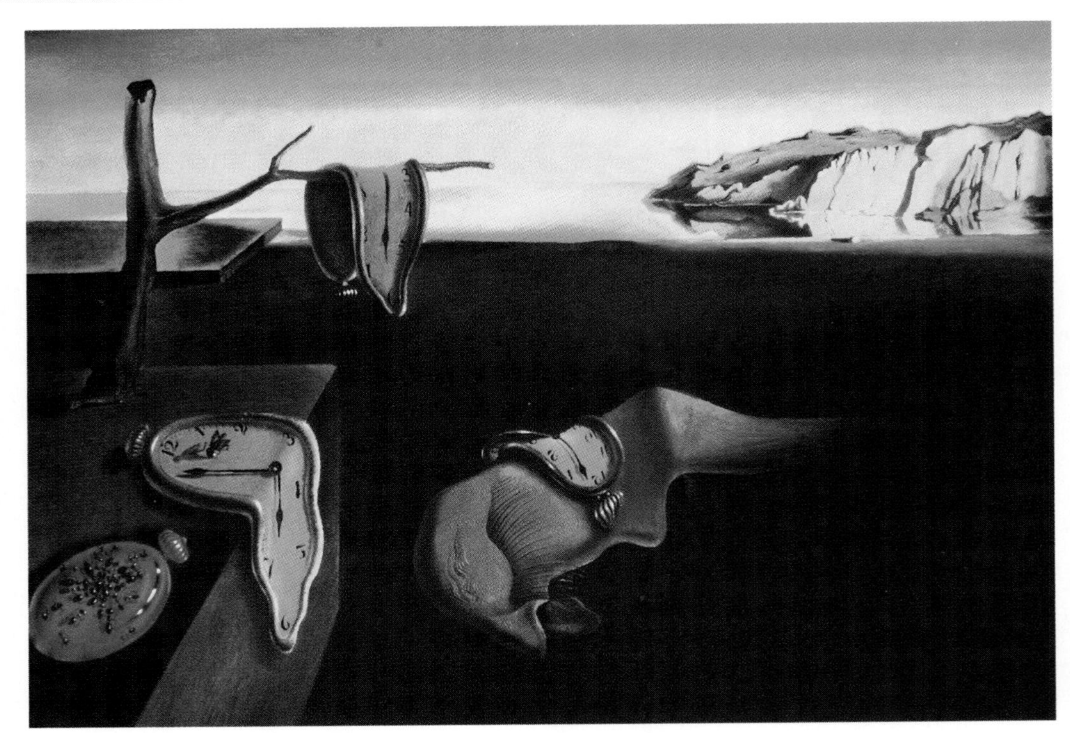

Persistance de la mémoire
1931 Salvador Dalí

Plus personne n'aurait d'autorité sur elle, elle déciderait seule de son destin.

Le Récit d'une heure

Madame Mallard avait le cœur fragile. On eut donc grand soin de lui apprendre le plus doucement possible la mort de son mari.

C'est sa sœur Joséphine qui lui annonça la nouvelle, en phrases incomplètes qui en cachaient autant qu'elles en révélaient. Richards, l'ami de son mari, était aussi à ses côtés. C'est lui qui était au journal quand on avait communiqué les détails de l'accident de chemin de fer ainsi que la liste des «disparus», le nom de Brently Mallard en tête. Dès qu'un deuxième télégramme eut confirmé les faits, Richards s'était précipité chez les Mallard pour apporter la triste nouvelle avant qu'un ami moins prudent, moins bienveillant ne le fasse.

Madame Mallard n'accueillit pas le récit comme tant de femmes qui, devant pareille infortune, se sentent paralysées et incapables d'en comprendre le sens. Elle éclata en sanglots et se jeta dans les bras de sa sœur. Quand cette vague de souffrance fut retombée, elle alla s'enfermer dans sa chambre. Elle n'accepta aucune compagnie.

Il y avait, devant la fenêtre ouverte, un profond et moelleux fauteuil. Elle s'y laissa choir, accablée par une immense fatigue qui s'emparait de son corps et semblait pénétrer son âme.

Elle pouvait voir la place devant sa maison et les arbres qui frémissaient avec une nouvelle vigueur printanière. Un délicieux souffle de pluie flottait dans l'air. Dans la rue, un colporteur criait sa marchandise. Les notes d'une chanson fredonnée au loin lui parvenaient faiblement, tandis que d'innombrables moineaux gazouillaient en bordure du toit.

Par la fenêtre, qui donnait à l'ouest, elle apercevait, çà et là, quelques taches de ciel bleu à travers un amoncellement de nuages.

La tête rejetée en arrière contre le dossier du fauteuil, madame Mallard restait immobile, sauf lorsqu'un sanglot lui serrait la gorge et la secouait, à la manière d'un enfant qui, s'étant endormi en pleurant, continue à sangloter dans ses rêves.

Elle était jeune et les traits réguliers de son visage gracieux dénotaient une réserve, et même une certaine force. Mais, à ce moment, son regard était éteint. Ses yeux fixaient au loin l'une des taches de ciel bleu. Ils n'exprimaient pas la réflexion, mais plutôt la suspension de toute activité intellectuelle.

Quelque chose venait vers elle. Elle l'attendait, remplie d'effroi. De quoi s'agissait-il ? Elle ne le savait pas. C'était trop subtil et trop insaisissable pour qu'elle lui donne un nom. Mais elle sentit cela descendre subrepticement du ciel et tendre vers elle à travers les bruits, les odeurs, la lumière qui saturaient l'air.

À présent, elle respirait avec difficulté. Elle commençait à reconnaître cette chose qui cherchait à la posséder. Désespérément, elle tentait de la repousser, mais la volonté de madame Mallard était aussi impuissante que l'auraient été ses délicates mains blanches.

Quand, enfin, elle s'abandonna, un mot, chuchoté, s'échappa de ses lèvres entrouvertes. Elle le murmura encore et encore : «libre, libre, libre !» Son regard, où s'étaient succédé le vide puis la terreur, reprit son éclat et sa vivacité. Les battements de son cœur s'accélérèrent et elle sentit une chaleur bienfaisante envahir tout son corps.

Elle ne prit pas la peine de se demander si la joie qui l'habitait était monstrueuse. Dans son état d'exaltation, elle vit bien clairement que c'était là une idée vulgaire.

Elle savait que ses yeux se rempliraient de larmes lorsqu'elle verrait les douces mains tendres, sans vie, placées l'une sur l'autre, ce visage sur lequel elle n'avait jamais lu autre chose que l'amour, désormais rigide, morne et éteint. Mais elle voyait aussi, au-delà de ce moment cruel, la longue suite d'années qui seraient à elle. Et elle ouvrit grand les bras pour les accueillir.

Plus personne n'aurait d'autorité sur elle, elle déciderait seule de son destin. Aucune volonté ne viendrait faire plier la sienne, avec cet entêtement aveugle qu'ont les hommes et les femmes à vouloir imposer leur propre dessein à autrui. Que l'intention fût noble ou cruelle, la chose ne lui semblait pas moins criminelle en ce bref instant d'illumination.

Elle l'avait pourtant aimé. Parfois. Pas toujours. Mais quelle importance ? Que valait l'amour, ce mystère irrésolu, en comparaison de ce désir impérieux de s'affirmer qu'elle reconnut soudainement comme étant la plus forte pulsion de sa vie.

«Libre ! Corps et âme, libre !» murmurait-elle.

Agenouillée devant la porte close, la bouche collée au trou de la serrure, Joséphine implorait sa sœur :

— Louise, ouvre la porte ! Je t'en supplie, ouvre la porte. Tu vas te rendre malade. Que fais-tu, Louise ? Ouvre la porte, pour l'amour du ciel.

— Laisse-moi ! Je ne me rends pas malade du tout.

Portrait de Dora Maar
1937 Pablo Picasso

Non. C'était un véritable élixir de vie qu'elle buvait à la fenêtre ouverte.

Son imagination s'emballait quand elle songeait aux jours à venir. Des jours de printemps, des jours d'été, des jours de toutes sortes qui lui appartiendraient. Elle fit une courte prière, souhaitant que sa vie fût longue. Hier encore, elle tremblait à cette idée.

Cédant enfin aux requêtes insistantes de sa sœur, elle ouvrit la porte. Un triomphe fiévreux brillait dans ses yeux et, à son insu, elle avait le port altier d'une déesse de la Victoire. Elle enlaça la taille de sa sœur. Ensemble, elles descendirent l'escalier, au pied duquel les attendait Richards.

Quelqu'un tournait une clé dans la porte. C'était Brently Mallard qui entrait, un peu défraîchi par le voyage, portant tranquillement sa valise et son parapluie. Comme il avait été très loin du lieu de l'accident, il n'en savait absolument rien. Il fut frappé de stupeur par le cri perçant de Joséphine et le geste désespéré de Richards qui tentait, en s'interposant entre sa femme et lui, de le dérober à sa vue.

Mais c'était trop tard.

Lorsque les médecins arrivèrent, ils dirent que c'était le cœur qui avait lâché, qu'elle était morte de joie.

Kate Chopin, *The Story of an Hour*, 1899.
Traduit par Éric Fontaine.

KATE CHOPIN

Peu connue, l'œuvre de Kate Chopin est pourtant importante dans l'histoire du roman américain et de la littérature féminine. Née en 1851 à St. Louis, au Missouri, elle grandit dans la famille de sa mère, une Créole d'origine française, puis s'installe en Louisiane avec son mari à l'âge de vingt ans. Après la mort de celui-ci, en 1882, elle retourne à St. Louis avec ses six enfants et commence à écrire. Son premier roman, *At Fault* (1890), traite de l'épineux sujet du divorce, alors que ses deux recueils de nouvelles, *Bayou Folk* (1894) et *A Night in Acadia* (1897), s'inspirent de l'univers créole et cajun. En 1899, la publication du roman *L'Éveil* provoque un scandale dont Kate Chopin ne se remettra jamais. Condamnée par la critique, exclue de la société dans laquelle elle vit, elle publie très peu d'ouvrages jusqu'à sa mort, en 1904.

Parce qu'il témoignait du désir d'émancipation d'une femme, *L'Éveil* bouscula l'étroite mentalité américaine de l'époque. Il fallut attendre les années 40 pour qu'un critique français compare ce roman à *Madame Bovary*, de Gustave Flaubert. Depuis, l'œuvre de Kate Chopin n'a cessé de séduire les lecteurs, les femmes surtout, qui ont vu dans *L'Éveil* le reflet de leurs propres aspirations.

***En choisissant cet amour,
il allait renoncer à tout le reste,
la liberté, la solitude, la disponibilité.***

Toute la vie

Cela prend quelques heures pour traverser l'Atlantique en avion. Cela en prend moins pour devenir amoureux. J'ai vu de grandes amours s'édifier en dix minutes. Je sais qu'on peut être insouciant, sans projet, sans pressentiment, et délirer doucement trente secondes plus tard. Il suffit de deux mains qui se referment sur vos épaules et d'une bouche sur votre visage. De libre et paisible que vous étiez, vous voilà avec une grande passion sur les bras. Elle s'immisce entre le sommeil et vous, entre la faim et vous, entre la pensée et vous. Elle vous rend le reste du monde nébuleux, inexistant. En quelques heures, elle vous élargit les yeux, vous creuse les joues, vous enfièvre les mains. C'est la période du sortilège. Vivez-la bien. Si longtemps que dure votre amour et si loin qu'il aille, jamais vous ne retrouverez l'émoi, le doux étouffement, la joie poignante de ces débuts brûlants.

On n'en était qu'à la moitié du voyage que déjà il était là, le sortilège. Rien n'aurait pu l'exorciser. Il battait son rappel dans leurs deux poitrines. Ils n'avaient pas essayé de se débattre. À quoi bon ? Pour être plus durement vaincus à la fin ? D'ailleurs, c'est la victoire dont personne ne veut. Déjà, ils avaient échangé les mots qui enchaînent : éternité, fidélité, toujours, toute la vie. Ils étaient enfermés. Car c'est cela aussi, le sortilège. Les femmes n'y pensent jamais.

Mais c'est à quoi il pensait, lui, en la regardant dormir. Son visage, qu'avait quitté la volonté d'être belle, montrait toutes ses failles, sans méfiance. Et cela ne l'émouvait pas. Les paupières étaient un peu fripées, les ailes du nez luisaient. Son maquillage s'était mis à la trahir et à tourner dès le sommeil venu. Ses doigts, si fragiles, si inoffensifs tantôt, froissaient sa robe d'un geste griffu. Avec un malaise extrême, il vit tout à coup l'avenir asservi par ces griffes-là. En choisissant cet amour, il allait renoncer à tout le reste, la liberté, la solitude, la disponibilité. Une femme, la même, toute la vie. Jusqu'après l'ennui, la satiété, le prévu, le quotidien. Les liens s'accumuleraient, s'agglutineraient autour de lui : la femme, la famille, les enfants, une maison. Travailler pour tout cela, quand on a envie de muser. Produire, tous les jours, sans arrêt, du bon et du mauvais, pour toutes ces bouches, toutes ces mains, toute cette avidité, ce gouffre. Ne pouvoir plus jamais s'arrêter. Ne pouvoir plus jamais, la conscience légère, rebrousser chemin, partir sur une route nouvelle, les yeux fixés sur une nuque inconnue. La vie venait de le coincer et, pourtant, il sentait que pour garder cet amour il aurait donné sa vie. Mais c'était l'avenir qu'elle demandait.

Il la regardait dormir. Sur ses joues blanches, il vit soudain une lueur danser. Il releva la tête. Une flamme énorme jaillissait des moteurs. L'hôtesse, très pâle, dit quelque chose qui se perdit dans les hurlements. Elle s'éveilla, comprit, et se jeta sur lui sans crier, elle. Les amants qui vont mourir ne crient pas. L'amour sait bien que la mort est son alliée. Au milieu du bruit infernal qui les entourait, elle entendit qu'il lui disait à l'oreille : « Toute la vie, tu vois, toute la vie. » Elle fit oui de la tête et, sans fermer les yeux, ils attendirent le choc, l'explosion qui allait mêler leurs deux corps étrangers, leurs os, leur sang, comme l'amour jamais n'aurait pu le faire.

Claire Martin, *Toute la vie*,

CLAIRE MARTIN

Claire Martin occupe une place bien à elle dans la littérature féminine québécoise. Née à Québec en 1914, elle est d'abord annonceure à la radio de Québec, puis à Radio-Canada, à Montréal. En 1958, elle reçoit le prix du Cercle du Livre de France pour son premier recueil de nouvelles, *Avec ou sans amour*, qui marque le début d'une production régulière, composée de romans : *Doux-Amer* (1960), *Quand j'aurai payé ton visage* (1962), *Les Morts* (1970); de récits autobiographiques : *Dans un gant de fer* (1966), *La Joue droite* (1967); d'une pièce de théâtre : *Moi, je n'étais qu'espoir* (1972); et d'un récit, *La Petite Fille lit* (1973). En 1972, Claire Martin s'installe en France, et près de trente ans s'écoulent avant que paraisse, en 1999, un autre recueil de nouvelles, *Toute la vie*.

L'œuvre de Claire Martin est en quelque sorte un miroir de la condition sociale de la femme québécoise. Dans ses romans comme dans ses textes autobiographiques, elle traite de sujets qui ont été traditionnellement censurés dans la littérature d'ici : l'amour extraconjugal et la démystification de l'image du père, détenteur de l'autorité ainsi que de la connaissance et empreint de noblesse.

Tout à coup elle découvrit, dans une boîte de satin noir, une superbe rivière de diamants; et son cœur se mit à battre d'un désir immodéré.

La Parure

C'était une de ces jolies et charmantes filles, née, comme par une erreur du destin, dans une famille d'employés. Elle n'avait pas de dot, pas d'espérances, aucun moyen d'être connue, comprise, aimée, épousée par un homme riche et distingué; et elle se laissa marier avec un petit commis du ministère de l'Instruction publique.

Elle fut simple, ne pouvant être parée; mais malheureuse comme une déclassée; car les femmes n'ont point de caste ni de race, leur beauté, leur grâce et leur charme leur servant de naissance et de famille. Leur finesse native, leur instinct d'élégance, leur souplesse d'esprit sont leur seule hiérarchie, et font des filles du peuple les égales des plus grandes dames.

Elle souffrait sans cesse, se sentant née pour toutes les délicatesses et tous les luxes. Elle souffrait de la pauvreté de son logement, de la misère des murs, de l'usure des sièges, de la laideur des étoffes. Toutes ces choses, dont une autre femme de sa caste ne se serait même pas aperçue, la torturaient et l'indignaient. La vue de la petite Bretonne qui faisait son humble ménage éveillait en elle des regrets désolés et des rêves éperdus. Elle songeait aux antichambres muettes, capitonnées avec des tentures orientales, éclairées par de hautes torchères de bronze, et aux deux grands valets en culotte courte qui dorment dans les larges fauteuils, assoupis par la chaleur lourde du calorifère. Elle songeait aux grands salons vêtus de soie ancienne, aux meubles fins portant des bibelots inestimables, et aux petits salons coquets, parfumés, faits pour la causerie de cinq heures avec les amis les plus intimes, les hommes connus et recherchés dont toutes les femmes envient et désirent l'attention.

Quand elle s'asseyait, pour dîner, devant la table ronde couverte d'une nappe de trois jours, en face de son mari qui découvrait la soupière en déclarant d'un air enchanté: «Ah! le bon pot-au-feu! Je ne sais rien de meilleur que cela...», elle songeait aux dîners fins, aux argenteries reluisantes, aux tapisseries peuplant les murailles de personnages anciens et d'oiseaux étranges au milieu d'une forêt de féerie; elle songeait aux plats exquis servis en des vaisselles merveilleuses, aux galanteries chuchotées et écoutées avec un sourire de sphinx, tout en mangeant la chair rose d'une truite ou des ailes de gélinotte.

Elle n'avait pas de toilettes, pas de bijoux, rien. Et elle n'aimait que cela; elle se sentait faite pour cela. Elle eut tant désiré plaire, être enviée, être séduisante et recherchée.

Elle avait une amie riche, une camarade de couvent qu'elle ne voulait plus aller voir, tant elle souffrait en revenant. Et elle pleurait pendant des jours entiers, de chagrin, de regret, de désespoir et de détresse.

Or, un soir, son mari rentra, l'air glorieux et tenant à la main une large enveloppe.

«Tiens, dit-il, voici quelque chose pour toi.»

Elle déchira vivement le papier et en tira une carte imprimée qui portait ces mots:

«Le ministre de l'Instruction publique et Mme Georges Ramponneau prient M. et Mme Loisel de leur faire l'honneur de venir passer la soirée à l'hôtel du ministère, le lundi 18 janvier.»

Au lieu d'être ravie, comme l'espérait son mari, elle jeta avec dépit l'invitation sur la table, en murmurant:

«Que veux-tu que je fasse de cela?

— Mais, ma chérie, je pensais que tu serais contente. Tu ne sors jamais, et c'est une occasion, cela, une belle! J'ai eu une peine infinie à l'obtenir. Tout le monde en veut; c'est très recherché et on n'en donne pas beaucoup aux employés. Tu verras là tout le monde officiel.»

Elle le regardait d'un œil irrité, et elle déclara avec impatience:

«Que veux-tu que je me mette sur le dos pour aller là?»

Il n'y avait pas songé; il balbutia:

«Mais la robe avec laquelle tu vas au théâtre. Elle me semble très bien, à moi...»

Il se tut, stupéfait, éperdu, en voyant que sa femme pleurait. Deux grosses larmes descendaient lentement des coins des yeux vers les coins de la bouche; il bégaya:

«Qu'as-tu? qu'as-tu?»

Mais, par un effort violent, elle avait dompté sa peine et elle répondit d'une voix calme essuyant ses joues humides:

«Rien. Seulement je n'ai pas de toilette et par conséquent je ne peux pas aller à cette fête. Donne ta carte à quelque collègue dont la femme sera mieux nippée que moi.»

Il était désolé. Il reprit:

«Voyons, Mathilde. Combien cela coûterait-il, une toilette convenable, qui pourrait te servir encore en d'autres occasions, quelque chose de très simple?»

Elle réfléchit quelques secondes, établissant ses comptes et songeant aussi à la somme qu'elle pouvait demander sans s'attirer un refus immédiat et une exclamation effarée du commis économe.

Enfin, elle répondit en hésitant:

«Je ne sais pas au juste, mais il me semble qu'avec quatre cents francs je pourrais arriver.»

Il avait un peu pâli, car il réservait juste cette somme pour acheter un fusil et s'offrir des parties de chasse, l'été suivant, dans la plaine de Nanterre, avec quelques amis qui allaient tirer des alouettes, par là, le dimanche.

Il dit cependant:

«Soit. Je te donne quatre cents francs. Mais tâche d'avoir une belle robe.»

Le jour de la fête approchait, et Mme Loisel semblait triste, inquiète, anxieuse. Sa toilette était prête cependant. Son mari lui dit un soir:

«Qu'as-tu? Voyons, tu es toute drôle depuis trois jours.»

Et elle répondit:

«Cela m'ennuie de n'avoir pas un bijou, pas une pierre, rien à mettre sur moi. J'aurai l'air misère comme tout. J'aimerais presque mieux ne pas aller à cette soirée.»

Il reprit:

«Tu mettras des fleurs naturelles. C'est très chic en cette saison-ci. Pour dix francs tu auras deux ou trois roses magnifiques.»

Jeune femme à sa toilette, 1626. Nicolas Régnier

Elle n'était point convaincue.

«Non, il n'y a rien de plus humiliant que d'avoir l'air pauvre au milieu de femmes riches.»

Mais son mari s'écria:

«Que tu es bête! Va trouver ton amie Mme Forestier et demande-lui de te prêter des bijoux. Tu es bien assez liée avec elle pour faire cela.»

Elle poussa un cri de joie.

«C'est vrai. Je n'y avais point pensé.»

Le lendemain, elle se rendit chez son amie et lui conta sa détresse.

Mme Forestier alla vers son armoire à glace, prit un large coffret, l'apporta, l'ouvrit, et dit à Mme Loisel:

«Choisis, ma chère.»

Elle vit d'abord des bracelets, puis un collier de perles, puis une croix vénitienne, or et pierreries, d'un admirable travail. Elle essayait les parures devant la glace, hésitait, ne pouvait se décider à les quitter, à les rendre. Elle demandait toujours:

«Tu n'as plus rien d'autre?

— Mais si. Cherche. Je ne sais pas ce qui peut te plaire.»

Tout à coup elle découvrit, dans une boîte de satin noir, une superbe rivière de diamants; et son cœur se mit à battre d'un désir immodéré. Ses mains tremblaient en la prenant. Elle l'attacha autour de sa gorge, sur sa robe montante, et demeura en extase devant elle-même.

Puis elle demanda, hésitante, pleine d'angoisse:

«Peux-tu me prêter cela, rien que cela?

— Mais oui, certainement.»

Elle sauta au cou de son amie, l'embrassa avec emportement, puis s'enfuit avec son trésor.

Le jour de la fête arriva. Mme Loisel eut un succès. Elle était plus jolie que toutes, élégante, gracieuse, souriante et folle de joie. Tous les hommes la regardaient, demandaient son nom, cherchaient à être présentés. Tous les attachés du cabinet voulaient valser avec elle. Le ministre la remarqua.

Elle dansait avec ivresse, avec emportement, grisée par le plaisir, ne pensant plus à rien, dans le triomphe de sa beauté, dans la gloire de son succès, dans une sorte de nuage de bonheur fait de tous ces hommages, de toutes ces admirations, de tous ces désirs éveillés, de cette victoire si complète et si douce au cœur des femmes.

Elle partit vers quatre heures du matin. Son mari, depuis minuit, dormait dans un petit salon désert avec trois autres messieurs dont les femmes s'amusaient beaucoup.

Il lui jeta sur les épaules les vêtements qu'il avait apportés pour la sortie, modestes vêtements de la vie ordinaire, dont la pauvreté jurait avec l'élégance de la toilette de bal. Elle le sentit et voulut s'enfuir pour ne pas être remarquée par les autres femmes qui s'enveloppaient de riches fourrures.

Loisel la retenait:

«Attends donc. Tu vas attraper froid dehors. Je vais appeler un fiacre.»

Mais elle ne l'écoutait point et descendait rapidement l'escalier. Lorsqu'ils furent dans la rue, ils ne trouvèrent pas de voiture; et ils se mirent à chercher, criant après les cochers qu'ils voyaient passer de loin.

Ils descendaient vers la Seine, désespérés, grelottants. Enfin ils trouvèrent sur le quai un de ces vieux coupés noctambules qu'on ne voit dans Paris que la nuit venue, comme s'ils eussent été honteux de leur misère pendant le jour.

Il les ramena jusqu'à leur porte, rue des Martyrs, et ils remontèrent tristement chez eux. C'était fini, pour elle. Et il songeait, lui, qu'il lui faudrait être au Ministère à dix heures.

Elle ôta les vêtements dont elle s'était enveloppé les épaules, devant la glace, afin de se voir encore une fois dans sa gloire. Mais soudain elle poussa un cri. Elle n'avait plus de rivière autour du cou.

Son mari, à moitié dévêtu déjà, demanda:

«Qu'est-ce que tu as?»

Elle se tourna vers lui, affolée:

«J'ai... j'ai... je n'ai plus la rivière de Mme Forestier.»

Il se dressa éperdu.

«Quoi!... Comment!... Ce n'est pas possible!»

Et ils cherchèrent dans les plis de la robe, dans les plis du matelas, dans les poches, partout. Ils ne la trouvèrent point.

Il demandait:

«Tu es sûre que tu l'avais encore en quittant le bal?

— Oui, je l'ai touchée dans le vestibule du Ministère.

— Mais si tu l'avais perdue dans la rue, nous l'aurions entendue tomber. Elle doit être dans le fiacre.

— Oui. C'est probable. As-tu pris le numéro?

— Non. Et toi, tu ne l'as pas regardé?

— Non.»

Ils se contemplaient atterrés. Enfin Loisel se rhabilla.

«Je vais, dit-il, refaire tout le trajet que nous avons fait à pied, pour voir si je ne la retrouve pas.»

Et il sortit. Elle demeura en toilette de soirée, sans force pour se coucher, abattue sur une chaise, sans feu, sans pensée.

Son mari rentra vers sept heures. Il n'avait rien trouvé. Il se rendit à la Préfecture de police, aux journaux, pour faire promettre une récompense, aux compagnies de petites voitures, partout enfin où un soupçon d'espoir les poussait.

Elle attendit tout le jour, dans le même état d'effarement devant cet affreux désastre.

Loisel revint le soir, avec la figure creuse, pâlie; il n'avait rien découvert.

«Il faut, dit-il, écrire à ton amie que tu as brisé la fermeture de sa rivière et que tu la fais réparer. Cela nous donnera le temps de nous retourner.»

Elle écrivit sous sa dictée.

Au bout d'une semaine, ils avaient perdu toute espérance.

Et Loisel, vieilli de cinq ans, déclara:

«Il faut aviser à remplacer ce bijou.»

Ils prirent, le lendemain, la boîte qui l'avait renfermé, et se rendirent chez le joaillier dont le nom se trouvait dedans. Il consulta ses livres:

«Ce n'est pas moi, madame, qui ai vendu cette rivière; j'ai dû seulement fournir l'écrin.»

Alors ils allèrent de bijoutier en bijoutier, cherchant une parure pareille à l'autre, consultant leurs souvenirs, malades tous deux de chagrin et d'angoisse.

Ils trouvèrent, dans une boutique du Palais-Royal, un chapelet de diamants qui leur parut entièrement semblable à celui qu'ils cherchaient. Il valait quarante mille francs. On le leur laisserait à trente-six mille.

Ils prièrent donc le joaillier de ne pas le vendre avant trois jours. Et ils firent condition qu'on le reprendrait pour trente-quatre mille francs si le premier était retrouvé avant la fin de février.

Loisel possédait dix-huit mille francs que lui avait laissés son père. Il emprunterait le reste.

Il emprunta, demandant mille francs à l'un, cinq cents à l'autre, cinq louis par-ci, trois louis par là. Il fit des billets, prit des engagements ruineux, eut affaire aux usuriers, à toutes les races de prêteurs. Il compromit toute la fin de son existence, risqua sa signature sans savoir même s'il pourrait y faire honneur, et, épouvanté par les angoisses de l'avenir, par la noire misère qui allait s'abattre sur lui, par la perspective de toutes les privations physiques et de toutes les tortures morales, il alla chercher la rivière nouvelle en déposant sur le comptoir du marchand trente-six mille francs.

Quand Mme Loisel reporta la parure à Mme Forestier, celle-ci lui dit, d'un air froissé:

«Tu aurais dû me la rendre plus tôt, car je pouvais en avoir besoin.»

Elle n'ouvrit pas l'écrin, ce que redoutait son amie. Si elle s'était aperçue de la substitution qu'aurait-elle pensé? qu'aurait-elle dit? Ne l'aurait-elle pas prise pour une voleuse?

Mme Loisel connut la vie horrible des nécessiteux. Elle prit son parti d'ailleurs tout d'un coup, héroïquement. Il fallait payer cette dette effroyable. Elle paierait. On renvoya la bonne; on changea de logement; on loua sous les toits une mansarde.

Elle connut les gros travaux du ménage, les odieuses besognes de la cuisine. Elle lava la vaisselle, usant ses ongles roses sur les poteries grasses et le fond des casseroles. Elle savonna le linge sale, les chemises et les torchons, qu'elle faisait sécher sur une corde; elle descendit à la rue, chaque matin, les ordures, et monta l'eau, s'arrêtant à chaque étage pour souffler. Et vêtue comme une femme du peuple, elle alla chez le fruitier, chez l'épicier, chez le boucher, le panier au bras, marchandant, injuriée, défendant sou à sou son misérable argent.

Il fallait chaque mois payer des billets, en renouveler d'autres, obtenir du temps.

Le mari travaillait, le soir à mettre au net les comptes d'un commerçant, et la nuit, souvent, il faisait de la copie à cinq sous la page.

Et cette vie dura dix ans.

Au bout de dix ans, ils avaient tout restitué, tout, avec le taux de l'usure et l'accumulation des intérêts superposés.

Mme Loisel semblait vieille maintenant. Elle était devenue la femme forte, et dure, et rude, des ménages pauvres. Mal peignée, avec les jupes de travers et les mains rouges, elle parlait haut, lavait à grande eau les planchers. Mais parfois, lorsque son mari était au bureau elle s'asseyait auprès de la fenêtre, et elle songeait à cette soirée d'autrefois, à ce bal où elle avait été si belle et si fêtée.

Que serait-il arrivé si elle n'avait point perdu cette parure? Qui sait? Qui sait? Comme la vie est singulière, changeante! Comme il faut peu de chose pour vous perdre ou vous sauver!

Or, un dimanche, comme elle était allée faire un tour aux Champs-Élysées pour se délasser des besognes de la semaine, elle aperçut tout à coup une femme qui promenait un enfant. C'était Mme Forestier, toujours jeune, toujours belle, toujours séduisante.

Mme Loisel se sentit émue. Allait-elle lui parler ? Oui, certes. Et maintenant qu'elle avait payé, elle lui dirait tout. Pourquoi pas ?

Elle s'approcha.

«Bonjour, Jeanne.»

L'autre ne la reconnaissait point, s'étonnant d'être appelée aussi familièrement par cette bourgeoise. Elle balbutia :

«Mais... madame ! Je ne sais... Vous devez vous tromper.

— Non. Je suis Mathilde Loisel.»

Son amie poussa un cri :

«Oh !... ma pauvre Mathilde, comme tu es changée !...

— Oui, j'ai eu des jours bien durs, depuis que je ne t'ai vue ; et bien des misères... et cela à cause de toi !...

— De moi... Comment ça ?

— Tu te rappelles bien cette rivière de diamants que tu m'as prêtée pour aller à la fête du Ministère ?

— Oui. Eh bien ?

— Eh bien, je l'ai perdue.

— Comment ! Puisque tu me l'as rapportée.

— Je t'en ai rapporté une autre toute pareille. Et voilà dix ans que nous la payons. Tu comprends que ça n'était pas aisé pour nous, qui n'avions rien... Enfin, c'est fini, et je suis rudement contente.»

Mme Forestier s'était arrêtée.

«Tu dis que tu as acheté une rivière de diamants pour remplacer la mienne ?

— Oui, tu ne t'en étais pas aperçue, hein ? Elles étaient bien pareilles.»

Et elle souriait d'une joie orgueilleuse et naïve.

Mme Forestier, fort émue, lui prit les deux mains.

«Oh ! Ma pauvre Mathilde ! Mais la mienne était fausse. Elle valait au plus cinq cents francs...»

Guy de Maupassant (1884).

GUY DE MAUPASSANT

Maître incontesté de la nouvelle, Guy de Maupassant est né le 5 août 1850 en Normandie, en France. Après une enfance marquée par la séparation de ses parents, il fait des études secondaires à Rouen, puis se rend à Paris, où il fait son apprentissage littéraire sous la direction de Gustave Flaubert. En 1880, la publication d'une nouvelle, *Boule de suif*, le rend immédiatement célèbre. Sa carrière littéraire sera dès lors d'une prodigieuse fécondité. Au total, six romans, dont *Une vie* (1883) et *Bel-Ami* (1885) ; seize recueils de nouvelles, dont *Les Contes de la bécasse* (1883) et *Le Horla* (1887) ; trois journaux de voyage et deux cents chroniques littéraires. Progressivement diminué par des troubles nerveux, de plus en plus hanté par la folie, il est interné dix-huit mois avant de mourir à Paris, le 6 juillet 1893.

Sous la direction de Flaubert, Maupassant apprit à observer le monde et à rendre ses descriptions avec la plus grande précision, devenant ainsi le représentant le plus accompli de l'école réaliste. Son génie de styliste lui valut d'exercer une influence considérable sur le monde des lettres, plus peut-être hors de France qu'en France.

«C'est épouvantable ! Quelle indélicatesse ! Quelle bêtise ! C'est inouï ! Dégoûtant !»

Un beau tumulte !

Maria Pavletskaïa, une toute jeune demoiselle, fraîche émoulue de la pension, trouva, à son retour de promenade, dans la maison Kouchkine où elle était gouvernante, un remue-ménage inaccoutumé. Le portier Mikhaïlo, qui lui avait ouvert la porte, était bouleversé et rouge comme une écrevisse.

On entendait là-haut un beau tumulte.

«Madame a sans doute une crise..., pensa Maria, ou bien elle s'est disputée avec son mari...»

Elle trouva les femmes de chambre dans le vestibule et le couloir. L'une d'elles pleurait. Puis elle vit sortir en coup de vent de sa propre chambre Monsieur en personne, Nicolaï Serguéitch, un petit homme entre deux âges, avec un visage flasque et une grande calvitie. Il était cramoisi, crispé... Il passa devant la gouvernante sans la remarquer et, levant les bras au ciel, s'écria:

«C'est épouvantable ! Quelle indélicatesse ! Quelle bêtise ! C'est inouï ! Dégoûtant !»

Maria entra dans sa chambre et, pour la première fois de sa vie, elle éprouva dans toute son âcreté ce sentiment si familier aux êtres qui vivent dans un état de dépendance, de sujétion envers les riches et les grands dont ils mangent le pain. On fouillait sa chambre. Féodossia Kouchkina, une dame rebondie, large d'épaules, aux épais sourcils noirs, tête nue, la figure anguleuse, avec une petite moustache à peine visible et des mains rouges, une figure et des manières de cuisinière, debout devant sa table, remettait en place dans son sac à ouvrage des pelotes de laine, des chiffons, des papiers... Visiblement l'apparition de la gouvernante l'avait surprise, car, ayant jeté un coup d'œil derrière elle et ayant aperçu le visage pâle, étonné de Maria, elle se troubla légèrement et bredouilla :

«Excusez-moi, je... je l'ai renversé par mégarde... je l'ai accroché avec ma manche...»

Et, après avoir ajouté quelques mots, Mme Kouchkina sortit en faisant froufrouter la traîne de sa robe. Maria enveloppa sa chambre d'un regard étonné et, ne comprenant rien, ne sachant que penser, haussa les épaules, frémit d'effroi. Que cherchait Madame dans son sac à ouvrage ? Si, comme elle le disait, elle l'avait effectivement accroché par mégarde avec sa manche et renversé, pourquoi Monsieur avait-il bondi hors de sa chambre si cramoisi et si bouleversé ? Pourquoi un des tiroirs de sa table était-il légèrement déplacé ? La tirelire dans laquelle elle mettait des pièces de dix kopeks et de vieux timbres-poste était ouverte. On l'avait ouverte, mais on n'avait pas su la refermer, quoiqu'on eût rayé toute la serrure. Le rayon des livres, la table, le lit, tout portait les marques récentes d'une fouille. Jusqu'à la corbeille à linge. Le linge était méticuleusement rangé, mais pas dans l'ordre où elle l'avait laissé avant de sortir. La fouille avait donc été faite pour de bon, tout à fait pour de bon, mais dans quel but ? pour quelle raison ? Que s'était-il passé ? Maria se rappela le trouble du portier, le remue-ménage qui continuait encore, la chambrière en larmes; tout cela n'avait-il pas de rapport avec la fouille qui venait d'avoir lieu dans sa chambre ? N'était-elle pas mêlée à une affaire épouvantable ? Elle blêmit et se laissa tomber toute glacée sur la corbeille à linge.

La femme de chambre entra.

«Lisa, vous savez pourquoi on a... fouillé chez moi ? lui demanda la gouvernante.

— Madame a perdu une broche de deux mille roubles..., dit Lisa.

— Oui, mais pourquoi a-t-on fouillé ma chambre ?

— On a fouillé chez tout le monde, mademoiselle. Et moi, on m'a fouillée complètement... On nous a fait déshabiller entièrement et on nous a fouillés... Et moi, Mademoiselle, je le jure comme devant Dieu... Sans compter que non seulement j'ai pas vu sa broche à elle, mais je ne me suis même pas approchée de sa toilette. Je dirai la même chose à la police.

— Mais... pourquoi fouiller chez moi ? continuait la gouvernante, perplexe.

— On a volé une broche, je vous dis... Madame a fouillé partout de ses propres mains. Ils ont fouillé eux-mêmes jusqu'au portier Mikhaïlo. Une vraie honte. Monsieur n'arrêtait pas de regarder partout et de glousser comme une poule. Mais vous, mademoiselle, vous n'avez pas à trembler. On n'a rien trouvé chez vous ! Si ce n'est pas vous qui avez pris la broche, vous n'avez rien à craindre.

— Mais, Lisa, c'est que c'est vil... outrageant ! dit Maria que l'indignation étouffait. C'est une bassesse, une vilenie ! Quel droit avait-elle de me soupçonner et de venir fouiller mes affaires ?

— Vous n'êtes pas chez vous, mademoiselle, soupira Lisa. Vous avez beau être une demoiselle, vous êtes quand même... une sorte de domestique... Ce n'est pas comme de vivre chez papa et maman...»

Maria se laissa tomber sur son lit et se laissa aller à des sanglots amers. Jamais on ne lui avait fait pareille violence, jamais encore elle n'avait subi outrage si grave... Elle, une demoiselle bien élevée, sensible, fille de professeur, on l'avait soupçonnée de vol, on l'avait fouillée comme une fille des rues ! On ne pouvait, lui semblait-il, imaginer pire outrage. Et à ce sentiment d'offense s'ajoutait une terreur accablante : qu'allait-il advenir ? Des idées saugrenues lui passaient par la tête. Si on l'avait soupçonnée de vol, on pouvait l'arrêter, la déshabiller complètement et la fouiller, lui faire traverser la ville entre deux gendarmes, la jeter dans une cellule obscure, froide, en compagnie de rats et de cloportes, exactement pareille à celle où l'on avait enfermé la princesse Tarakanova. Qui prendrait sa défense ? Ses parents habitaient loin, en province, ils n'avaient pas l'argent nécessaire pour venir la voir. Elle était seule dans la capitale, comme dans un désert, sans parents ni connaissances. On pouvait faire d'elle ce que l'on voulait.

La Loge, 1908. Pierre Bonnard

« Je vais aller trouver tous les juges et tous les avocats..., se disait-elle, toute tremblante. Je leur expliquerai, je jurerai... Ils le croiront, que je ne peux pas être une voleuse ! »

Elle se rappela qu'il y avait dans sa corbeille, sous les draps, des douceurs que, par une vieille habitude de pension, elle cachait dans sa poche à la fin du déjeuner et emportait dans sa chambre. La pensée que ce petit secret était connu de ses maîtres lui fit venir le feu aux joues, l'emplit de honte ; et tout cela, peur, honte, offense, lui donna de violents battements de cœur qui se répercutèrent dans ses tempes, dans ses mains, au plus profond de son ventre.

« Venez déjeuner ! » appela-t-on.

« J'y vais ou je n'y vais pas ? »

Elle remit sa coiffure en ordre, s'essuya avec une serviette humide et gagna la salle à manger. Le déjeuner était commencé... À un bout de la table Mme Kouchkina, importante, avec un visage obtus, grave, à l'autre, Monsieur. Sur les côtés, les invités et les enfants. Le déjeuner était servi par deux valets en habit et gants blancs. Tous savaient que la maison était sens dessus dessous, que Madame avait du chagrin, et ne soufflaient mot. On n'entendait que le bruit des mâchoires et le tintement des cuillères dans les assiettes.

Ce fut Madame elle-même qui engagea la conversation.

« Qu'y a-t-il comme entrée ? demanda-t-elle au valet d'une voix dolente.

— Esturgeon à la russe, répondit le domestique.

— C'est moi qui l'ai demandé..., se hâta de dire Monsieur. J'avais envie de poisson. Si cela ne te plaît pas, ma chère, on ne le servira pas. J'ai dit ça comme ça, en passant... »

Mme Kouchkina n'aimait pas les mets qu'elle n'avait pas commandés elle-même, ses yeux se remplirent de larmes.

« Allons, ne nous tourmentons plus, dit d'une voix suave le docteur Mamikov, son médecin particulier, en lui effleurant la main et en lui adressant un sourire tout aussi suave. Nous sommes bien assez nerveuse comme ça. Oublions la broche ! La santé, cela vaut plus de deux mille roubles !

— Ce ne sont pas les deux mille roubles que je regrette ! répondit la maîtresse de maison, et une larme ronde coula sur sa joue. C'est le fait en soi qui me révolte ! Je ne tolérerai pas de voleurs dans ma maison. Je ne regrette rien, mais me voler — quelle ingratitude ! Voilà comme on récompense ma bonté...»

Chacun contemplait son assiette, mais Maria eut l'impression qu'après ces paroles tous avaient levé les yeux sur elle. Elle sentit monter comme une boule dans sa gorge, fondit en larmes et porta son mouchoir à sa figure.

«Excusez-moi, bredouilla-t-elle. Je ne puis. J'ai mal à la tête. Je m'en vais.

Là-dessus, elle se leva de table, traîna gauchement sa chaise sur le plancher, ce qui acheva de la décontenancer, et sortit en toute hâte.

«Bon Dieu, lança Kouchkine en fronçant les sourcils. Quelle nécessité d'aller fouiller dans sa chambre ! Je t'assure... c'est déplacé.

— Je ne dis pas que c'est elle qui a pris la broche, dit Mme Kouchkina, mais peux-tu répondre d'elle ? Moi, je l'avoue, je n'ai pas confiance dans ces miséreux qui ont de l'instruction.

— Je t'assure, Féodossia, c'est déplacé... Excuse-moi, mais, d'après la loi, tu n'as aucun droit de fouille.

— Moi, je ne connais pas vos lois. Je sais seulement que j'ai perdu ma broche, voilà tout. Et je la retrouverai, cette broche ! (Elle donna un coup de cuillère dans son assiette, et ses yeux étincelèrent de colère.) Et vous, mangez et ne vous mêlez pas de mes affaires !»

M. Kouchkine baissa timidement les yeux et soupira. Pendant ce temps Maria, remontée dans sa chambre, s'était laissée tomber sur son lit. Elle n'avait plus ni peur ni honte, seul la torturait un désir violent d'aller gifler cette femme dure, cette femme arrogante, obtuse, heureuse.

Le nez dans son oreiller, elle rêvait au plaisir qu'elle aurait à aller acheter maintenant la broche la plus chère et à la jeter au visage de cette égoïste butée. Si seulement, grâce à Dieu, Mme Kouchkina pouvait se ruiner, aller mendier et comprendre toutes les affres de la misère et de la sujétion, et si elle, Maria, qu'elle avait outragée, pouvait lui faire l'aumône. Ah ! si elle pouvait faire un grand héritage, acheter une calèche et passer à grand fracas sous ses fenêtres pour lui faire envie !

Mais tout cela n'était que rêves, la seule chose qui lui restât à faire, en réalité, était de partir au plus vite, ne pas rester là une heure de plus. Au vrai, c'était terrible de perdre sa place, de retourner chez ses parents qui n'avaient rien, mais que faire ? Elle ne pouvait plus voir ni sa patronne ni sa petite chambre, dans cette maison elle étouffait, elle avait peur. Mme Kouchkina, folle de ses maladies et de son aristocratie imaginaire, la dégoûtait à un point tel que, désormais, la seule existence de cette femme lui rendait tout au monde grossier et déplaisant. Maria sauta à bas du lit et se mit à faire ses bagages.

«On peut entrer ? demanda Monsieur derrière la porte; il s'était approché sans faire de bruit et parlait d'une voix basse et douce. On peut ?

— Entrez.»

Il entra et s'arrêta à la porte. Son regard était terne et son petit nez rouge luisait. Après déjeuner, il avait bu de la bière et cela se remarquait à sa démarche et à ses mains molles et flasques.

«Qu'est-ce donc ? demanda-t-il en montrant une malle d'osier.

— Je fais mes bagages. Excusez-moi, monsieur, mais je ne puis rester plus longtemps dans votre maison. Cette fouille m'a profondément offensée.

— Je comprends... Mais vous n'avez pas de raisons de... Pourquoi ? On a fouillé, et vous, heu... qu'est-ce que ça vous fait ? Ça ne vous portera pas préjudice.»

Maria ne souffla mot et continua ses préparatifs. Monsieur pinçait ses moustaches comme s'il cherchait quelque chose à ajouter, et continua d'une voix doucereuse:

«Bien sûr, je comprends, mais il faut être indulgente. Vous savez, ma femme est nerveuse, extravagante, il ne faut pas la juger sévèrement...»

Maria ne soufflait mot.

«Si nous vous avons à ce point offensée, continua Monsieur, je suis prêt à vous faire des excuses.»

Maria ne répondit rien, mais se pencha davantage sur sa valise. Cet homme rongé par la boisson, irrésolu, ne comptait absolument pas dans la maison. Il jouait le rôle pitoyable du parasite, de l'inutile, même aux yeux des domestiques; ses excuses ne comptaient pas non plus.

«Hum!... Vous ne dites rien? Ça ne vous suffit pas? Alors je vous fais les excuses de ma femme. Au nom de ma femme... Elle a agi sans délicatesse, je l'avoue en gentilhomme...»

Il fit quelques pas, poussa un soupir et continua:

«Il vous faut donc encore que ça me ronge là, dans le cœur... Il vous faut que le remords me torture...

— Je sais, monsieur, que ce n'est pas votre faute, dit Maria en le regardant bien en face de ses grands yeux noyés de larmes. Pourquoi vous torturer?

— Bien sûr... Mais, pourtant, vous... heu... ne partez pas... Je vous en prie.»

Maria fit non de la tête. Monsieur s'arrêta près de la fenêtre et se mit à tambouriner sur les vitres.

«De pareils malentendus sont pour moi une véritable torture, dit-il. Faut-il que je me mette à genoux devant vous? On vous a offensée dans votre fierté, et alors, vous pleurez, vous vous préparez à partir, mais moi aussi, j'ai ma fierté, et vous ne l'épargnez guère. Ou alors voulez-vous que je vous dise ce que je ne dirais même pas à confesse? Vous le voulez? Écoutez, vous voulez que je vous avoue ce que je n'avouerais pas au prêtre même à l'article de la mort?»

Maria ne soufflait mot.

«C'est moi qui ai pris la broche de ma femme! dit-il rapidement. Vous voilà contente, maintenant? Satisfaite? Oui, c'est moi... qui l'ai prise... Seulement, bien entendu, je compte sur votre discrétion... Pour l'amour de Dieu, pas un mot à qui que ce soit, pas un semblant d'allusion!»

Maria, stupéfaite, épouvantée, continuait ses préparatifs; elle prenait ses affaires, les roulait en boule et les fourrait en désordre dans sa valise et sa malle d'osier. Après les aveux de Kouchkine, elle ne pouvait rester une minute de plus et ne comprenait même plus comment elle avait pu vivre dans cette maison.

«Et il n'y a pas de quoi s'étonner... continua Kouchkine après un moment de silence. C'est une histoire banale! J'ai besoin d'argent et elle... ne m'en donne pas. Cette maison, et tout ça, c'est mon père qui l'a gagné, mademoiselle Maria! Tout cela, c'est à moi, la broche a appartenu à ma mère et... tout est à moi! Mais elle s'est saisie, elle s'est emparée de tout... Je ne peux pas lui faire un procès, convenez-en... Je vous le demande instamment, excusez-moi et... restez. Tout comprendre, tout pardonner. Vous restez?

— Non! fit avec décision Maria qui commençait à trembler. Laissez-moi, je vous en supplie.

— Bon, comme il vous plaira, soupira Kouchkine en s'asseyant sur un escabeau près de la valise. Je l'avoue, j'aime les gens qui savent encore ressentir une offense, éprouver du mépris, et ainsi de suite. Je passerais ma vie à contempler votre visage indigné... Alors, vous ne restez pas? Je comprends... Il ne peut en être autrement... Oui, bien sûr... Vous, ça va tout seul, mais moi – brrr !... Je suis dans le trou et j'y demeurerai. Je peux aller dans n'importe laquelle de nos propriétés, partout je trouverai les coquins qui servent ma femme... régisseurs, agronomes, le diable les emporte ! Ils entassent, ils surentassent... Défense de pêcher, de marcher sur l'herbe, de casser des branches.

— Nicolaï ! appela du salon la voix de Mme Kouchkina. Agnia, appelle Monsieur.

— Alors vous ne restez pas ? demanda Kouchkine qui se levait en hâte et se dirigeait vers la porte. Vous devriez rester, ma parole. Le soir, je viendrais vous voir... on causerait. Hein ? Restez ! Si vous partez, il n'y aura plus une seule figure humaine dans toute la maison. C'est horrible ! »

Le visage de Kouchkine, blême, ravagé par l'alcool, implorait, mais Maria fit non de la tête et il s'en alla avec un grand geste découragé.

Une demi-heure plus tard, elle était déjà en route.

Anton Tchekhov, *Récits de 1886*, *Œuvres*, Tome 1, Bibliothèque de la Pléiade, © Éditions Gallimard, 1967. Traduit par M. Durand et É. Parayre.

ANTON TCHEKHOV

Acclamé pour son théâtre, Tchekhov est également l'un des plus grands nouvellistes du monde. Né en 1860 dans une modeste famille de Taganrog, en Russie, il fait des études de médecine à Moscou et se met à écrire pour faire vivre les siens. De 1883 à 1887, il produit plus de 150 nouvelles et devient célèbre en 1888 avec un récit, *La Steppe*, et une pièce de théâtre, *Ivanov* (1887). Atteint de tuberculose, il est continuellement souffrant et fatigué, mais il n'en produit pas moins une œuvre impressionnante, composée de récits brefs : *Une morne histoire* (1889), *La Salle Nº 6* (1892), *La Dame au petit chien* (1899) ; et de pièces de théâtre : *La Mouette* (1896), *Oncle Vania* (1897), *Les Trois Sœurs* (1901), *La Cerisaie* (1904). En 1901, Tchekhov épouse secrètement l'actrice Olga Knipper, et c'est à ses côtés qu'il meurt en 1904, dans une ville d'eau allemande.

À la fin du XIXe siècle, Tchekhov a renouvelé l'art du roman et de la nouvelle, et bouleversé toutes les conceptions théâtrales alors en vigueur. Il a porté à son sommet l'art de suggérer les émotions et la qualité d'une atmosphère, dans une langue dépouillée et transparente. Ses sujets sont inspirés de la vie quotidienne et mettent en scène des étudiants, des commerçants, des cochers, des popes... (D'après le *Dictionnaire des littératures*, Larousse, 1985.)

« Personne n'a compris avec autant de clairvoyance et de finesse le tragique des petits côtés de l'existence », a dit de lui le poète russe Maxime Gorki.

Et maudite fut l'heure où elle vit, et aima, et épousa le peintre.

Le Portrait ovale

Le château dans lequel mon domestique s'était avisé de pénétrer de force, plutôt que de me permettre, déplorablement blessé comme je l'étais, de passer une nuit en plein air, était un de ces bâtiments, mélange de grandeur et de mélancolie, qui ont si longtemps dressé leurs fronts sourcilleux au milieu des Apennins, aussi bien dans la réalité que dans l'imagination de mistress Radcliffe. Selon toute apparence, il avait été temporairement et tout récemment abandonné. Nous nous installâmes dans une des chambres les plus petites et les moins somptueusement meublées. Elle était située dans une tour écartée du bâtiment. Sa décoration était riche, mais antique et délabrée. Les murs étaient tendus de tapisseries et décorés de nombreux trophées héraldiques de toute forme, ainsi que d'une quantité vraiment prodigieuse de peintures modernes, pleines de style, dans de riches cadres d'or d'un goût arabesque. Je pris un profond intérêt – ce fut peut-être mon délire qui commençait qui en fut la cause – je pris un profond intérêt à ces peintures qui étaient suspendues non seulement sur les faces principales des murs, mais aussi dans une foule de recoins que la bizarre architecture du château rendait inévitables; si bien que j'ordonnai à Pedro de fermer les lourds volets de la chambre – puisqu'il faisait déjà nuit –, d'allumer un grand candélabre à plusieurs branches placé près de mon chevet, et d'ouvrir tout grands les rideaux de velours noir garnis de crépines qui entouraient le lit. Je désirais que cela fût ainsi, pour que je pusse au moins, si je ne pouvais pas dormir, me consoler alternativement par la contemplation de ces peintures et par la lecture d'un petit volume que j'avais trouvé sur l'oreiller et qui en contenait l'appréciation et l'analyse.

Je lus longtemps – longtemps – je contemplai religieusement, dévotement; les heures s'envolèrent, rapides et glorieuses, et le profond minuit arriva. La position du candélabre me déplaisait et, étendant la main avec difficulté pour ne pas déranger mon valet assoupi, je plaçai l'objet de manière à jeter les rayons en plein sur le livre.

Mais l'action produisit un effet absolument inattendu. Les rayons des nombreuses bougies (car il y en avait beaucoup) tombèrent alors sur une niche de la chambre que l'une des colonnes du lit avait jusque-là couverte d'une ombre profonde. J'aperçus dans une vive lumière une peinture qui m'avait d'abord échappé. C'était le portrait d'une jeune fille déjà mûrissante et presque femme. Je jetai sur la peinture un coup d'œil rapide, et je fermai les yeux. Pourquoi – je ne le compris pas bien moi-même tout d'abord. Mais pendant que mes paupières restaient closes, j'analysai rapidement la raison qui me les faisait fermer ainsi, c'était un mouvement involontaire pour gagner du temps et pour penser – pour m'assurer que ma vue ne m'avait pas trompé – pour me calmer et préparer mon esprit à une contemplation plus froide et plus sûre. Au bout de quelques instants, je regardai de nouveau la peinture fixement.

Je ne pouvais pas douter, quand même je l'aurais voulu, que je n'y visse alors très nettement; car le premier éclair du flambeau sur cette toile avait dissipé la stupeur rêveuse dont mes sens étaient possédés, et m'avait rappelé tout d'un coup à la vie réelle.

Le portrait, je l'ai déjà dit, était celui d'une jeune fille. C'était une simple tête, avec des épaules, le tout dans ce style qu'on appelle, en langage technique, style *de vignette*; beaucoup de la manière de Sully dans ses têtes de prédilection. Les bras, le sein, et même les bouts des cheveux rayonnants, se fondaient insaisissablement dans l'ombre vague mais profonde qui servait de fond à l'ensemble. Le cadre était ovale, magnifiquement doré et guilloché dans le goût moresque. Comme œuvre d'art, on ne pouvait rien trouver de plus admirable que la peinture elle-même. Mais il se peut bien que ce ne fût ni l'exécution de l'œuvre, ni l'immortelle beauté de la physionomie, qui m'impressionna si soudainement et si fortement. Encore moins devais-je croire que mon imagination, sortant d'un demi-sommeil, eût pris la tête pour celle d'une personne vivante. Je vis tout d'abord que les détails du dessin, le style de vignette, et l'aspect du cadre auraient immédiatement dissipé un pareil charme, et m'auraient préservé de toute illusion même momentanée. Tout en faisant ces réflexions, et très vivement, je restai, à demi étendu, à demi assis, une heure entière peut-être, les yeux rivés à ce portrait. À la longue, ayant découvert le vrai secret de son effet, je me laissai retomber sur le lit. J'avais deviné que le charme de la peinture était une expression vitale absolument adéquate à la vie elle-même, qui d'abord m'avait fait tressaillir, et finalement m'avait confondu, subjugué, épouvanté. Avec une terreur profonde et respectueuse, je replaçai le candélabre dans sa position première. Ayant ainsi dérobé à ma vue la cause de ma profonde agitation, je cherchai vivement le volume qui contenait l'analyse des tableaux et leur histoire. Allant droit au numéro qui désignait le portrait ovale, j'y lus le vague et singulier récit qui suit:

«C'était une jeune fille d'une très rare beauté, et qui n'était pas moins aimable que pleine de gaieté. Et maudite fut l'heure où elle vit, et aima, et épousa le peintre. Lui, passionné, studieux, austère, et ayant déjà trouvé une épouse dans son Art; elle, une jeune fille d'une très rare beauté, et non moins aimable que

Le Peintre et son modèle
1666-1673
Jan Vermeer

pleine de gaieté: rien que lumière et sourire, et la folâtrerie d'un jeune faon; aimant et chérissant toutes choses; ne haïssant que l'Art qui était son rival; ne redoutant que la palette et les brosses, et les autres instruments fâcheux qui la privaient de la figure de son adoré. Ce fut une terrible chose pour cette dame que d'entendre le peintre parler du désir de peindre même sa jeune épouse. Mais elle était humble et obéissante, et elle s'assit avec douceur pendant de longues semaines dans la sombre et haute chambre de la tour, où la lumière filtrait sur la pâle toile seulement par le plafond. Mais lui, le peintre, mettait sa gloire dans son œuvre qui avançait d'heure en heure et de jour en jour. Et c'était un homme passionné, et étrange, et pensif, qui se perdait en rêveries; si bien qu'il ne *voulait* pas voir que la lumière qui tombait si lugubrement dans cette tour isolée desséchait la santé et les esprits de sa femme, qui languissait visiblement pour tout le monde, excepté pour lui. Cependant elle souriait toujours, et toujours, sans se plaindre, parce qu'elle voyait que le peintre (qui avait un grand renom) prenait un plaisir vif et brûlant dans sa tâche, et travaillait nuit et jour pour peindre celle qui l'aimait si fort, mais qui devenait de jour en jour plus languissante et plus faible. Et en vérité, ceux qui contemplaient le portrait parlaient à voix basse de sa ressemblance, comme d'une puissante merveille et comme d'une preuve non moins grande de la puissance du peintre que de son profond amour pour celle qu'il peignait si miraculeusement bien. Mais à la longue, comme la besogne approchait de sa fin, personne ne fut plus admis dans la tour; car le peintre était devenu fou par l'ardeur de son travail, et il détournait rarement ses yeux de la toile, même pour regarder la figure de sa femme. Et il ne *voulait* pas voir que les couleurs qu'il étalait sur la toile étaient *tirées* des joues de celle qui était assise près de lui. Et quand bien des semaines furent passées, et qu'il ne restait plus que peu de chose à faire, rien qu'une touche sur la bouche et un glacis sur l'œil, l'esprit de la dame palpita encore comme la flamme dans le bec d'une lampe. Et alors la touche fut donnée, et alors le glacis fut placé; et pendant un moment le peintre se tint en extase devant le travail qu'il avait travaillé; mais une minute après, comme il contemplait encore, il trembla, et il devint très pâle, et il fut frappé d'effroi; et criant d'une voix éclatante: – En vérité c'est la *Vie* elle-même! – il se retourna brusquement pour regarder sa bien-aimée; – elle était morte!»

Edgar Allan Poe, *Nouvelles Histoires extraordinaires* (1845).
Traduit de l'anglais par Charles Baudelaire.

EDGAR ALLAN POE

Né à Boston en 1809, Edgar Allan Poe est l'un des écrivains les plus mystérieux du XIXe siècle. Après la mort précoce de ses parents, il grandit dans une famille adoptive, qu'il quitte à dix-huit ans pour tenter de survivre en écrivant des contes pour des magazines. Malgré une vie marquée par la misère, l'alcool et la drogue, il produit une œuvre brillante, composée de nouvelles: *Histoires extraordinaires* (1839), *Nouvelles Histoires extraordinaires* (1845); de récits: *Les Aventures d'Arthur Gordon Pym* (1838), *William Wilson* (1839); de poèmes: *Al Aaraaf* (1829), *Serenade* (1833), *Le Corbeau* (1845); et d'essais: *Philosophie de la composition* (1846), *Eurêka* (1848), *Le Principe poétique* (1850). Edgar Allan Poe meurt à Baltimore en 1849. Maltraité par la critique de l'époque, il garda longtemps une mauvaise réputation aux États-Unis, et c'est en France qu'il fut réhabilité, grâce, en autres, au poète Charles Baudelaire, qui publia et traduisit nombre de ses œuvres en français.

Poe tenta de mettre en œuvre une théorie de l'intrigue comme construction visant à la perfection formelle. Il ouvrit ainsi des chemins qui nous conduisent, en passant par le symbolisme et le formalisme, jusqu'à la plus récente actualité intellectuelle.

Je lui devais deux cents livres: il me faisait payer mensuellement des intérêts meurtriers; en plus, il fit de moi son ami intime...

Le Tableau

Je veux parler de Gryde, l'usurier. Cinq mille hommes lui durent de l'argent; il fut la cause de cent douze suicides, de neuf crimes sensationnels, d'innombrables faillites, ruines et débâcles financières.

Cent mille malédictions l'ont accablé et l'ont fait rire; la cent mille et unième l'a tué, et tué de la manière la plus étrange, la plus affreuse que cauchemar pût enfanter.

□

Je lui devais deux cents livres; il me faisait payer mensuellement des intérêts meurtriers; en plus de ça, il fit de moi son ami intime... C'était sa manière de m'être le plus désagréable, car j'ai supporté toutes ses méchancetés. J'ai dû faire chorus aux rires qu'il poussait devant les larmes, les prières et la mort de ses victimes saignées à blanc.

Il passait la douleur et le sang au journal et au grand-livre, parmi le flot montant de son argent.

Aujourd'hui, je ne m'en plains pas, car cela m'a permis d'assister à son agonie. Et je souhaite la pareille à tous ses confrères.

□

Un matin, je le trouvai dans son cabinet, en face d'un jeune homme, très pâle et très beau.

Le jeune homme parlait:

— Je ne sais pas vous payer, monsieur Gryde, mais, je vous en prie, ne m'exécutez pas. Prenez cette toile; c'est mon œuvre unique. Unique, entendez-vous? Cent fois, je l'ai recommencé... Elle est toute ma vie. Aujourd'hui même, elle n'est pas complètement finie: il y manque quelque chose – je ne sais pas trop quoi – mais, plus tard, je trouverai et je l'achèverai. Prenez-la pour cette dette qui me tue, et... qui tue maman.

Le Jury de sélection du nouveau club d'art anglais, 19e s.
Sir William Orpen

Gryde ricanait; m'ayant aperçu, il me fit signe de regarder un tableau de moyenne grandeur qui se trouvait contre la bibliothèque. J'eus un mouvement de stupeur et d'admiration: jamais je n'avais rien vu de si beau!

C'était une grande figure d'homme nu, d'une beauté de dieu, sortant d'un lointain vague, nuageux, un lointain d'orage, de nuit et de flammes.

— Je ne sais pas encore comment je l'appellerai, dit l'artiste d'une voix douloureuse. Voyez-vous, cette figure-là je la rêve depuis que je suis enfant; elle me vient d'un songe comme des mélodies sont venues du ciel au chevet de Mozart et de Haydn.

— Vous me devez trois cents livres, monsieur Warton, dit Gryde.

L'adolescent joignit les mains.

— Et mon tableau, monsieur Gryde? Il vaut le double, le triple, le décuple!

— Dans cent ans, répondit Gryde. Je ne vivrai pas aussi longtemps.

Je crus pourtant remarquer dans son regard une lueur vacillante, qui changeait cette clarté fixe de l'acier que j'y ai toujours vue.

Admiration ou espoir d'un gain futur insensé?

Alors, Gryde parla.

— J'ai pitié de vous, dit-il, car j'ai dans l'âme un faible pour les artistes. Je vous le prends pour cent livres.

L'artiste voulut parler; l'usurier l'en empêcha.

— Vous me devez trois cents livres, payables par mensualités de dix. Je vais vous signer un reçu pour les dix mois qui vont suivre... Tâchez d'être exact à l'échéance du onzième mois, monsieur Warton!

L'artiste s'était voilé la face de ses belles mains.

— Dix mois! C'est dix mois de repos, de tranquillité pour maman. Elle est si nerveuse et si chétive, monsieur Gryde, et puis je pourrai travailler pendant ces dix mois...

Il prit le reçu.

— Mais, dit Gryde, de votre propre aveu, il manque quelque chose au tableau. Vous me devez le parachèvement et le titre d'ici dix mois.

L'artiste promit, et le tableau prit place au mur, au-dessus du bureau de Gryde.

□

Onze mois s'écoulèrent. Warton ne put payer sa mensualité de dix livres.

Il pria, supplia, rien n'y fit; Gryde ordonna la vente des biens du malheureux. Quand vinrent les huissiers, ils trouvèrent la maman et le fils dormant de l'éternel sommeil dans l'haleine terrible d'un réchaud de charbons ardents.

Il y avait une lettre pour Gryde sur la table.

«Je vous ai promis le titre de mon tableau, y disait l'artiste. Appelez-le *Vengeance*. Quant à l'achèvement, je tiendrai parole.»

Gryde en fut fort peu satisfait.

— D'abord, ce titre ne convient pas, disait-il, et puis comment pourrait-il l'achever à présent ?

Il venait de lancer un défi à l'Enfer.

□

Un matin, je trouvai Gryde extraordinairement énervé.

— Regardez le tableau, me cria-t-il dès mon entrée. Vous n'y voyez rien ?

Je n'y trouvai rien de changé.

Ma déclaration sembla lui faire grand plaisir.

— Figurez-vous... dit-il.

Il passa la main sur son front, où je vis perler la sueur.

— C'était hier, après minuit. J'étais couché, quand je me souvins que j'avais laissé des papiers assez importants sur mon bureau. Je me levai tout de suite pour réparer cet oubli. Je trouve fort bien le chemin dans l'obscurité, dans cette maison dont chaque coin m'est familier. J'entrai donc dans mon cabinet sans allumer la lumière. Du reste, la lune éclairait très nettement mon bureau. Comme je me penchais sur mes paperasses, quelque chose bougea entre la fenêtre et moi... Regardez le tableau ! Regardez le tableau ! hurla tout à coup Gryde. C'est une hallucination, sans doute. Je n'y suis pourtant pas sujet... Il me semble avoir vu bouger à nouveau la figure... Eh bien ! cette nuit, j'ai cru voir – non, j'ai vu – le bras de l'homme là qui sortait de la toile pour me saisir !

— Vous êtes fou, dis-je brusquement.

— Je le voudrais bien, s'écria Gryde, car si c'était vrai...

— Eh bien ! lacérez la toile, si vous croyez que c'est vrai !

La figure de Gryde s'éclaira.

— Je n'y avais pas pensé, dit-il. C'était trop simple.

D'un tiroir, il sortit un long poignard au manche finement ciselé. Mais, comme il s'apprêtait à détruire le tableau, il se ravisa soudain.

— Non, dit-il. Pourquoi mettre cent livres au feu pour un méchant rêve ? C'est vous qui êtes fou, mon jeune ami.

Et rageur, il jeta l'arme sur son bureau.

□

Ce n'était plus le même Gryde que je trouvai le lendemain, mais un vieillard aux yeux déments, grelottant d'une frayeur affreuse.

— Non, hurla-t-il, je ne suis pas fou, imbécile, j'ai vu vrai ! Je me suis levé cette nuit. J'ai voulu voir si j'avais rêvé. Eh bien ! eh bien !... il est sorti du tableau, rugit Gryde en se tordant les mains, et... et... mais regardez donc la toile, triple idiot, il m'a pris le poignard !

J'ai mis la tête dans les mains ; j'ai cru devenir fou comme Gryde. Ma logique s'est révoltée : la figure du tableau tenait dans sa main un poignard qu'elle n'avait pas hier, et je reconnus aux ciselures artistiques, que c'était le poignard que Gryde avait jeté la veille sur son bureau !

□

J'ai conjuré Gryde de détruire la toile. Mais l'avarice combattit victorieusement la frayeur.

IL NE VOULAIT PAS CROIRE QUE WARTON ALLAIT TENIR PAROLE !

□

... Gryde est mort.

On l'a trouvé dans son fauteuil, exsangue, la gorge béante. L'acier meurtrier avait entamé jusqu'au cuir du siège.

J'ai jeté un regard terrifié sur le tableau : la lame du poignard était rouge jusqu'à la garde.

Jean Ray, *Contes du whisky*,

JEAN RAY

Important représentant de l'école fantastique belge, Jean Ray naît à Gand en 1887. Il commence sa carrière en écrivant des récits d'aventures pour les jeunes, mais il est davantage renommé pour ses contes et ses nouvelles fantastiques. Ses principales œuvres sont : *Contes du whisky* (1925), *La Croisière de l'ombre* (1931), *La Cité de l'indicible peur* (1943) et, surtout, *Malpertuis* (1943). Jean Ray meurt à Gand en 1964, année où sont publiés *Les Contes noirs du golf*.

Les récits de Jean Ray évoquent un univers où le réel fait place au mirage. Ils passionnent tant les amateurs d'épouvante et de magie noire que les fervents d'humour et de détail réaliste.

Le premier cambriolage auquel se livra Dutilleul eut lieu dans un grand établissement de crédit de la rive droite.

Le Passe-muraille

Il y avait à Montmartre, au troisième étage du 75*bis* de la rue d'Orchampt, un excellent homme nommé Dutilleul qui possédait le don singulier de passer à travers les murs sans être incommodé. Il portait un binocle, une petite barbiche noire et il était employé de troisième classe au ministère de l'Enregistrement. En hiver, il se rendait à son bureau par l'autobus, et, à la belle saison, il faisait le trajet à pied, sous son chapeau melon.

Dutilleul venait d'entrer dans sa quarante-troisième année lorsqu'il eut la révélation de son pouvoir. Un soir, une courte panne d'électricité l'ayant surpris dans le vestibule de son petit appartement de célibataire, il tâtonna un moment dans les ténèbres et, le courant revenu, se trouva sur le palier du troisième étage. Comme sa porte d'entrée était fermée à clé de l'intérieur, l'incident lui donna à réfléchir et, malgré les remontrances de sa raison, il se décida à rentrer chez lui comme il en était sorti, en passant à travers la muraille. Cette étrange faculté, qui semblait ne répondre à aucune de ses aspirations, ne laissa pas de le contrarier un peu et, le lendemain samedi, profitant de la semaine anglaise, il alla trouver un médecin du quartier pour lui exposer son cas. Le docteur put se convaincre qu'il disait vrai et, après examen, découvrit la cause du mal dans un durcissement hélicoïdal de la paroi strangulaire du corps thyroïde. Il prescrivit le surmenage intensif et, à raison de deux cachets par an, l'absorption de poudre de pirette tétravalente, mélange de farine de riz et d'hormone de centaure.

Ayant absorbé un premier cachet, Dutilleul rangea le médicament dans un tiroir et n'y pensa plus. Quant au surmenage intensif, son activité de fonctionnaire était réglée par des usages ne s'accommodant d'aucun excès, et ses heures de loisir, consacrées à la lecture du journal et à sa collection de timbres, ne l'obligeaient pas non plus à une dépense déraisonnable d'énergie. Au bout d'un an, il avait donc gardé intacte la faculté de passer à travers les murs, mais il ne l'utilisait jamais, sinon par inadvertance, étant peu curieux d'aventures et rétif aux entraînements de l'imagination. L'idée ne lui venait même pas de rentrer chez lui autrement que par la porte et après l'avoir dûment ouverte en faisant jouer la serrure. Peut-être eût-il vieilli dans la paix de ses habitudes sans avoir la tentation de mettre ses dons à l'épreuve, si un événement extraordinaire n'était venu soudain bouleverser son existence. M. Mouron, son sous-chef de bureau, appelé à d'autres fonctions, fut remplacé par un certain M. Lécuyer, qui avait la parole brève et la moustache en brosse. Dès le premier jour, le nouveau sous-chef vit de très mauvais œil que Dutilleul portât un lorgnon à chaînette et une barbiche noire, et il affecta de le traiter comme une vieille chose gênante et un peu malpropre. Mais le plus grave était qu'il prétendît introduire dans son service des réformes d'une portée considérable et bien faites pour troubler la quiétude de son subordonné. Depuis vingt ans, Dutilleul commençait ses lettres par la formule suivante: «Me reportant à votre honorée du tantième courant et, pour mémoire, à notre échange de lettres antérieur, j'ai l'honneur de vous informer...» Formule à laquelle M. Lécuyer entendit substituer une autre d'un tour plus américain: «En réponse à votre lettre du tant, je vous informe...»

Dutilleul ne put s'accoutumer à ces façons épistolaires. Il revenait malgré lui à la manière traditionnelle, avec une obstination machinale qui lui valut l'inimitié grandissante du sous-chef. L'atmosphère du ministère de l'Enregistrement lui devenait presque pesante. Le matin, il se rendait à son travail avec appréhension, et le soir, dans son lit, il lui arrivait bien souvent de méditer un quart d'heure entier avant de trouver le sommeil.

Écœuré par cette volonté rétrograde qui compromettait le succès de ses réformes, M. Lécuyer avait relégué Dutilleul dans un réduit à demi obscur, attenant à son bureau. On y accédait par une porte basse et étroite donnant sur le couloir et portant encore en lettres capitales l'inscription: Débarras. Dutilleul avait accepté d'un cœur résigné cette humiliation sans précédent, mais chez lui, en lisant dans son journal le récit de quelque sanglant fait divers, il se surprenait à rêver que M. Lécuyer était la victime.

Un jour, le sous-chef fit irruption dans le réduit en brandissant une lettre et il se mit à beugler:

«Recommencez-moi ce torchon! Recommencez-moi cet innommable torchon qui déshonore mon service!»

Dutilleul voulut protester, mais M. Lécuyer, la voix tonnante, le traita de cancrelat routinier, et avant de partir, froissant la lettre qu'il avait en main, la lui jeta au visage. Dutilleul était modeste, mais fier. Demeuré seul dans son réduit, il fit un peu de température et, soudain, se sentit en proie à l'inspiration. Quittant son siège, il entra dans le mur qui séparait son bureau de celui du sous-chef, mais il y entra avec prudence, de telle sorte que sa tête seule émergeât de l'autre côté. M. Lécuyer, assis à sa table de travail, d'une plume encore nerveuse déplaçait une virgule dans le texte d'un employé, soumis à son approbation, lorsqu'il entendit tousser dans son bureau. Levant les yeux, il découvrit avec un effarement indicible la tête de Dutilleul, collée au mur à la façon d'un trophée de chasse. Et cette tête était vivante. À travers le lorgnon à chaînette, elle dardait sur lui un regard de haine. Bien mieux, la tête se mit à parler.

«Monsieur, dit-elle, vous êtes un voyou, un butor et un galopin.»

Béant d'horreur, M. Lécuyer ne pouvait détacher les yeux de cette apparition. Enfin, s'arrachant à son fauteuil, il bondit dans le couloir et courut jusqu'au réduit. Dutilleul, le porte-plume à la main, était installé à sa place habituelle, dans une attitude paisible et laborieuse. Le sous-chef le regarda longuement et, après avoir balbutié quelques paroles, regagna son bureau. À peine venait-il de s'asseoir que la tête réapparaissait sur la muraille.

«Monsieur vous êtes un voyou, un butor et un galopin.»

Au cours de cette seule journée, la tête redoutée apparut vingt-trois fois sur le mur et, les jours suivants, à la même cadence. Dutilleul, qui avait acquis une certaine aisance à ce jeu, ne se contentait plus d'invectiver le sous-chef. Il proférait des menaces obscures, s'écriant par exemple d'une voix sépulcrale, ponctuée de rires vraiment démoniaques:

«Garou! garou! Un poil de loup! (*rire*). Il rôde un frisson à décorner tous les hiboux (*rire*).»

Ce qu'entendant, le pauvre sous-chef devenait un peu plus pâle, un peu plus suffocant, et ses cheveux se dressaient bien droits sur sa tête et il lui coulait dans le dos d'horribles sueurs d'agonie. Le premier jour, il maigrit d'une livre. Dans la semaine qui suivit, outre qu'il se mit à fondre presque à vue d'œil, il prit l'habitude de manger le potage avec sa fourchette et de saluer militairement les gardiens de la paix. Au début de la deuxième semaine, une ambulance vint le prendre à son domicile et l'emmena dans une maison de santé.

Dutilleul, délivré de la tyrannie de M. Lécuyer, put revenir à ses chères formules: «Me reportant à votre honorée du tantième courant...» Pourtant il était insatisfait. Quelque chose en lui réclamait un besoin nouveau, impérieux, qui n'était rien de moins que le besoin de passer à travers les murs. Sans doute le pouvait-il faire aisément, par exemple chez lui, et du reste, il n'y manqua pas. Mais l'homme qui possède des dons brillants ne peut se satisfaire longtemps de les exercer sur un objet médiocre. Passer à travers les murs ne saurait d'ailleurs constituer une fin en soi. C'est le départ d'une aventure, qui appelle une suite, un développement et, en somme, une rétribution. Dutilleul le comprit très bien. Il sentait en lui un besoin d'expansion, un désir croissant de s'accomplir et de se surpasser, et une certaine nostalgie qui était quelque chose comme l'appel de derrière le mur. Malheureusement, il lui manquait un but. Il chercha son inspiration dans la lecture du journal, particulièrement aux chapitres de la politique et du sport, qui lui semblaient être des activités honorables, mais s'étant finalement rendu compte qu'elles n'offraient aucun débouché aux personnes qui passent à travers les murs, il se rabattit sur le fait divers qui se révéla des plus suggestifs.

Le premier cambriolage auquel se livra Dutilleul eut lieu dans un grand établissement de crédit de la rive droite. Ayant traversé une douzaine de murs et de cloisons, il pénétra dans divers coffres-forts, emplit ses poches de billets de banque et, avant de se retirer, signa son larcin à la craie rouge, du pseudonyme de Garou-Garou, avec un fort joli paraphe qui fut reproduit le lendemain par tous les journaux. Au bout d'une semaine, ce nom de Garou-Garou connut une extraordinaire célébrité, la sympathie du public allait sans réserve à ce prestigieux cambrioleur qui narguait si joliment la police. Il se signalait chaque nuit par un nouvel exploit accompli soit au détriment d'une banque, soit à celui d'une bijouterie ou d'un riche particulier. À Paris comme en province, il n'y avait point de femme un peu rêveuse qui n'eût le fervent désir d'appartenir corps et âme au terrible Garou-Garou. Après le vol du fameux diamant de Burdigala et le cambriolage du Crédit municipal, qui eurent lieu la même semaine, l'enthousiasme de la foule atteignit au délire. Le ministre de l'Intérieur dut démissionner entraînant dans sa chute le ministre de l'Enregistrement. Cependant, Dutilleul, devenu l'un des hommes les plus riches de Paris, était toujours ponctuel à son bureau et on parlait de lui pour les palmes académiques. Le matin, au ministère de l'Enregistrement, son plaisir était d'écouter les commentaires que faisaient les collègues sur ses exploits de la veille. «Ce Garou-Garou, disaient-ils, est un homme formidable, un surhomme, un génie.» En entendant de tels éloges, Dutilleul devenait rouge de confusion et, derrière le lorgnon à chaînette, son regard brillait d'amitié et de gratitude. Un jour, cette atmosphère de sympathie le mit tellement en confiance qu'il ne crut pas pouvoir garder le secret plus longtemps. Avec un reste de timidité, il considéra ses collègues groupés autour d'un journal relatant le cambriolage de la Banque de France, et déclara d'une voix modeste: «Vous savez, Garou-Garou, c'est moi.» Un rire énorme et interminable accueillit la confidence de Dutilleul qui reçut, par dérision, le surnom de Garou-Garou. Le soir, à l'heure de quitter le ministère, il était l'objet de plaisanteries sans fin de la part de ses camarades et la vie lui semblait moins belle.

Quelques jours plus tard, Garou-Garou se faisait pincer par une ronde de nuit dans une bijouterie de la rue de la Paix. Il avait apposé sa signature sur le comptoir-caisse et s'était mis à chanter une chanson à boire en fracassant différentes vitrines à l'aide d'un hanap en or massif. Il lui eût été facile de s'enfoncer dans un mur et d'échapper ainsi à la ronde de nuit, mais tout porte à croire qu'il voulait être arrêté et probablement à seule fin de confondre ses collègues dont l'incrédulité l'avait mortifié. Ceux-ci, en effet, furent bien surpris lorsque les journaux du lendemain publièrent en première page la photographie de Dutilleul. Ils regrettèrent amèrement d'avoir méconnu leur génial camarade et lui rendirent hommage en se laissant pousser une petite barbiche. Certains même, entraînés par le remords et l'admiration, tentèrent de se faire la main sur le portefeuille ou la montre de famille de leurs amis et connaissances.

On jugea sans doute que le fait de se laisser prendre par la police pour étonner quelques collègues témoigne d'une grande légèreté indigne d'un homme exceptionnel, mais le ressort apparent de la volonté est fort peu de chose dans une telle détermination. En renonçant à la liberté, Dutilleul croyait céder à un orgueilleux désir de revanche, alors qu'en réalité il glissait simplement sur la pente de sa destinée. Pour un homme qui passe à travers les murs, il n'y a point de carrière un peu poussée s'il n'a tâté au moins une fois de la prison. Lorsque Dutilleul pénétra dans les locaux de la Santé, il eut l'impression d'être gâté par le sort. L'épaisseur des murs était pour lui un véritable régal. Le lendemain même de son incarcération, les gardiens découvrirent avec stupeur que le prisonnier avait planté un clou dans le mur de

La Clé des champs
1936 René Magritte

sa cellule et qu'il y avait accroché une montre en or appartenant au directeur de la prison. Il ne put ou ne voulut révéler comment cet objet était entré en sa possession. La montre fut rendue à son propriétaire et, le lendemain, retrouvée au chevet de Garou-Garou avec le tome premier des *Trois Mousquetaires* emprunté à la bibliothèque du directeur. Le personnel de la Santé était sur les dents. Les gardiens se plaignaient en outre de recevoir des coups de pied dans le derrière, dont la provenance était inexplicable. Il semblait que les murs eussent, non plus des oreilles, mais des pieds. La détention de Garou-Garou durait depuis une semaine, lorsque le directeur de la Santé, en pénétrant un matin dans son bureau, trouva sur la table la lettre suivante :

« Monsieur le directeur. Me reportant à notre entretien du 17 courant et, pour mémoire, à vos instructions générales du 15 mai de l'année dernière, j'ai l'honneur de vous informer que je viens d'achever la lecture du second tome des *Trois Mousquetaires* et que je compte m'évader cette nuit entre onze heures vingt-cinq et onze heures trente-cinq. Je vous prie, monsieur le directeur, d'agréer l'expression de mon profond respect. Garou-Garou. »

Malgré l'étroite surveillance dont il fut l'objet cette nuit-là, Dutilleul s'évada à onze heures trente. Connue du public le lendemain matin, la nouvelle souleva partout un enthousiasme magnifique. Cependant, ayant effectué un nouveau cambriolage qui mit le comble à sa popularité, Dutilleul semblait peu soucieux de se cacher en circulant à travers Montmartre sans aucune précaution. Trois jours après son évasion, il fut arrêté rue Caulaincourt au café du Rêve, un peu avant midi, alors qu'il buvait un vin blanc citron avec des amis.

Reconduit à la Santé et enfermé au triple verrou dans un cachot ombreux, Garou-Garou s'en échappa le soir même et alla coucher à l'appartement du directeur, dans la chambre d'ami. Le lendemain matin, vers neuf heures, il sonnait la bonne pour avoir son petit déjeuner et se laissait cueillir au lit, sans résistance, par les gardiens alertés. Outré, le directeur établit un poste de garde à la porte de son cachot et le mit au pain sec. Vers midi, le prisonnier s'en fut déjeuner dans un restaurant voisin de la prison et, après avoir bu son café, téléphona au directeur.

« Allo ! Monsieur le directeur, je suis confus, mais tout à l'heure, au moment de sortir, j'ai oublié de prendre votre portefeuille, de sorte que je me trouve en panne au restaurant. Voulez-vous avoir la bonté d'envoyer quelqu'un pour régler l'addition ? »

Le directeur accourut en personne et s'emporta jusqu'à proférer des menaces et des injures. Atteint dans sa fierté, Dutilleul s'évada la nuit suivante et pour ne plus revenir. Cette fois, il prit la précaution de raser sa barbiche noire et remplaça son lorgnon à chaînette par des lunettes en écaille. Une casquette de sport et un costume à larges carreaux avec culotte de golf achevèrent de le transformer. Il s'installa dans un petit appartement de l'avenue Junot où, dès avant sa première arrestation, il avait fait transporter une partie de son mobilier et les objets auxquels il tenait le plus. Le bruit de sa renommée commençait à le lasser et, depuis son séjour à la Santé, il était un peu blasé sur le plaisir de passer à travers les murs. Les plus épais, les plus orgueilleux, lui semblaient maintenant de simples paravents, et il rêvait de s'enfoncer au cœur de quelque massive pyramide. Tout en mûrissant le projet d'un voyage en Égypte, il menait une vie des plus paisibles, partagée entre sa collection de timbres, le cinéma et de longues flâneries à travers Montmartre. Sa métamorphose était si complète qu'il passait, glabre et lunetté d'écaille, à côté de ses meilleurs amis sans être reconnu. Seul le peintre Gen Paul, à qui rien ne saurait échapper d'un changement survenu dans la physionomie d'un vieil habitant du quartier, avait fini par pénétrer sa véritable identité. Un matin qu'il se trouva nez à nez avec Dutilleul au coin de la rue de l'Abreuvoir, il ne put s'empêcher de lui dire dans son rude argot:

«Dis donc, je vois que tu t'es miché en gigolpince pour tétarer ceux de la sûrepige – ce qui signifie à peu près en langage vulgaire: je vois que tu t'es déguisé en élégant pour confondre les inspecteurs de la Sûreté.

— Ah! murmura Dutilleul, tu m'as reconnu! Il en fut troublé et décida de hâter son départ pour l'Égypte. Ce fut l'après-midi de ce même jour qu'il devint amoureux d'une beauté blonde rencontrée deux fois rue Lepic à un quart d'heure d'intervalle. Il en oublia aussitôt sa collection de timbres et l'Égypte et les Pyramides. De son côté, la blonde l'avait regardé avec beaucoup d'intérêt. Il n'y a rien qui parle à l'imagination des jeunes femmes d'aujourd'hui comme des culottes de golf et une paire de lunettes en écaille. Cela sent son cinéaste et fait rêver cocktails et nuits de Californie. Malheureusement, la belle, Dutilleul en fut informé par Gen Paul, était mariée à un homme brutal et jaloux. Ce mari soupçonneux, qui menait d'ailleurs une vie de bâton de chaise, délaissait régulièrement sa femme entre dix heures du soir et quatre heures du matin, mais avant de sortir, prenait la précaution de la boucler dans sa chambre, à deux tours de clé, toutes persiennes fermées au cadenas. Dans la journée, il la surveillait étroitement, lui arrivant même de la suivre dans les rues de Montmartre.

«Toujours à la biglouse, quoi. C'est de la grosse nature de truand qu'admet pas qu'on ait des vouloirs de piquer dans son réséda.»

Mais cet avertissement de Gen Paul ne réussit qu'à enflammer Dutilleul. Le lendemain, croisant la jeune femme rue Tholozé, il osa la suivre dans une crémerie et, tandis qu'elle attendait son tour d'être servie, il lui dit qu'il l'aimait respectueusement, qu'il savait tout: le mari méchant, la porte à clé et les persiennes, mais qu'il serait le soir même dans sa chambre. La blonde rougit, son pot à lait trembla dans sa main et, les yeux mouillés de tendresse, elle soupira faiblement: «Hélas! Monsieur, c'est impossible.»

Le soir de ce jour radieux, vers dix heures, Dutilleul était en faction dans la rue Norvins et surveillait un robuste mur de clôture, derrière lequel se trouvait une petite maison dont il n'apercevait que la girouette et la cheminée. Une porte s'ouvrit dans ce mur et un homme, après l'avoir soigneusement fermée à clé derrière lui, descendit vers l'avenue Junot. Dutilleul attendit de l'avoir vu disparaître, très loin, au tournant de la descente, et compta encore jusqu'à dix. Alors, il s'élança, entra dans le mur au pas de gymnastique et, toujours courant à travers les obstacles, pénétra dans la chambre de la belle recluse. Elle l'accueillit avec ivresse et ils s'aimèrent jusqu'à une heure avancée.

Le lendemain, Dutilleul eut la contrariété de souffrir de violents maux de tête. La chose était sans importance et il n'allait pas, pour si peu, manquer à son rendez-vous. Néanmoins, ayant par hasard découvert des cachets épars au fond d'un tiroir, il en avala un le matin et un l'après-midi. Le soir, ses douleurs de tête étaient supportables et l'exaltation les lui fit oublier. La jeune femme l'attendait avec toute l'impatience qu'avaient fait naître en elle les souvenirs de la veille et ils s'aimèrent, cette nuit-là, jusqu'à trois heures du matin. Lorsqu'il s'en alla, Dutilleul, en traversant les cloisons et les murs de la maison, eut l'impression d'un frottement inaccoutumé aux hanches et aux épaules. Toutefois, il ne crut pas devoir y prêter attention. Ce ne fut d'ailleurs qu'en pénétrant dans le mur de clôture qu'il éprouva nettement la sensation d'une résistance. Il lui semblait se mouvoir dans une matière encore fluide, mais qui devenait pâteuse et prenait, à chacun de ses efforts, plus de consistance. Ayant réussi à se loger tout entier dans l'épaisseur du mur, il s'aperçut qu'il n'avançait plus et se souvint avec terreur des deux cachets qu'il avait pris dans la journée. Ces cachets, qu'il avait crus d'aspirine, contenaient en réalité de la poudre de pirette tétravalente prescrite par le docteur l'année précédente. L'effet de cette médication s'ajoutant à celui d'un surmenage intensif, se manifestait d'une façon soudaine.

Dutilleul était comme figé à l'intérieur de la muraille. Il y est encore à présent, incorporé à la pierre. Les noctambules qui descendent la rue Norvins à l'heure où la rumeur de Paris s'est apaisée, entendent une voix assourdie qui semble venir d'outre-tombe et qu'ils prennent pour la plainte du vent sifflant aux carrefours de la Butte. C'est Garou-Garou Dutilleul qui lamente la fin de sa glorieuse carrière et le regret des amours trop brèves. Certaines nuits d'hiver, il arrive que le peintre Gen Paul, décrochant sa guitare, s'aventure dans la solitude sonore de la rue Norvins pour consoler d'une chanson le pauvre prisonnier, et les notes, envolées de ses doigts engourdis, pénètrent au cœur de la pierre comme des gouttes de clair de lune.

Marcel Aymé, ***Le Passe-muraille*****,**
© Éditions Gallimard, 1943.

M A R C E L A Y M É

Connu pour ses fameux *Contes du chat perché* (1934-1958), écrits pour les enfants «de quatre à soixante-quinze ans», Marcel Aymé naît à Joigny, en France, en 1902. Après avoir interrompu ses études à cause de sa mauvaise santé, il s'installe à Paris où il exerce divers métiers et se met à écrire. Il connaît du succès avec son premier récit, *Brûlebois* (1926), puis gagne le prix Renaudot pour *La Table aux crevés* (1929) et le prix Populiste pour *La Rue sans nom* (1930); il peut dès lors se consacrer à l'écriture. En plus de ses nombreux romans et recueils de nouvelles: *La Jument verte* (1933), *Le Bœuf clandestin* (1939) *Le Passe-muraille* (1943), il est l'auteur de pièces de théâtre, *Lucienne et le Boucher* (1932), et d'un essai, *Le Confort intellectuel* (1949). Il meurt à Paris en 1967.

Selon Marcel Aymé, l'écrivain doit être la conscience sans complaisance de son époque. Il fut personnellement un critique féroce de la société bourgeoise, condamnant toutes les formes de snobisme, matériel ou intellectuel. Conteur extraordinaire, il recourut à la fantaisie, voire au merveilleux, pour pallier l'ennui et la médiocrité qui l'environnaient.

Sa main, alors, devrait trouver facilement la sortie mais il a beau tirer de toutes ses forces, rien à faire...

N'accusez personne

Le froid complique toujours les choses, en été on est tellement près du monde, tellement peau contre peau, mais à présent sa femme l'attend à six heures et demie dans un magasin pour choisir un cadeau de mariage, il est en retard mais il constate qu'il fait froid, il lui faut mettre un pull-over, le bleu marine parce qu'il ira bien avec son costume gris; l'automne c'est mettre et enlever des pull-overs, c'est peu à peu s'enfermer, s'enfoncer. Il s'éloigne de la fenêtre grande ouverte, va chercher son pull-over et se met à l'enfiler devant la glace tout en sifflant sans entrain un tango. Ce n'est pas facile, sans doute à cause de la chemise qui colle à la laine du pull-over, il a du mal à faire passer le bras, la main avance peu à peu et réussit à sortir un doigt hors du poignet de laine bleue, mais à la lumière du soir le doigt semble tout ridé et crochu avec un ongle noir et recourbé. Il tire brutalement sur la manche du pull et regarde sa main comme si elle n'était pas à lui, mais non, maintenant qu'elle est hors du pull, c'est bien sa main de tous les jours et il la laisse retomber au bout de son bras en se disant que le mieux serait d'enfiler l'autre bras dans l'autre manche pour voir si c'est plus facile ainsi. Apparemment non, car la laine du pull-over se recolle aussitôt au tissu de la chemise et comme il n'a pas l'habitude de commencer par ce bras-là, ça complique encore l'opération, il se remet à siffler pour se donner du courage mais la main n'avance pour ainsi dire pas et il sent bien que sans quelque manœuvre complémentaire, il ne parviendra jamais à la conduire jusqu'à la sortie. Il vaut mieux y aller d'un coup, tout enfiler à la fois, baisser la tête pour la placer à l'endroit du col tandis qu'on engage le bras libre dans l'autre manche en la relevant et en tirant simultanément avec les deux bras et le cou. Dans la soudaine pénombre bleue qui l'environne, il trouve absurde de continuer à siffler, il commence à sentir une chaleur épaisse sur son visage et pourtant une partie de la tête devrait être déjà dehors mais le front et tout le visage sont encore couverts et ses mains ne sont qu'à mi-manche, il a beau tirer, rien ne sort, il en vient à se demander s'il ne s'est pas trompé et s'il n'a pas fait la bêtise de mettre la tête dans une des manches et une main dans le corps du pull-over. Sa main, alors, devrait trouver facilement la sortie mais il a beau tirer de toutes ses forces, rien à faire; la tête, en revanche, on dirait qu'elle est sur le point de se frayer un chemin car la laine bleue lui serre avec force le nez et la bouche, le suffoque incroyablement et l'oblige à respirer profondément ce qui mouille la laine devant sa bouche, elle va sans doute déteindre et il aura le visage taché de bleu. Heureusement, juste à cet instant, sa main droite débouche au-dehors, à l'air froid du dehors, en voilà toujours une tirée d'affaire, c'était peut-être vrai que sa main droite s'était engagée dans le col du pull-over et c'est pour cela que ce qu'il croyait être un col le serre au visage, le suffoque, tandis que sa main, elle, a pu sortir facilement. De toute façon, il faut bien continuer à chercher la sortie, en respirant à fond et en laissant échapper l'air peu à peu, bien qu'après tout ce soit absurde, rien ne l'empêche de respirer normalement si ce n'est que l'air qu'il avale est mêlé de poussières de laine et qu'il a goût de pull-over, ce goût bleu de la laine qui doit lui tacher le visage et, bien qu'il ne puisse rien voir car, s'il ouvre les yeux, ses cils buttent douloureusement contre la laine, il est sûr que le bleu cerne déjà sa bouche mouillée, les trous de son nez, gagne les joues et tout cela le remplit d'une certaine angoisse, il voudrait en avoir fini avec ce pull, sans compter qu'il doit se faire tard et que sa femme doit s'impatienter à la porte du magasin... Il se dit que le plus raisonnable est de concentrer son attention sur sa main droite car cette main hors du pull est en contact avec l'air froid de la chambre, elle est la preuve qu'il s'en faut de peu, et puis, elle peut l'aider, monter jusqu'à l'épaule, attraper le fond du pull-over et tirer, mouvement classique qui aide à mettre en place tout pull-over normalement constitué. L'ennui c'est que la main a beau palper l'épaule, chercher le bord du pull, elle ne trouve que la chemise toute froissée et même sortie du pantalon, on dirait que le pull-over s'est enroulé autour du cou, et ça n'avance à rien de ramener la main vers sa poitrine et de vouloir tirer le devant du pull, car là aussi il n'y a que la chemise, le pull-over doit être à peine à la hauteur des épaules, enroulé et tendu comme s'il avait les épaules trop larges pour ce pull, ce qui prouve finalement qu'il s'est trompé, il a dû passer une main dans le col et une autre dans la manche, et comme la distance entre le col et l'une des manches est exactement la moitié de celle qui sépare les deux manches, cela explique qu'il ait la tête un peu penchée à gauche, du côté où la main est encore prisonnière de la manche – si c'est la manche – et que, d'autre part, sa main droite qui est dehors s'agite en toute liberté mais n'arrive pas cependant à faire descendre le pull enroulé autour des épaules. Il pense ironiquement que s'il avait une chaise à proximité il s'assiérait bien un peu pour souffler mais il s'est désorienté dans la chambre à force de tourner, gymnastique euphorique qui apparaît toujours au moment où l'on met un vêtement et qui a un air de danse inavouée bien que personne n'y puisse trouver à redire puisqu'elle répond à des fins utilitaires et non à de coupables tendances chorégraphiques. Au fond, la seule solution, c'est d'enlever le pull-over puisqu'il est incapable de l'enfiler complètement, puis de bien repérer l'entrée de chaque manche et du col; mais la main droite fait des va-et-vient désordonnés comme pour signifier qu'il est ridicule de renoncer si près de la fin, elle finit par obéir tout de même, monte à la hauteur de la tête et tire vers le haut avant qu'il ait eu le temps de comprendre que le pull s'est collé à sa figure, humidité poisseuse de son haleine mêlée au bleu du tricot, et quand la main tire vers le haut on dirait qu'on lui coupe les oreilles et qu'on essaie de lui arracher les cils. Plus doucement alors, et utiliser la main engagée dans la manche gauche si c'est bien la manche et non le col, et, pour ce faire, aider de sa main droite la main gauche pour qu'elle puisse avancer dans la manche ou au contraire reculer et s'enfuir, mais c'est presque impossible de coordonner les mouvements des deux mains, comme si la gauche était un rat pris dans une cage et que, du dehors, un autre rat veuille l'aider à s'échapper mais, au lieu de l'aider, peut-être le mord-il car soudain sa main prisonnière a mal, l'autre main s'est agrippée de toutes ses forces sur ce qui doit être sa main cachée et elle lui a fait mal, tellement mal qu'il renonce à enlever son pull-over, il préfère faire un dernier effort pour sortir la tête hors du col et le rat gauche hors de sa cage, il tente une sortie en luttant de tout son corps, en se lançant d'arrière en avant, pirouettant au milieu de la chambre ou peut-être pas au milieu, il vient de penser que la fenêtre est restée grande ouverte et qu'il est dangereux de tourner comme ça à l'aveuglette, il préfère s'arrêter, bien que sa main droite s'affaire toujours sans s'occuper du pull-over, bien que sa main gauche lui fasse de plus en plus mal, comme si on lui avait brûlé ou mordu les doigts, et cependant cette main lui obéit et, refermant peu à peu ses doigts endoloris, elle parvient à saisir à travers la manche le bord du pull-over enroulé aux épaules, elle le tire vers le bas mais sans aucune force, elle a trop mal et il faudrait que la main droite l'aidât au lieu de grimper ou de descendre inutilement le long de ses jambes, au lieu de lui pincer la cuisse comme elle est en train de le faire, le griffant et le pinçant à travers ses

Golconde, 1953. René Magritte

vêtements sans qu'il puisse l'en empêcher car toute sa volonté est concentrée sur la main gauche, peut-être est-il tombé à genoux et se sent-il comme suspendu à la main gauche qui tire encore une fois sur le pull-over, et soudain c'est le froid sur les cils et le front, sur les paupières, absurdement il ne veut pas ouvrir les yeux et il attend une seconde, deux secondes, il se laisse vivre en un temps froid et différent, le temps hors du pull-over, il est à genoux et il est beau d'être ainsi, d'ouvrir peu à peu les yeux, libérés de la bave bleue de la laine, il entrouvre les yeux et il voit les cinq ongles noirs pointés contre ses yeux, vibrant dans l'air avant de lui sauter au visage, et il a le temps de refermer les yeux et de se rejeter en arrière, se couvrant le visage de sa main gauche qui est sa main, qui est tout ce qui lui reste pour se défendre, pour lui permettre de tirer vers le haut le col du pull-over, et la bave bleue couvre à nouveau son visage tandis qu'il se redresse pour fuir ailleurs, pour arriver enfin en un lieu sans mains et sans pull-over, où il y ait seulement un air retentissant qui l'enveloppe et l'accompagne et le caresse et douze étages.

Julio Cortázar, *Gîtes*,

Traduit de l'espagnol par L. Guille-Bataillon.

JULIO CORTÁZAR

Né en 1914 à Bruxelles, de parents argentins, Julio Cortázar est connu pour une œuvre où le fantastique fait irruption dans le réel. Après des études en Argentine, à l'université de Buenos Aires, il enseigne la littérature française et publie de nombreux articles critiques dans diverses revues, dont *Sur*. En 1951, il s'installe en France et publie un premier recueil de nouvelles, *Bestiaire* (1951), qui sera suivi d'autres nouvelles: *Les Armes secrètes* (1959), *Tous les feux, le feu* (1966); de romans: *Les Gagnants* (1960), *62, maquette à monter* (1968), *Livre de Manuel* (1973); de poèmes: *Paemos et myopas* (1971); et d'essais: *Territorios* (1978). Cortázar est un humoriste, et la création de ses *Cronopes et Fameux* (1962) lui vaut de siéger au Collège de pataphysique. En 1976, il obtient le prix du Grand Aigle d'or de la ville de Nice pour l'ensemble de son œuvre. Il meurt à Paris en 1984, peu après avoir été naturalisé français.

Autant le monde de Cortázar paraît réel et présent, autant, à s'y laisser capturer, l'auteur nous entraîne vers l'onirique et le flou, que nourrissent les questions qui l'assaillent constamment: «Est-ce que je vis? Est-ce que je rêve? Et rêver, n'est-ce point vivre? Telle personne est-elle elle-même, ou une autre, masquée? Et moi-même?»

Les histoires de Julio Cortázar plongent le lecteur dans un état de malaise fulgurant, qui le saisit d'autant mieux qu'elles sont écrites dans un style précis et conduites avec une logique de la psychologie, une inquiétude de l'événement tout à fait irréfutable.

Tu disais que les grands de ce monde viennent, aujourd'hui, en notre cité pour…?
– Pour l'inauguration du métro du Caire, Excellence.

La Balade des siècles

Après des années de recherches, il aurait fallu les entendre hurler de joie, il y a trois jours. À travers le trou taillé dans le roc, ils venaient de découvrir ma Barque Solaire ! Alléchés par cet espoir, ils avaient creusé, fouillé, durant des mois, au bas de la face sud de la pyramide de Khéops.

Aidés par un groupe de Blancs et de quelques basanés, de petits hommes jaunes – hardis, rompus aux prouesses – sont parvenus, les premiers, à cette découverte. Grâce à une caméra-sonde, la Barque leur est apparue dans sa splendeur ! Mais celle-ci n'est qu'à moitié construite; le mât, les solives, les autres éléments sont entassés en divers coins de la cavité. Ils ne pourront la compléter qu'après avoir trouvé, au fond d'une mystérieuse cachette, des plans minutieux inscrits sur des rouleaux de papyrus.

Je le reconnais, l'ensemble de la fouille a été exécuté avec des soins infinis. À présent, j'entends ces hommes discuter pour savoir si la brusque entrée d'air frais, dans ce lieu clos depuis des millénaires, ne risque pas de pourrir la coque, en bois de cèdre du Liban, et les cordages.

Moi, je ne tomberai pas en poussière. Je sais que je tiendrai le coup. Mais qui vous parle ? Et ce «moi», qui est-ce ?

J'ai l'âge de ma Barque; à peu près trois mille ans... Emmailloté dans mes bandelettes, conservé à force de poudres et d'onguents, j'ai gardé l'esprit alerte, prompt à saisir les langages, à conjuguer les siècles, à unir les cycles et les chronologies. On ne vit pas impunément de l'autre côté du temps sans saisir quelques lois de la vie, sans détecter quelque racine commune; sans lier l'événement à quelque trame éternelle.

J'ai une âme qui transpire, à travers embaumements et murailles. Elle peut sommeiller durant des siècles, puis s'éveiller, survoler les jours, s'absenter de nouveau.

Ce matin, elle m'est revenue; plus aiguë, plus assoiffée que de coutume. Une chance lui est offerte: quitter cette fois ces lieux, vêtue, équipée de son propre corps. Sans ce corps, je l'avoue, l'âme n'est qu'une substance flottante: un lambeau d'étoffe qui s'agite vainement pardessus les mondes et les cités.

J'appartiens, je suppose, à quelque caste royale. Ce sarcophage peint, orné de colonnes multicolores, représentant, sans doute, l'une des façades de notre palais, en fait foi. Également ces bijoux: un collier en lapis à plusieurs rangs, des bracelets en or, un arc, un poignard d'apparat.

Le souvenir des mes ascendances demeure flou. Le trépas s'est dépêché de brouiller et de confondre ces échelons, ces rangs, cette hiérarchie qui demeurent encore et toujours la grande affaire des hommes !

Les découvreurs ne m'ont pas encore repéré. Heureusement. Cela me permettra de manipuler, à mon aise, Amr, le jeune gardien, en vue de ma délivrance.

Féru d'histoire et de gloire, Amr a toujours rêvé de vivre, en des temps reculés, dans la peau d'un pharaon. Dès le percement du trou, devançant les archéologues, il s'est aménagé une entrée secrète dans la tombe.

Le couvercle de bois de mon cercueil ayant largement éclaté, il me contemple bouche bée. Je crois même qu'il m'envie. Je prévois aussi qu'il me dérobera quelques objets de prix pour les revendre. Je les lui donnerai volontiers, à condition qu'en retour il cède à ma demande.

Il y cédera, je crois; sans trop de peur ni d'embarras. Amr est de ceux qui s'exécutent dès que le ton s'élève, ordonne; et, vraisemblablement, de ceux qui ne s'étonnent de rien. Ma voix empoussiérée, caverneuse, sollicite doucement le gardien. Accoutumé, depuis son enfance villageoise, aux sorts, aux maléfices, aux envoûtements, sa stupéfaction sera de courte durée.

Penché par-dessus mon coffre fracassé et disjoint, voilà qu'il me fixe et me jauge de ses larges yeux brunâtres. Voilà qu'il estime, assez vite, que je pourrai devenir un utile et commode associé.

À ma première injonction, Amr desserre les liens qui comprimaient mes épaules, ma poitrine. Toujours sous ma conduite, il pratique sur ma personne, avec aisance, l'«ouverture de la bouche». Une habitude qui, visiblement, s'est perpétuée. Ce rite a pour but de rendre à une créature l'usage de la bouche et des yeux: livré à moi-même, j'avoue, jusqu'ici, n'être que partiellement parvenu à retrouver toutes mes facultés. Cet office s'accomplissait, naguère, sur les statues dans les ateliers des sculpteurs et sur les momies dans les temples. Avant que le corps embaumé ne soit emmuré à jamais, le fils faisait don à son père, comme viatique, d'une partie de son souffle.

À l'époque je n'ai ressenti, de cette offrande, aucun bénéfice tangible ! Ai-je vécu trop à l'écart de nos mondes et de leurs souvenirs ? Et comment vous dépeindre ce «pays d'ailleurs», dont ma mémoire ne conserve aucune trace non plus ? Aucune ! Je ne saurais vous dire quelles lèvres, durant ces funérailles, s'étaient accolées aux miennes. Depuis que je me suis arraché au sommeil, tout mon passé s'écarte, s'amenuise. Je suis, comment dire: entièrement au présent.

C'est bien cela: seul le présent m'importe. Je veux d'abord sortir d'ici ! Peut-être, ensuite,

Le Métro
1934 Lily Furedi

aurai-je le privilège de glaner – de-ci, de-là – quelques moissons des temps à venir ?

Le gardien continue à défaire mes bandelettes, puis il m'aide à me relever. Mon corps est en excellent état de conservation. Amr me lave, me lustre avec application. Entre nous, il est déjà tacitement entendu qu'en échange je lui livrerai le secret du trésor.

Je le prie d'aller me chercher une tunique pareille à la sienne et un turban, avant de m'emmener avec lui en balade :

— Je veux voir le monde, et comme il a changé !

Amr me répond que je tombe bien : aujourd'hui est une journée exceptionnelle. Une journée où le génie moderne me sera révélé d'un seul coup.

— Aujourd'hui les hommes les plus importants de chez nous et des contrées avoisinantes, même les puissants d'au-delà des mers, se réunissent dans notre cité pour...

Il me fixe d'un air malicieux, réservant la surprise.

— Je t'écoute. Pour... ?

Il hésite, se demande si je suis capable de concevoir un univers si différent du mien. Mais je peux tout comprendre ! Depuis mon réveil, je me trouve curieusement pénétré d'une science infuse qui se révèle à moi par étapes. Un savoir se dévoile à mon esprit, se déroule comme sur une feuille de papyrus selon la demande et la nécessité. Pour servir mes desseins, il faut aussi que je persuade Amr que rien ne m'est impénétrable.

— Comment t'appelles-tu ?

— Amr. Et toi, Seigneur ?

Qu'en sais-je ! J'aurais tendance à lui répondre : « Poussière ! Je m'appelle Poussière ! »

— Et toi, Seigneur ? reprend-il, déférent.

Si je veux mener mon plan jusqu'au bout, je dois le persuader que je règne sur l'autre rivage, parmi les divinités.

— « Seigneur » suffira !

J'ajoute :

— Tu peux tout me dire, je peux tout comprendre, Amr. Aux dieux rien n'est obscur !

— Oui, oui, Seigneur. Comment ai-je pu douter ?

Il s'excuse cérémonieusement de sa sottise, me faisant perdre un temps précieux. Je hausse le ton :

— Amr, je t'écoute. Tu disais que les grands de ce monde viennent, aujourd'hui, en notre cité pour... ?

— Pour l'inauguration du métro du Caire, Excellence.

Le temps n'a fait qu'un bond. Voilà que Memphis se nomme « Le Caire », voilà qu'un char devient un métro, et que l'existence se peuple de mille prodiges que je suis avide de connaître. Les peuples se multiplient, mœurs et pratiques se transforment ; tandis qu'en nos nudités nous demeurons si constamment les mêmes ! Je m'en suis aperçu, tout à l'heure, lorsque, dévêtu, je priais le gardien de se déshabiller à son tour pour me remettre sa robe usagée et revêtir la neuve, apportée à mon intention. Cette tunique, plus quotidienne, me permettra de me fondre dans la foule. J'ai échangé, également, le turban soyeux des jours de fête, dont Amr voulait m'honorer, avec celui dont il se coiffe, en lainage kaki.

— Ce soir, tu seras bien content de retrouver tes compagnons les dieux, et d'avoir devant toi toute l'éternité ! soupire-t-il.

Je laisse Amr à ses illusions. Sa nostalgie du passé se mêle à de vagues désirs de souveraineté, de puissance. Je les utiliserai à mon avantage.

— Dehors, l'air est moins pur qu'ici, ajoute-t-il.

Les fouilleurs m'ont déjà rebattu les oreilles avec cette « pollution » causée par – mon esprit vigilant en a enregistré tous les termes – les « aérosols, tuyaux d'échappement, vols supersoniques », etc.

Quelle chance d'avoir échappé à l'attention exploratrice de ces hommes pointilleux et chicaneurs ! Ils auraient vite fait de me transporter au Grand Musée ; et de me placer, ficelé à mort, derrière une de ses vitrines d'exposition.

En cours de route, traversant la cité, Amr m'a aidé à chiper les babouches d'un des hommes prosternés devant la façade d'un lieu saint. Ils n'invoquent plus qu'un seul Dieu. Doit-on admirer qu'ils aient uni, en un seul visage, la moisson des dieux séculaires ? Ou, au contraire, regretter cette multitude de divinités qui nous laissait le choix de nos préférences et une certaine familiarité ?

Quelques bribes de ma vie antérieure me reviennent; j'affectionnais, je m'en souviens, particulièrement Bès, petit dieu mineur. Replet et rigolard, nain grotesque et barbu, Bès chassait, loin de ses protégés, divers soucis et dangers rien qu'en secouant sa queue de léopard, au son d'un tambourin.

Cette pensée me fait soudain douter de mes ascendances illustres : Bès ne s'occupait que des foyers modestes. Je commence à me demander si je n'ai pas été placé auprès de la Barque Solaire comme simple gardien, alors que le Seigneur, le pharaon, le vrai, serait caché sous d'autres roches, à proximité ?

Nous descendons, coude à coude, marche après marche, Amr et moi, pour pénétrer jusqu'au creux de la terre.

Dès la fin des cérémonies inaugurales, le métro, coloré, miroitant, se précipite dans la station où nous l'attendons sur le quai.

Mon compagnon m'a confié un feuillet minuscule et jaune. Là-haut, j'ai fait comme lui, je l'ai poussé dans l'avaleuse. Il en a rejailli : aussitôt des portes se sont ouvertes. J'en reste émerveillé.

Dans les couloirs, des marchands ambulants se fraient un passage dans la cohue, cherchent à me vendre des objets de toutes sortes : des épingles, des rubans, des peignes, des flacons. J'aimerais leur faire plaisir et propose à Amr de nous joindre aux mendiants, de tendre la main comme eux pour accumuler quelques monnaies d'échange : j'ai très vite compris le nouveau système de troc.

Amr me regarde ahuri, ma dignité divine est en péril : il s'empresse de vider le fond de sa poche pour me prouver qu'il a des ressources et m'achète un sucre d'orge : l'exquise saveur n'est pas loin de ressembler au goût de certains de nos aliments.

La foule est joviale, bruyante, pleine de femmes et d'enfants. Moi qui me consumais dans la rigidité et le silence, cette cohue, ce brouhaha me raniment. Nous nous entassons dans des sortes de chambres mobiles et provisoires; les saccades, les remous nous rejettent les uns contre les autres. La promiscuité de ces corps vivants, leurs gestes, leurs souffles, leurs odeurs me régénèrent eux aussi.

La machine roule. Roule à grande vitesse. Nous traversons des antres noirs, suivis d'espaces éclairés : on dirait le résumé d'une existence ! Entre deux arrêts, Amr se plaint de la sienne, et de ces multitudes qui envahissent tout.

Ces multitudes, ces maîtres-objets, ces bruits confus ou stridents m'éloignent du mouvement tranquille et du chuintement monotone de la Barque Solaire sur le Lac Sacré !

Vacarme, machines, multitudes... C'est pourtant pour «aujourd'hui» que j'opte, pollution comprise ! Dès mon réveil, j'en ai eu le pressentiment. Si Amr avait le choix, ne serait-ce pas le contraire ?

Le crépuscule se hâte vers la nuit. Pour que mon plan aboutisse, il me faut la preuve de sa préférence.

— Si tu le souhaites, je prendrai ta place, lui dis-je, affable, en sortant du métro. Il connaît mes pouvoirs, mes moyens. Même celui de me glisser dans sa propre peau de gardien, pourvu que lui s'en retire.

— Et moi ?

— En échange, je t'offre la mienne.

— La tienne ?

Sur le chemin du retour, je n'ai pas de mal à le convaincre. Tandis que je parle, que je décris, que j'invente des paradis imaginaires, Amr se voit parmi les dieux et les monarques, arpentant, sans fin, le jardin des délices.

En arrivant au pied de la pyramide de Khéops, j'entends sa voix tremblante :

— Tu me donnerais ta place ? Vraiment, tu me la donnerais ?

— C'est juré.

— Et tes pouvoirs ?

— Tous ! Sauf celui de revenir.

— Je n'ai que faire de ce pouvoir-là ! Je laisse derrière moi une misérable existence. Es-tu sûr d'en vouloir ?

— Je la veux, rassure-toi.

Beaucoup plus bas, pour moi seul, j'ajoute : «Pourvu que j'aie la vie...»

J'ai opéré comme on l'avait fait naguère pour moi, enroulant dans les règles les bandelettes autour de son corps dénudé. Il se laissait faire avec jubilation et reconnaissance. Ensuite, raide, empaqueté, je l'ai placé dans sa retraite de bois. Pour l'honorer et le satisfaire, j'ai même appliqué le collier en lapis à trois rangs sur sa poitrine. Il acquiescait d'un clin d'œil complice.

À présent, maîtrisant mon impatience, je me dirige d'un pas tranquille vers la sortie. Je sais que je vais vivre longtemps, que je deviendrai un beau vieillard; et que j'aurai le temps d'épuiser les ressources de chacun de mes âges.

Je me suis facilement extrait du trou. Depuis ce matin, avec toutes ces allées et venues, j'en ai pris l'habitude.

Tandis que je rebouchais soigneusement la cavité, pour que les fouilleurs ne s'aperçoivent de rien, j'ai soudain entendu un hurlement venu de l'intérieur. Un cri frénétique, strident, qui a failli m'ébranler.

Amr venait-il de comprendre ce qui lui arrivait ? L'atroce cri se renouvela.

Ensuite, rien. Plus rien. Rien que silence et mort.

Je me suis éloigné, très vite.

Peut-être retrouverai-je, un jour, Amr derrière une des vitrines du Caire ? Peut-être, le fixant, reconnaîtrai-je dans ce visage mes propres traits, comme dans un miroir ? Peut-être au contraire, les archéologues craignant la fragilité de la momie et celle de la Barque Solaire, renonceront-ils à les bouger ?

Ils les abandonneront ainsi à la mystérieuse et tenace poussière des siècles tandis que moi...

Oui, tandis que moi, béni soit le jour, bénie soit la terre, une fois de plus, passagèrement : J'EXISTERAI !

Andrée Chédid, *Mondes miroirs magies*, © Flammarion, 1988.

ANDRÉE CHÉDID

Née au Caire en 1920, Andrée Chédid vit en France depuis 1946. D'abord poétesse, *Cavernes et soleils* (1979), elle a publié de nombreux romans et recueils de nouvelles : *La Cité fertile* (1972), *Néfertiti et le rêve d'Akhnaton* (1974), *L'Étroite Peau* (1965), ainsi que des pièces de théâtre : *Échec à la Reine* (1984). Elle a reçu le prix Goncourt de la nouvelle en 1979, et son roman *L'Autre* (1962) a été adapté au cinéma par Bernard Giraudeau.

Andrée Chédid anime ses poèmes d'un souffle charnel et d'un lyrisme contenu, alors que dans ses romans elle s'interroge sur le destin de l'humanité. Bouleversée par la guerre du Liban, elle a exprimé sa révolte dans un texte-cri intitulé *Cérémonial de la violence* (1976).

Elle fait comme les autres, elle attend le métro – mais pas pour y monter, très manifestement.

Elle fait comme les autres, elle attend le métro – mais pas pour y monter, très manifestement.

Les Transports en commun

Elle a sauté entre les rails, dans un froissement raide de ciré. Elle n'est pas tombée, c'est surprenant pour un grand corps aussi empêtré que le sien. Et maintenant, elle se tient tranquille, son sac à main bien amarré sur l'épaule. Elle fait comme les autres, elle attend le métro – mais pas pour y monter, très manifestement.

Ça se répand comme une grippe intestinale parmi les transportés de l'heure de pointe, la station Berri au grand complet se masse près de la voie pour mieux reluquer ça : ils se rendent compte, les gens, que c'est un drame qui est en train de s'embryonner sous leurs yeux, et ça les laisse tout ébaudis, tout excités, ils n'ont pour la plupart jamais vu de suicidée pour de vrai, en chair et en ciré comme je vous parle.

Il y a Conrad parmi la foule, il est vendeur de souliers chez Pegabo et un peu plus petit que la moyenne, ce qui le prive du spectacle. Il comprend tout de suite que quelque chose d'insolite se trame et il s'approche, lui aussi, pour tenter d'attraper des bribes de l'aventure. Les gens marmottent entre eux comme de vieilles connaissances, «C'est une désespérée!» clame devant Conrad un grand type qui voit tout et qui a beaucoup lu, probablement. À force de jouer des coudes, Conrad se faufile au premier rang et il l'aperçoit. Elle a des lunettes, la trentaine un peu moche, éteinte par l'ordinaire, et ce grand ciré noir qui lui fait une silhouette invraisemblable. Elle tourne le dos à tout le monde, l'air d'affirmer que cette histoire ne la concerne en rien, elle s'achemine lentement vers la gueule sombre du tunnel, d'où s'exhalent déjà des grondements de wagons en marche. À la regarder comme ça, tellement tranquille, on ne comprend pas, ce n'est pas le genre à avoir connu des peines d'amour – ce n'est pas le genre à avoir connu quoi que ce soit, d'ailleurs, et sans doute est-ce là une raison suffisante pour se tenir ainsi si résignée face à un métro homicide qui s'avance.

Quelqu'un près de Conrad hurle: «Il faut faire quelque chose!» et Conrad, avec un retard un peu abasourdi, se rend compte que c'est de lui qu'est sortie cette vocifération farfelue. Les autres autour marquent leur accord de principe par des hochements de tête vaguement fatalistes, oui, certes, il faut faire quelque chose, mais quoi, que peut-on contre la mort et n'est-il pas déjà trop tard, le métro s'en vient, pauvre fille, pauvres enfants, pauvres parents de cette pauvre fille. Le métro s'en vient, Conrad ne veut pas être celui qui agit, n'a jamais voulu, le métro s'en vient, son mugissement de mécanique emballée monte comme une fièvre, trop tard pour prévenir les contrôleurs là-haut, trop tard pour parlementer avec la fille et la convaincre – de quoi, au fait? Madame, la vie vaut la peine, restez en vie, madame, si personne ne vous aime, moi je vous aimerai... Comment le croirait-elle, lui qui n'aime que les hommes? Et tout à coup Conrad plonge dans la fosse sans réfléchir, il saute sur la fille, l'assomme à moitié, il la lance telle une botte de foin sur le quai et s'y projette lui-même, tant l'émotion décuple les forces.

Et soudain, surgie d'on ne sait où, une équipe de télévision entière se dresse devant Conrad, les projecteurs l'éblouissent, on le hisse sur des épaules et on l'applaudit. La fille en ciré a enlevé ses lunettes et son ciré, elle est très belle comme dans les annonces d'esthéticienne Avant-Après, elle explique à Conrad qu'il s'agit d'un test télévisé en direct sur l'héroïsme ordinaire, c'est lui qui gagne, est-il content? Conrad est interviewé au *Point* et à *Rencontres*, il fait la une de toutes les presses du lendemain, Jean Chrétien lui offre une cravate, le pape lui télécopie des indulgences, il reçoit la légion d'honneur et la croix de Saint-Jean-Baptiste.

Ça l'écœure, Conrad. Il a dû changer de job parce que les clientes le harcelaient – c'est vous le héros, est-ce que je peux vous toucher?... Maintenant, il ne prend plus le métro. Il marche. Et quand il se trouve arrêté à un feu rouge, à côté d'un aveugle par exemple, il ne l'aide pas à traverser comme il l'aurait fait auparavant, non monsieur, il le bouscule un peu, en sourdine, pour qu'il se casse la gueule.

Monique Proulx, *Les Aurores montréales*, coll. «Boréal Compact», © Les Éditions du Boréal, 1997.

MONIQUE PROULX

Monique Proulx est née à Québec en 1949. Elle est l'auteure de *Sans cœur et sans reproche* (1983) et des *Aurores montréales* (1996), recueils de nouvelles qui lui ont valu un grand succès, ainsi que des romans *Le Sexe des étoiles* (1987) et *Homme invisible à la fenêtre* (1993), adaptés au cinéma par Paule Baillargeon et par Jean Beaudin (*Souvenirs intimes,* 1999). On lui doit également le scénario et les dialogues du film *Le Cœur au poing* (1998), de Charles Binamé.

Tournée vers un Québec résolument contemporain, Monique Proulx campe dans un univers urbain et multiethnique des personnages souvent marginaux, en quête d'amour et de vérité.

Tandis que nous reculions, les rails commencèrent à vibrer et à bourdonner, et nous entendîmes le sifflet de la locomotive.

Le Fataliste

Les surnoms qu'on donne aux gens dans les petites villes sont du genre familier et sans prétention : Haim ! «le nombril», Yekel «le gâteau», Sarah «la commère», Gittel «le canard», et autres. Mais dans la petite ville polonaise où j'étais venu, jeune homme, comme professeur, j'avais entendu parler de quelqu'un appelé Benjamin «le fataliste». Cela avait aussitôt attisé ma curiosité. Comment en était-on venu à utiliser le terme de «fataliste» dans une si petite ville ? Et qu'avait donc fait cet homme pour mériter un tel surnom ? Ce fut le secrétaire du Mouvement des Jeunes Sionistes, où j'enseignais l'hébreu, qui me raconta toute l'histoire.

L'homme en question n'était pas un enfant du pays. Il venait de quelque part en Courlande. Il était arrivé dans cette ville en 1916, et avait mis des affiches partout disant qu'il était professeur d'allemand. C'était pendant l'occupation autrichienne, et tout le monde voulait apprendre l'allemand. On parle allemand en Courlande, et Benjamin Schwartz – c'était son vrai nom –

avait beaucoup d'élèves des deux sexes. Le secrétaire s'arrêta un instant de parler et, désignant du doigt la fenêtre, il s'écria: «Tenez, le voilà!»

Je regardai par la fenêtre et vis un petit homme brun, avec un chapeau melon sur la tête, et une moustache en crocs – d'un style depuis longtemps passé de mode. Il tenait une serviette à la main. Après le départ des Autrichiens, continua le secrétaire, plus personne n'avait voulu apprendre l'allemand, et les Polonais avaient donné à Benjamin Schwartz un emploi aux archives. Les gens allaient le voir, lorsqu'ils avaient besoin par exemple d'un extrait de naissance. Il avait une écriture tarabiscotée. Il avait appris le polonais et était aussi devenu une espèce d'avocat marron.

«Il nous est en quelque sorte tombé du ciel, dit le secrétaire. À l'époque, il avait une vingtaine d'années et était célibataire. Les jeunes avaient un club où ils se réunissaient, et lorsque quelqu'un d'instruit arrivait dans notre ville, cela donnait lieu à une véritable fête. Il fut invité à notre club, et nous organisâmes une soirée spéciale «questions-réponses» en son honneur. On avait mis des petits papiers avec des questions dans une boîte, et il était censé les tirer un à un et répondre aux questions. Une fille lui demanda s'il croyait à la Providence, et au lieu de répondre en quelques mots, il parla pendant une heure entière. Il déclara qu'il ne croyait pas en Dieu, mais que tout était fixé d'avance, même les moindres bagatelles. Lorsqu'on mangeait un oignon au dîner, c'était parce qu'on *devait* manger un oignon. C'était arrêté depuis un milliard d'années. Lorsqu'on trébuchait sur un caillou en marchant, c'était qu'il était écrit qu'on tomberait. Il se présenta comme un fataliste. Il était écrit qu'il viendrait dans notre ville, bien que cela ait pu paraître un événement fortuit.

«Il parla trop longtemps; néanmoins, une discussion s'ensuivit. «Et le hasard, ça existe?» demanda quelqu'un, et il répondit: «Le hasard, ça n'existe pas.» «Vraiment?» demanda quelqu'un d'autre. «À quoi bon alors travailler, étudier? Pourquoi apprendre un métier, élever des enfants? Et pourquoi adhérer au sionisme et militer en faveur de la création d'une patrie pour les Juifs?»

«Comme c'est écrit dans le livre du destin, c'est cela qui doit être, répondit Benjamin Schwartz. S'il est écrit que quelqu'un ouvrira une boutique et fera faillite, c'est cela qu'il doit faire. Tous les efforts de l'homme sont prédéterminés, le libre arbitre n'est qu'une illusion.» La discussion se prolongea jusqu'à une heure avancée de la nuit, et à partir de ce moment-là on l'appela «le Fataliste». Le vocabulaire des gens de la ville s'était enrichi d'un nouveau mot. Tout le monde ici sait ce qu'est un fataliste, même le bedeau de la synagogue et le gardien de l'hospice.

«Nous supposions qu'après cette soirée les gens se lasseraient de ces discussions et retourneraient aux véritables problèmes de notre temps. Benjamin lui-même avait dit que ce n'était pas quelque chose qu'on pouvait trancher par le raisonnement. On y croyait ou on n'y croyait pas. Mais – je ne sais pourquoi – tous nos jeunes se préoccupaient de cette question. Nous organisions des réunions sur les certificats à obtenir pour se rendre en Palestine, ou sur l'éducation, mais au lieu de s'en tenir à ces sujets, ils se mettaient à discuter du fatalisme. À cette époque, notre bibliothèque fit l'acquisition d'un exemplaire en yiddish de *Un héros de notre temps* de Lermontov, dont le personnage principal, Pechorine, est un fataliste. Tout le monde lut ce roman, et il y en eut même parmi nous qui voulurent mettre leur chance à l'épreuve. Nous savions déjà ce qu'était la roulette russe, et quelques-uns y auraient peut-être joué, s'ils avaient eu un revolver à leur disposition. Mais aucun d'entre nous n'en possédait.

«Maintenant, écoutez bien ceci. Il y avait une fille parmi nous, Heyele Minz, une jolie fille, intelligente et très active dans notre mouvement. Son père, un homme très riche, était propriétaire du plus grand bazar de la ville. Tous les jeunes gens étaient fous de Heyele. Mais elle était difficile. Elle trouvait toujours des défauts chez tout le monde. Elle avait la langue acérée, ce que les Allemands appellent *schlagfertig*. Quand on lui disait quelque chose, elle répliquait aussitôt par une remarque cinglante et caustique. Quand elle le voulait, elle pouvait ridiculiser les gens d'une manière habile et un peu moqueuse. Le Fataliste tomba amoureux d'elle peu après son arrivée. Il n'était pas timide du tout. Un soir, il s'approcha d'elle et lui dit: «Heyele, il est écrit que vous devez m'épouser, alors pourquoi retarder l'inévitable ?»

«Il avait dit cela à haute voix, afin que tout le monde l'entende, et ce fut un beau tumulte. Heyele répondit: «Il est écrit que je dois vous dire que vous êtes un idiot, et que vous avez en plus un beau culot, et puisqu'il en est ainsi, je vous le dis. Vous devez m'excuser, c'était inscrit dans les registres célestes depuis un milliard d'années.»

«Peu après, Heyele se fiança avec le président du Poale Zion de Hrubieszów. Le mariage fut retardé parce que le jeune homme avait une sœur aînée qui était elle-même fiancée et devait se marier avant lui. Les garçons avaient fait des reproches au Fataliste, mais il leur avait dit: «Si Heyele doit être à moi, elle le sera», et Heyele avait répondu: «Je serai à Ozer Rubinstein, pas à vous. C'est ce que veut le sort.»

«Un soir d'hiver, la discussion s'enflamma de nouveau au sujet du destin, et Heyele déclara: «Monsieur Schwartz, ou plutôt monsieur le Fataliste, si vous pensez vraiment ce que vous dites, et si vous êtes encore prêt à jouer à la roulette russe si vous aviez un revolver, je vous propose un jeu encore plus dangereux.»

Le Train dans la neige, 1875 (détail). Claude Monet

«Je voudrais préciser ici qu'à cette époque-là la voie ferrée ne traversait pas notre ville. Elle passait à trois kilomètres de là, et les trains ne s'arrêtaient jamais. Le seul train qui passait, c'était le Varsovie-Lvov. Heyele proposa au Fataliste de se coucher sur les rails quelques instants avant le passage du train.

«S'il est écrit que vous devez vivre, vous vivrez et vous n'avez rien à craindre. Mais si vous ne croyez pas à la fatalité, alors...»

«Nous éclatâmes tous de rire. Tout le monde était persuadé que le Fataliste allait trouver un prétexte quelconque pour se dérober. Se coucher sur la voie ferrée, c'était s'exposer à une mort certaine. Mais le Fataliste répondit: «C'est comme la roulette russe, un jeu, et un jeu exige qu'il y ait un deuxième participant qui risque également quelque chose. Moi, je vais me coucher sur les rails de chemin de fer, comme vous le proposez, mais vous, vous devez faire le serment solennel que si je vis, vous romprez vos fiançailles avec Ozer Rubinstein et vous m'épouserez.»

«Un silence de mort tomba sur l'assemblée. Heyele devint toute pâle et dit: «Très bien, j'accepte vos conditions.» «Donnez-moi votre parole d'honneur», dit le Fataliste, et Heyele lui tendit la main en disant: «Je n'ai pas de mère, elle est morte du choléra, mais je jure sur son âme que si vous tenez votre promesse, je tiendrai la mienne. Sinon, que mon honneur soit entaché à jamais. Elle se tourna vers nous et dit encore: «Vous êtes tous témoins. Si je venais à manquer à ma parole, vous pourriez tous me cracher au visage.»

«Bref, tout fut arrangé ce soir-là. Le lendemain, le train passerait près de notre ville aux environs de deux heures de l'après-midi. À une heure et demie, nous nous retrouverions tout près de la voie ferrée et le Fataliste nous montrerait s'il était vraiment fataliste ou s'il n'était qu'un fanfaron. Nous fîmes tous le serment de garder la chose secrète, parce que si on l'apprenait en ville, cela ferait un tas d'histoires.

«Cette nuit-là, je ne pus fermer l'œil, et autant que je sache, les autres non plus. La plupart d'entre nous étaient persuadés que le Fataliste réfléchirait et qu'au dernier moment il reviendrait sur sa décision. Certains avaient proposé de le tirer de force en arrière dès que le train apparaîtrait ou que les rails commenceraient à vibrer. Oui, mais tout cela était affreusement dangereux. Même maintenant, rien que d'en parler, j'en ai le frisson.

«Le lendemain, nous nous levâmes tous de bonne heure. Je fus incapable d'avaler quoi que ce soit au petit déjeuner, tellement j'avais peur. Tout cela ne serait peut-être pas arrivé si nous n'avions pas lu le livre de Lermontov. Tous ne vinrent pas. Nous n'étions que six garçons et quatre filles, dont Heyele Minz. Il faisait un froid glacial. Le Fataliste, je m'en souviens, portait une veste légère et une casquette. Nous nous retrouvâmes sur la route de Zamòsc, un peu en dehors de la ville. «Schwartz, comment as-tu dormi cette nuit?» demandai-je au Fataliste, et il me répondit: «Comme toutes les autres nuits.» On ne pouvait vraiment pas savoir ce qu'il ressentait, mais Heyele, elle, était aussi pâle que si elle venait d'avoir la typhoïde. Je m'approchai d'elle et lui dis: «Heyele, est-ce que tu sais que tu es en train d'envoyer un homme à la mort?» «Je ne suis pas en train de faire quoi que ce soit. Il a amplement le temps de changer d'avis», me répondit-elle.

«Aussi longtemps que je vivrai, jamais je n'oublierai cette journée. Aucun d'entre nous ne l'oubliera jamais. Nous fîmes le chemin tous ensemble sous la neige. Nous arrivâmes près de la voie ferrée. Je pensais qu'à cause de la neige, le train ne passerait peut-être pas, mais apparemment on avait déblayé les rails. Nous étions en avance d'une bonne heure, et croyez-moi, ce fut l'heure la plus longue de ma vie. Environ un quart d'heure avant le passage prévu du train, Heyele dit: «Schwartz, j'ai beaucoup réfléchi, je ne veux pas que vous perdiez la vie à cause de moi. Faites-moi plaisir, oublions toute cette histoire». Le Fataliste la regarda et répondit: «Ainsi, vous avez changé d'avis. Vous voulez ce type de Hrubieszōw à n'importe quel prix, hein?» «Non, il ne s'agit pas de lui, répondit-elle, mais de votre vie. J'ai appris que vous aviez encore votre mère, et je ne veux pas qu'elle perde un fils à cause de moi». Heyele pouvait à peine prononcer ces mots. Elle tremblait comme une feuille. «Si vous tenez votre promesse, dit le Fataliste, je suis prêt à tenir la mienne, mais à une condition, c'est que vous reculiez un peu plus loin. Si vous me forcez à reculer au dernier moment, le jeu est terminé.» Puis il s'écria: «Que tout le monde recule à vingt pas.» On avait l'impression qu'il nous hypnotisait par la parole: nous commençâmes à reculer. «Si quelqu'un essaye de me tirer en arrière, cria-t-il encore, je l'empoigne par son manteau et il partagera mon sort.» Nous comprîmes combien cela pouvait être dangereux. Il arrive souvent que des gens qui essayent de sauver quelqu'un de la noyade soient entraînés au fond et se noient eux aussi.

«Tandis que nous reculions, les rails commencèrent à vibrer et à bourdonner, et nous entendîmes le sifflet de la locomotive. Nous nous mîmes à hurler: «Schwartz, ne fais pas ça! Schwartz, par pitié!» Mais tandis que nous criions, il se couchait de tout son long en travers des rails. Il n'y avait alors qu'une seule voie de chemin de fer à cet endroit. Une des filles s'évanouit. Nous étions tous persuadés que nous allions, quelques secondes plus tard, voir quelqu'un se faire couper en deux. Je ne peux pas vous dire ce que j'ai enduré pendant ces quelques secondes. L'émotion faisait littéralement bouillir mon sang dans mes veines. À ce moment précis, nous entendîmes un terrible grincement accompagné d'un bruit sourd, et le train s'arrêta à un mètre à peine du Fataliste. Dans une sorte de brouillard, je vis le mécanicien et le chauffeur sauter au bas de la locomotive. Ils se mirent à invectiver le Fataliste et ils l'entraînèrent de force hors des rails. De nombreux voyageurs descendirent du train. Certains d'entre nous s'enfuirent de peur d'être arrêtés. Ce fut un beau remue-ménage. Moi, je restai où je me trouvais, et j'observai toute la scène. Heyele courut vers moi, me serra dans ses bras et se mit à pleurer. C'était plus que des pleurs, c'était comme des hurlements de bête.

«Donnez-moi une cigarette. Je ne peux plus parler. J'ai une boule dans la gorge. Excusez-moi.»

Je tendis une cigarette au secrétaire, et je vis qu'elle tremblait dans ses doigts. Il aspira la fumée et dit:

«Voilà toute l'histoire.

— Elle l'a épousé ? demandai-je.

— Ils ont quatre enfants.

— Je pense que le mécanicien avait tout simplement réussi à stopper le train à temps, fis-je remarquer.

— Oui, mais les roues n'étaient plus qu'à un mètre de lui.

— Cela vous a convaincu, au sujet du fatalisme ?

— Non, je ne ferais pas ce genre de pari pour tout l'or du monde.

— Il est toujours fataliste ?

— Oui.

— Et il recommencerait ?

Le secrétaire eut un léger sourire: «Pas pour Heyele.»

Isaac Bashevis Singer, *Passions*, © Stock, 1980.
Traduit par M.-P. Bay et J. Chnéour.

ISAAC BASHEVIS SINGER

Né en Pologne en 1904, d'une vieille famille hassidique, Isaac Bashevis Singer reçoit le prix Nobel de littérature en 1978. Il commence sa carrière littéraire en 1925, en collaborant à différents journaux, et adopte le pseudonyme d'Isaac Bashevis pour se distinguer de son frère, écrivain déjà célèbre. Son premier roman, *La Corne du bélier* (1935) paraît l'année même où il part le rejoindre à New York. Là, il publie dans diverses revues yiddish des romans qui paraissent en feuilletons et qui seront plus tard édités en anglais: *La Famille Moskat* (1950), *Le Magicien de Lublin* (1960), *Shosha* (1978), ainsi que nombre de contes et nouvelles qui seront plus tard réunis dans des recueils: *Gimpel l'imbécile* (1957), *Le Spinoza de la rue du marché* (1964). Certains de ces contes s'adressent particulièrement aux enfants: *Une histoire de paradis* (1966), *Le Lait de la lionne* (1967). Isaac Bashevis Singer meurt à Miami en 1991.

La plupart des récits d'Isaac Bashevis Singer puisent dans les souvenirs de l'enfance et font revivre la Pologne des conteurs juifs traditionnels, ses mythes et ses croyances. Écrite dans un style concret, expressif et vivant, son œuvre est peuplée de personnages hauts en couleur, qui consentent à ce que le merveilleux surgisse dans leur univers familier. (D'après le *Dictionnaire des littératures*, Larousse, 1985.)

Claude écrivant
1951 Pablo Picasso

On ne pouvait pas dire non plus de cet enfant qu'il était beau, au contraire, il était plutôt pitoyable même, maigrichon, souffreteux, blafard, presque vert, au point que ses camarades de jeu, pour se moquer de lui, l'appelaient Laitue.

Pauvre Petit Garçon

Comme d'habitude, Mme Klara emmena son petit garçon, cinq ans, au jardin public, au bord du fleuve. Il était environ trois heures. La saison n'était ni belle ni mauvaise, le soleil jouait à cache-cache et le vent soufflait de temps à autre, porté par le fleuve.

On ne pouvait pas dire non plus de cet enfant qu'il était beau, au contraire, il était plutôt pitoyable même, maigrichon, souffreteux, blafard, presque vert, au point que ses camarades de jeu, pour se moquer de lui, l'appelaient Laitue. Mais d'habitude les enfants au teint pâle ont en compensation d'immenses yeux noirs qui illuminent leur visage exsangue et lui donnent une expression pathétique. Ce n'était pas le cas de Dolfi; il avait de petits yeux insignifiants qui vous regardaient sans aucune personnalité.

Ce jour-là, le bambin surnommé Laitue avait un fusil tout neuf qui tirait même de petites cartouches, inoffensives bien sûr, mais c'était quand même un fusil ! Il ne se mit pas à jouer avec les autres enfants car d'ordinaire ils le tracassaient, alors il préférait rester tout seul dans son coin, même sans jouer. Parce que les animaux qui ignorent la souffrance de la solitude sont capables de s'amuser tout seuls, mais l'homme au contraire n'y arrive pas et s'il tente de le faire, bien vite une angoisse encore plus forte s'empare de lui.

Pourtant quand les autres gamins passaient devant lui, Dolfi épaulait son fusil et faisait semblant de tirer, mais sans animosité, c'était plutôt une invitation, comme s'il avait voulu leur dire:

«Tiens, tu vois, moi aussi aujourd'hui j'ai un fusil. Pourquoi est-ce que vous ne me demandez pas de jouer avec vous?»

Les autres enfants éparpillés dans l'allée remarquèrent bien le nouveau fusil de Dolfi. C'était un jouet de quatre sous, mais il était flambant neuf, et puis il était différent des leurs et cela suffisait pour susciter leur curiosité et leur envie. L'un d'eux dit:

«Hé! vous autres! vous avez vu la Laitue, le fusil qu'il a aujourd'hui?»

Un autre dit:

«La Laitue a apporté son fusil seulement pour nous le faire voir et nous faire bisquer mais il ne jouera pas avec nous. D'ailleurs il ne sait même pas jouer tout seul. La Laitue est un cochon. Et puis son fusil, c'est de la camelote!

— Il ne joue pas parce qu'il a peur de nous», dit un troisième.

Et celui qui avait parlé avant:

«Peut-être, mais n'empêche que c'est un dégoûtant!»

Mme Klara était assise sur un banc, occupée à tricoter, et le soleil la nimbait d'un halo. Son petit garçon était assis, bêtement désœuvré, à côté d'elle, il n'osait pas se risquer dans l'allée avec son fusil et il le manipulait avec maladresse.

Il était environ trois heures, et, dans les arbres, de nombreux oiseaux inconnus faisaient un tapage invraisemblable, signe peut-être que le crépuscule approchait.

«Allons, Dolfi, va jouer, l'encourageait Mme Klara, sans lever les yeux de son travail.

— Jouer avec qui?

— Mais avec les autres petits garçons, voyons! Vous êtes tous amis, non?

— Non, on n'est pas amis, disait Dolfi. Quand je vais jouer ils se moquent de moi.

— Tu dis cela parce qu'ils t'appellent Laitue?

— Je veux pas qu'ils m'appellent Laitue!

— Pourtant moi, je trouve que c'est un joli nom. À ta place, je ne me fâcherais pas pour si peu.»

Mais lui, obstiné:

«Je veux pas qu'on m'appelle Laitue!»

Les autres enfants jouaient habituellement à la guerre, et, ce jour-là aussi, Dolfi avait tenté une fois de se joindre à eux, mais aussitôt ils l'avaient appelé Laitue et s'étaient mis à rire. Ils étaient presque tous blonds, lui au contraire était brun, avec une petite mèche qui lui retombait sur le front, en virgule. Les autres avaient de bonnes grosses jambes, lui au contraire avait de vraies flûtes maigres et grêles. Les autres couraient et sautaient comme des lapins, lui, avec sa meilleure volonté, ne réussissait pas à les suivre. Ils avaient des fusils, des sabres, des frondes, des arcs, des sarbacanes, des casques. Le fils de l'ingénieur Weiss avait même une cuirasse brillante comme celle des hussards. Les autres, qui avaient pourtant le même âge que lui, connaissaient une quantité de gros mots très énergiques et il n'osait pas les répéter. Ils étaient forts et lui si faible.

Mais cette fois lui aussi était venu avec un fusil.

C'est alors qu'après avoir tenu conciliabule, les autres garçons s'approchèrent:

«Tu as un beau fusil, dit Max, le fils de l'ingénieur Weiss. Fais voir.»

Dolfi, sans le lâcher, laissa l'autre l'examiner.

«Pas mal», reconnut Max avec l'autorité d'un expert.

Il portait en bandoulière une carabine à air comprimé qui coûtait au moins vingt fois plus que le fusil. Dolfi en fut très flatté.

«Avec ce fusil, toi aussi tu peux faire la guerre, dit Walter en baissant les paupières avec condescendance.

— Mais oui, avec ce fusil, tu peux être capitaine», dit un troisième.

Et Dolfi les regardait émerveillé. Ils ne l'avaient pas encore appelé Laitue. Il commença à s'enhardir.

Alors ils lui expliquèrent comment ils allaient faire la guerre ce jour-là. Il y avait l'armée du général Max qui occupait la montagne, et il y avait l'armée du général Walter qui tenterait de forcer le passage. Les montagnes étaient en réalité deux talus herbeux recouverts de buissons; et le passage était constitué par une petite allée en pente. Dolfi fut affecté à l'armée de Walter avec le grade de capitaine. Et puis les deux formations se séparèrent, chacune allant préparer en secret ses propres plans de bataille.

Pour la première fois, Dolfi se vit prendre au sérieux par les autres garçons. Walter lui confia une mission de grande responsabilité: il commanderait l'avant-garde.

Ils lui donnèrent comme escorte deux bambins à l'air sournois, armés de frondes, et ils l'expédièrent en tête de l'armée, avec l'ordre de sonder le passage. Walter et les autres lui souriaient avec gentillesse. D'une façon presque excessive.

Alors Dolfi se dirigea vers la petite allée qui descendait en pente rapide. Des deux côtés, les rives herbeuses avec leurs buissons. Il était clair que les ennemis, commandés par Max, avaient dû tendre une embuscade en se cachant derrière les arbres. Mais on n'apercevait rien de suspect.

«Hé! capitaine Dolfi, pars immédiatement à l'attaque, les autres n'ont sûrement pas encore eu le temps d'arriver, ordonna Walter sur un ton confidentiel. Aussitôt que tu es arrivé en bas, nous accourons et nous y soutenons leur assaut. Mais toi, cours, cours le plus vite que tu peux, on ne sait jamais...»

Dolfi se retourna pour le regarder. Il remarqua que tant Walter que ses autres compagnons d'armes avaient un étrange sourire. Il eut un instant d'hésitation.

«Qu'est-ce qu'il y a? demanda-t-il.

— Allons, capitaine, à l'attaque!» intima le général.

Au même moment, de l'autre côté du fleuve invisible, passa une fanfare militaire. Les palpitations émouvantes de la trompette pénétrèrent comme un flot de vie dans le cœur de Dolfi qui serra fièrement son ridicule petit fusil et se sentit appelé par la gloire.

«À l'attaque, les enfants!» cria-t-il, comme il n'aurait jamais eu le courage de le faire dans des conditions normales.

Et il se jeta en courant dans la petite allée en pente.

Au même moment un éclat de rire sauvage éclata derrière lui. Mais il n'eut pas le temps de se retourner. Il était déjà lancé et d'un seul coup il sentit son pied retenu. À dix centimètres du sol, ils avaient tendu une ficelle.

Il s'étala de tout son long par terre, se cognant douloureusement le nez. Le fusil lui échappa des mains. Un tumulte de cris et de coups se mêla aux échos ardents de la fanfare. Il essaya de se relever mais les ennemis débouchèrent des buissons et le bombardèrent de terrifiantes balles d'argile pétrie avec de l'eau. Un de ces projectiles le frappa en plein sur l'oreille, le faisant trébucher de nouveau. Alors, ils sautèrent tous sur lui et le piétinèrent. Même Walter, son général, même ses compagnons d'armes!

«Tiens! attrape, capitaine Laitue.»

Enfin il sentit que les autres s'enfuyaient, le son héroïque de la fanfare s'estompait au-delà du fleuve. Secoué par des sanglots désespérés, il chercha tout autour de lui son fusil. Il le ramassa. Ce n'était plus qu'un tronçon de métal tordu. Quelqu'un avait fait sauter le canon, il ne pouvait plus servir à rien.

Avec cette douloureuse relique à la main, saignant du nez, les genoux couronnés, couvert de terre de la tête aux pieds, il alla retrouver sa maman dans l'allée.

«Mon Dieu, Dolfi, qu'est-ce que tu as fait?»

Elle ne lui demandait pas ce que les autres lui avaient fait mais ce qu'il avait fait, lui. Instinctif dépit de la brave ménagère qui voit un vêtement complètement perdu. Mais il y avait aussi l'humiliation de la mère: quel pauvre homme deviendrait ce malheureux bambin? Quelle misérable destinée l'attendait? Pourquoi n'avait-elle pas mis au monde, elle aussi, un de ces garçons blonds et robustes qui couraient dans le jardin? Pourquoi Dolfi restait-il si rachitique? Pourquoi était-il toujours si pâle? Pourquoi était-il si peu sympathique aux autres? Pourquoi n'avait-il pas de sang dans les veines et se laissait-il toujours mener par les autres et conduire par le bout du nez ? Elle essaya d'imaginer son fils dans quinze, vingt ans. Elle aurait aimé se le représenter en uniforme, à la tête d'un escadron de cavalerie, ou donnant le bras à une superbe jeune fille, ou patron d'une belle boutique, ou officier de marine. Mais elle n'y arrivait pas. Elle le voyait toujours assis un porte-plume à la main, avec de grandes feuilles de papier devant lui, penché sur le banc de l'école, penché sur la table de la maison, penché sur le bureau d'une étude poussiéreuse. Un bureaucrate, un petit homme terne. Il serait toujours un pauvre diable, vaincu par la vie.

«Oh ! le pauvre petit !» s'apitoya une jeune femme élégante qui parlait avec Mme Klara.

Et, secouant la tête, elle caressa le visage défait de Dolfi.

Le garçon leva les yeux, reconnaissant, il essaya de sourire, et une sorte de lumière éclaira un bref instant son visage pâle.

Il y avait toute l'amère solitude d'une créature fragile, innocente, humiliée, sans défense; le désir désespéré d'un peu de consolation; un sentiment pur, douloureux et très beau qu'il était impossible de définir. Pendant un instant – et ce fut la dernière fois – il fut un petit garçon doux, tendre et malheureux, qui ne comprenait pas et demandait au monde environnant un peu de bonté.

Mais ce ne fut qu'un instant.

«Allons, Dolfi, viens te changer !» fit la mère en colère, et elle le traîna énergiquement à la maison.

Alors le bambin se remit à sangloter à cœur fendre, son visage devint subitement laid, un rictus dur lui plissa la bouche.

«Oh ! ces enfants ! Quelles histoires ils font pour un rien ! s'exclama l'autre dame, agacée, en les quittant. Allons, au revoir, madame Hitler !»

Dino Buzzati, *Le K*. © Robert Laffont, 1967.
Traduit par J. Rémillet.

D I N O B U Z Z A T I

Né en 1906 à Belluno, en Italie, Dino Buzzati est l'un des plus grands écrivains italiens contemporains. D'abord journaliste au *Corriere della Serra*, il se signale par des reportages axés sur le bizarre, puis se met à publier des récits où émane du quotidien un puissant sentiment d'étrangeté: *Barnabo des montagnes* (1933), *Le Secret du bosco Vecchio* (1935). En 1940 paraît *Le Désert des Tartares*, considéré comme son chef-d'œuvre, suivi de nombreux recueils de contes et nouvelles: *Les Sept messagers* (1941), *L'Écroulement de la Baliverna* (1954), *En ce moment précis* (1963). On lui doit aussi des contes pour enfants: *La Fameuse Invasion des ours en Sicile* (1965) et, entre autres œuvres théâtrales, *Un cas intéressant* (1953), adapté en France par Albert Camus. Également peintre, Buzzati signe des décors de théâtre et crée une bande dessinée: *Poèmes-Bulles* (1969). Il meurt à Milan en 1972.

«Du fait de sa dimension fantastique, on a souvent comparé l'œuvre de Buzzati à celle de Franz Kafka. Mais si l'univers de celui-ci est un monde clos et maudit, il n'en va pas ainsi pour celui de Buzzati, qui est un monde de hauteurs, de mirages, d'attente perpétuelle de la communication.» (D'après le *Dictionnaire des littératures*, Larousse, 1985.)

Et les voleurs de biens et de vies pleurèrent comme les enfants d'une étrange planète.

Nous sommes des salauds

Goyo Cuestas et son fils firent un effort et partirent pour le Honduras avec le phonographe. Le vieux portait la caisse en bandoulière; le garçon, le sac aux disques et le pavillon biseauté, qui avait la forme d'une grande campanule; fleur en fer blanc monstrueuse qui exhalait un parfum de musique.

— On dit qu'au Honduras l'argent abonde.

— Oui papa, et on dit que par là-bas on ne sait pas ce que c'est que le phonographe.

— Presse le pas; depuis que nous sommes partis de Metapan, tu traînes.

— Ah! c'est que la courroie me fait mal dans le dos.

— Serre-la sur la poitrine, ne fais pas l'idiot.

Ils s'arrêtaient, pour faire la sieste sous les pins sonores et embaumés. Ils faisaient chauffer du café avec du bois résineux. Dans le bois de sapotilliers, les rats des champs mangeaient assis sur leur derrière, dans un silence anxieux. Ils arrivaient maintenant au Chamelecon sauvage. Ils avaient vu à deux reprises l'empreinte du serpent carretia, étroite comme celle d'une lanière en cuir. À la sieste, pendant qu'ils mangeaient les omelettes et le fromage de Sainte-Rose, ils mettaient un fox-trot. Ils marchèrent trois jours, avec de la boue jusqu'aux genoux. Le garçon pleurait, le père jurait et riait par moments.

Le curé de Sainte-Rose avait conseillé à Goyo de ne pas coucher sous les ajoupas, parce que les bandes de voleurs étaient constamment à la recherche des voyageurs. Aussi, au crépuscule, Goyo et son fils entraient dans la montagne. Ils nettoyaient une petite place au pied d'un arbre, et y passaient la nuit, entendant chanter les cigales, bourdonner les moustiques culs-bleus, énormes comme des araignées, sans oser respirer, tremblant de froid et de peur.

— Papa, il y a des serpents ?

— Non, mon fils, j'ai examiné le tronc quand la nuit tombait, il n'y a pas de trous.

— Si vous fumez, fumez sous le chapeau, papa. S'ils voient la lueur, ils nous trouveront.

— Oui, mon fils, reste tranquille. Dors.

— C'est qu'accroupi je ne peux pas dormir tout de suite.

— Étire-toi donc.

— Je ne peux pas, il fait trop froid.

— Tu m'embêtes à la fin ! Presse-toi contre moi, donc...

Et Goyo Cuestas, qui de sa vie n'avait fait une caresse à son fils, le prenait contre sa poitrine malodorante, dure comme un lit de sangle; et l'entourant de ses deux bras, il le réchauffait jusqu'à ce qu'il s'endorme sur lui, tandis qu'il attendait, le visage crispé de résignation, que l'aube s'annonçât dans le premier chant lointain d'un coq.

Les premières lueurs les trouvaient là, à moitié gelés, endoloris, engourdis de fatigue, avec les bouches laides ouvertes et baveuses, à demi retroussés sur la couverture déchirée, sale, rayée comme un zèbre.

Mais le Honduras est vaste au Chamelecon. Le Honduras est vaste dans le silence de sa montagne sauvage et cruelle; le Honduras est vaste dans le mystère de ses terribles serpents, de ses jaguars, de ses insectes, de ses hommes. Sa loi ne pénètre pas jusqu'au Chamelecon; sa justice n'arrive pas jusque-là. Dans la région on laisse, comme dans les temps primitifs, aux hommes et aux autres bêtes le soin d'avoir bon ou mauvais cœur; d'être cruels ou magnanimes, de tuer ou d'épargner à leur guise. Le droit est nettement du côté du plus fort.

□

Les quatre bandits entrèrent par la palissade et s'assirent sur la petite place qui s'étendait devant la case, solitaire tel un naufragé dans la cannaie sauvage. Ils posèrent la caisse au milieu et essayèrent d'emboîter le pavillon. La pleine lune faisait sauter des paillettes d'argent sur l'appareil. Dans la case pendait à une poutre un morceau de chevreuil faisandé.

— Je te dis que c'est un phonographe.

— Tu as vu comment on en joue ?

— Bien sûr !... j'en ai vu dans les bananeraies.

— Ça y est !

Le pavillon nasilla. Le bandit tourna la manivelle puis, ouvrant le sac aux disques, les fit sortir à la lueur de la lune comme autant de lunes noires.

Les bandits se mirent à rire, comme les enfants d'une étrange planète. Leurs blancs vêtements de coton étaient souillés par quelque

Paysage
1922 Paul Klee

chose qui ressemblait à de la boue et qui était du sang. Dans la proche ravine, Goyo et son enfant s'en allaient en lambeaux dans les becs des vautours; les tatous avaient élargi leurs blessures. Sable, sang, vêtements et silence mêlés, leurs illusions, traînées de si loin, engraissaient peut-être un saule, peut-être un pin...

L'aiguille s'enfonça dans le sillon, et la chanson s'éleva dans la brise tiède comme une chose enchantée. Les bois de cocotiers immobilisèrent au loin leurs palmes et écoutèrent. L'étoile du soir semblait croître et décroître, comme si, suspendue à un fil, on l'eût trempée, en la remontant et en l'abaissant, dans l'eau tranquille de la nuit.

Un homme à la voix fraîche chantait une chanson triste, sur la guitare.

Elle avait des accents plaintifs, des hoquets d'amour et de grandeur. Les basses de la guitare gémissaient, soupirant de désir; désespérée, la chanterelle déployait une injustice.

Quand le phonographe s'arrêta les quatre assassins se regardèrent et poussèrent un soupir.

L'un d'eux se mit à pleurer sur la couverture. L'autre se mordit les lèvres. Le plus vieux contempla le sol boueux, où il était assis sur son ombre, et dit après avoir réfléchi longuement:

— Nous sommes des salauds.

Et les voleurs de biens et de vies pleurèrent comme les enfants d'une étrange planète.

Salarrué, *Nous sommes des salauds*,
© Seghers, 1958.
Traduit par René-L.-F. Durand.

S A L A R R U É

Né en 1899 à Sonsonate, au Salvador, Salarrué est l'un des chantres de son pays. Il dépeint avec lyrisme sa réalité quotidienne à travers des poèmes, des romans et, surtout, des contes qui lui valent une renommée internationale. Ses principaux recueils sont: *Contes d'Argile* (1934), *Ceci et mieux encore* (1940), *Tramaïl* (1954). Salarrué meurt au Salvador en 1976.

Sans être vraiment réalistes, les contes de Salarrué constituent des scènes véridiques de la vie agricole au Salvador. Chacune d'elles est comme un «flash» lyrique, un bref instant de réalité nimbé de poésie.

Le tuer trente-six ans après ? Pour quoi ? Mais, ai-je pensé, pour ce qu'il m'a fait quand j'avais douze ans.

Un crime vraiment parfait

C'était une idée si ronde, si parfaite, si incroyablement séduisante pour un meurtre que j'en ai été à moitié fou en traversant l'Amérique.

Elle m'était venue sans raison le jour de mon quarante-huitième anniversaire. Pourquoi ne s'était-elle pas manifestée à trente ou quarante ans, je n'en sais rien. Peut-être étaient-ce de bonnes années sur lesquelles j'ai vogué inconscient du temps et des horloges, de l'amas de givre sur mes tempes ou de cet air conquérant dans mes yeux...

De toute façon, à mon quarante-huitième anniversaire, couché à côté de ma femme, mes enfants dormant dans les autres chambres de ma maison baignée d'un calme clair de lune, j'ai pensé en pleine nuit :

Je vais me lever pour aller tuer Ralph Underhill. Ralph Underhill ! me suis-je écrié, au nom du ciel qui est-ce ?

Le tuer trente-six ans après ? Pour *quoi* ?

Mais, ai-je pensé, pour ce qu'il m'a fait quand j'avais douze ans.

Ma femme s'est réveillée une heure plus tard, en entendant un bruit.

«Doug ? appela-t-elle. Que fais-tu ?

— Ma valise, ai-je dit. Pour un voyage.

— Oh», murmura-t-elle en se retournant pour se rendormir.

□

«En voiture ! Les voyageurs en voiture !» Les appels du garçon des wagons-lits balayèrent le quai.

Le train frémit en faisant entendre des chocs sourds.

«À bientôt ! ai-je crié en sautant sur les marches.

— Un jour, hurla ma femme, j'aimerais que tu prennes l'*avion* !»

L'avion, pensai-je, et gâcher la préparation du meurtre au-dessus des plaines ? Gâcher le graissage du revolver, son chargement, la pensée de la tête de Ralph Underhill en me voyant arriver avec trente-six ans de retard pour régler de vieux comptes ? L'avion. J'aimerais mieux traverser le pays à pied, sac au dos, m'arrêter la nuit pour faire un feu et y griller ma rancœur et ma bile, et ravaler mes vieux antagonismes momifiés mais toujours vivants, toucher mes plaies toujours ouvertes. L'avion !

Le train s'ébranla. Ma femme était partie.

Je partais pour le Passé.

En traversant le Kansas la seconde nuit, nous avons eu un magnifique orage. Je suis resté éveillé jusqu'à quatre heures du matin à écouter la furie du vent et du tonnerre. Au plus fort de la tempête, j'ai vu mon visage, négatif photographique sur la vitre froide de la fenêtre, et j'ai pensé :

Où va cet imbécile ?

Tuer Ralph Underhill !

Pourquoi ? Parce que !

Tu te souviens du coup sur mon bras ? Contusions. J'étais couvert de bleus, sur les deux bras : bleu sombre, marqué de noir, étranges contusions jaunes. Frappe et fuis, c'était Ralph, frappe et fuis...

Et pourtant... tu l'aimais ?

Oui, comme les garçons aiment les garçons quand ils ont huit, dix, douze ans, et le monde est innocent et les garçons sont mauvais au-delà du mauvais parce qu'ils ne savent pas ce qu'ils font, mais le font quand même. Donc à un niveau inconscient, il fallait que j'aie mal. Nous, chers et bons amis, avions besoin l'un de l'autre. Moi pour être frappé. Lui pour frapper. Mes cicatrices étaient les emblèmes et le symbole de notre amour.

Pour quelle autre raison veux-tu assassiner Ralph avec un tel retard dans le temps ?

Le sifflet du train déchira l'air. La campagne nocturne défilait.

Et je me suis souvenu d'un printemps où je suis arrivé à l'école avec un costume neuf en tweed, de Ralph me faisant tomber, rouler dans la neige et la boue brune toute fraîche. De Ralph se moquant de moi, de moi revenant à la maison, honteux, crotté, craignant une raclée, pour changer de vêtements.

Oui ! Et quoi d'*autre* ?

Tu te souviens de ces statuettes d'argile que tu mourais d'envie de collectionner comme auditeur de l'émission de radio Tarzan ? Des statuettes de Tarzan et Kala le Singe, et Numa le Lion, pour seulement vingt-cinq cents ? Oui ! Oui ! Très belles ! Même maintenant, dans le souvenir, ô le cri de l'homme Singe se balançant dans des jungles vertes du bout du monde, ululant ! Mais qui avait vingt-cinq cents en pleine Grande Dépression ? Personne.

Excepté Ralph Underhill.

Et un jour Ralph t'a demandé si tu voulais l'une des statuettes.

Si je voulais ! Oui ! Oui !

C'était cette semaine-là que ton frère, dans un étrange élan d'amour mêlé de mépris, t'avait donné son gant de baseball, vieux, mais cher.

«Bien, a dit Ralph, je te donne la statuette de Tarzan que j'ai en double si tu me donnes ce gant.»

Idiot ! ai-je pensé. La statuette vaut vingt-cinq cents. Le gant coûte deux dollars !

C'est pas juste ! Refuse !

Mais je suis revenu chez Ralph en courant, avec le gant, et je le lui ai donné, et lui, souriant avec un mépris pire que celui de mon frère, m'a tendu la statuette de Tarzan. Je suis rentré chez moi, fou de joie.

Mon frère n'a rien su pour le gant et la statuette pendant deux semaines. Lorsqu'il l'a appris, il m'a semé pendant une randonnée à pied jusqu'à une ferme à la campagne, et m'a laissé me perdre parce que j'étais un tel idiot. «Statuette de Tarzan contre un gant de baseball! avait-il crié. C'est la dernière fois que je te donne quelque chose!»

Je me suis alors couché, perdu quelque part sur une route de campagne, et j'ai pleuré, j'ai voulu mourir mais je n'ai pas su comment me débarrasser de ma dernière vomissure, mon âme misérable.

Le tonnerre murmurait.

La pluie tombait contre les fenêtres froides du Pullman.

Quoi d'*autre*? Est-ce toute la liste?

Non. Une dernière chose, plus terrible que tout le reste.

Durant toutes les années où tu es allé chez Ralph pour lancer des petits cailloux sur sa fenêtre du 4-Juillet, couverte de rosée à six heures du matin, où pour l'appeler à l'aube, à l'occasion de l'arrivée de cirques dans les gares froides et bleues des derniers jours de juin ou d'août, durant toutes ces années, pas une fois Ralph n'est venu chez toi. Pas une fois.

Pas une fois pendant toutes ces années, lui ou quiconque n'a prouvé son amitié en passant chez toi. On n'a jamais frappé à ta porte. La fenêtre de ta chambre n'a jamais frémi, même faiblement, au contact de petits cailloux.

Et tu as toujours su que le jour où tu cesserais d'aller chez Ralph pour l'appeler le matin, ce serait la fin de votre amitié.

Tu en as fait l'essai une fois. Tu es resté à l'écart pendant toute une semaine. Ralph n'est jamais venu te voir. C'était comme si tu étais mort et que personne n'était venu à tes funérailles.

Lorsque tu as revu Ralph à l'école, il n'y a pas eu de surprise, pas de questions, pas même la moindre trace de curiosité. Où étais-tu Doug? J'ai besoin de quelqu'un à battre. Où étais-tu passé, Doug? Je n'ai personne à *rouler*.

Totalise tous les péchés. Mais pense particulièrement au dernier:

Il n'est jamais venu chez moi. Il n'a jamais appelé vers mon lit matinal, ou lancé un grain de riz de noces de gravier sur les vitres claires pour me faire descendre vers la joie et les jours d'été.

Et pour cette dernière chose, Ralph Underhill, ai-je pensé, assis dans le train à quatre heures du matin, tandis que s'éloignait l'orage et que je me retrouvais les larmes aux yeux, pour cette dernière chose je te tuerai demain soir.

Assassiner, ai-je pensé, après trente-six ans. Mais, Seigneur, tu es plus fou qu'Achab.

Le train se lamenta. Nous traversions le pays comme un Destin Grec mécanique porté par une Furie Romaine de métal noir.

□

Il paraît que tu ne pourras plus rentrer chez toi.

C'est un mensonge.

Si tu as de la chance et que tu calcules bien tout, tu arrives au coucher du soleil, au moment où la vieille ville est pleine de lumière jaune.

Je suis descendu du train et j'ai marché dans Green Town. J'ai regardé le palais de justice incendié par le soleil couchant. Chaque arbre était orné de doublons d'or. Chaque toit, chaque chaperon de mur, le moindre ornement était du cuivre le plus pur et d'or vieux.

Je me suis assis dans le square du palais de justice avec des chiens et des hommes âgés, jusqu'à ce que le soleil se couche et que Green Town s'assombrisse. Je voulais savourer la mort de Ralph Underhill.

Personne dans l'Histoire n'avait jamais commis de crime comme celui-là.

J'allais attendre, tuer, partir, étranger parmi les étrangers.

Qui pourrait oser dire, en trouvant le corps de Ralph Underhill sur le seuil de sa porte, qu'un garçon âgé de douze ans, venu sur une sorte de Machine du Temps, mû par un hideux mépris de soi-même, avait tué le Passé ? C'était au-delà de toute logique. J'étais à l'abri de ma propre folie.

Finalement, à huit heures et demie, par cette fraîche soirée d'octobre, j'ai marché dans la ville, dépassé le ravin.

Je n'ai jamais douté que Ralph habite toujours là.

Il arrive aux gens de déménager après tout…

J'ai tourné à Park Street et fait deux cents mètres jusqu'à l'unique réverbère pour regarder de l'autre côté de la rue. La maison victorienne, blanche à deux étages, appartenant à Ralph, m'attendait.

Je pouvais le sentir *dedans*.

Il y était, un Ralph de quarante-huit ans, comme j'étais là moi-même à quarante-huit ans, l'âme vieille et fatiguée qui me dévorait de l'intérieur.

Je me suis écarté de la lumière, j'ai ouvert ma valise, mis le revolver dans la poche droite de ma veste, fermé la valise et l'ai cachée dans les buissons où je la reprendrais plus tard en passant le ravin pour traverser la ville et prendre le train.

J'ai traversé la rue et me suis arrêté devant sa maison, et c'était la même maison devant laquelle je m'étais arrêté trente-six ans auparavant. C'étaient toujours les mêmes fenêtres contre lesquelles j'avais lancé ces bouquets printaniers de cailloux dans l'amour et le don total. C'étaient toujours les mêmes trottoirs, marqués par les brûlures des pierres à feu datant d'anciens 4-Juillet lorsque Ralph et moi faisions exploser les célébrations bruyantes du monde entier.

J'ai monté les marches du porche et j'ai lu sur la boîte aux lettres, en petits caractères : UNDERHILL.

Et si c'est sa femme qui répond ?

Non, ai-je pensé, c'est lui-même qui, avec cette absolue perfection tragique ouvrira la porte, souffrira la blessure et mourra presque avec joie pour d'anciens crimes et des péchés véniels amplifiés et transformés, d'une manière ou d'une autre, en crimes.

J'ai appuyé sur la sonnette.

Me reconnaîtra-t-il, me suis-je demandé, après tout ce temps ? À l'instant précédant la première balle, *dis*-lui ton nom. Il faut qu'il sache qui tu es.

Silence.

J'ai sonné une nouvelle fois.

Le loquet a cliqueté.

J'ai tâté le revolver dans ma poche, le cœur battant, mais je ne l'ai pas sorti.

La porte s'est ouverte.

Ralph Underhill se tenait devant moi.

Il a cligné des yeux en me regardant.

« Ralph ? ai-je dit.

— Oui ?… » a-t-il dit.

Nous nous tenions l'un en face de l'autre, séparés, pendant pas plus de cinq secondes. Mais, Seigneur, plusieurs choses sont arrivées pendant ces cinq secondes.

J'ai vu Ralph Underhill.

Je l'ai vu clairement.

Et je ne l'avais pas vu depuis l'âge de douze ans.

Il me dominait alors de toute sa taille pour me bourrer de coups, me battre en hurlant.

Maintenant, c'était un petit vieux.

Je mesure un mètre quatre-vingt-sept.

Mais Ralph n'avait guère grandi depuis sa douzième année.

L'homme qui se tenait devant moi ne mesurait pas plus d'un mètre soixante.

Je le *dominais*.

J'ai retenu mon souffle. J'ai regardé de tous mes yeux. J'ai vu plus.

J'ai quarante-huit ans.

Mais Ralph Underhill, à quarante-huit ans, avait perdu la plupart de ses cheveux, et ce qui en restait était rare et gris, poivre et sel. Il paraissait soixante ou soixante-cinq ans.

J'étais en bonne santé.

Ralph Underhill était d'une pâleur de cire. La maladie se lisait sur son visage. Il semblait avoir voyagé dans quelque contrée sans soleil. Il avait un air ravagé, hâve. Son haleine sentait les fleurs funéraires.

Tout cela était perçu, comme l'orage de la veille, se ramassant en éclairs et en tonnerres dans une secousse éblouissante. Nous étions au cœur de l'explosion.

Alors c'est pour ça que je suis venu? ai-je pensé. C'est donc ça la vérité. Cet instant terrifiant dans le temps. Pas pour sortir l'arme. Pas pour tuer. Non, non. Mais simplement...

Voir Ralph Underhill tel qu'il est en ce moment.

C'est tout.

Pacific, 1967. Alex Colville

Juste pour être ici, me tenir ici, et le regarder tel qu'il est devenu.

Ralph Underhill leva une main dans un geste de surprise. Ses lèvres tremblaient. Ses yeux ont volé du haut en bas de mon corps, son esprit a mesuré ce géant qui obscurcissait l'entrée. Enfin sa voix, si petite, si grêle, a laissé échapper:

«Doug...?»

J'ai reculé.

«Doug? a-t-il dit, haletant, c'est toi?»

Je ne m'étais pas attendu à ça. Les gens ne se souviennent pas! Ils ne peuvent pas! Après tant d'années? Pourquoi se serait-il donné cette peine?

J'ai eu une idée extravagante: ce qui était arrivé à Ralph Underhill, c'était qu'après mon départ de la ville, la moitié de sa vie s'était effondrée. J'avais été le centre de son monde, quelqu'un à agresser, à battre, à bourrer de coups, à couvrir de bleus. Toute sa vie s'était écroulée par le seul fait de mon départ, trente-six ans auparavant.

Absurde! Pourtant une petite voix tournait dans ma tête et criait ce qu'elle savait: tu avais besoin de Ralph, mais lui avait encore *bien plus* besoin de *toi*! Et tu as fait la seule chose impardonnable, qui blesse! Tu as disparu.

«Doug?» a-t-il dit encore, car je restais silencieux sur le porche, les mains le long de mon corps. «C'est toi?»

C'était le moment pour lequel j'étais venu.

À quelque secret niveau de ma chair, j'avais toujours su que je ne me servirais pas de l'arme. Je l'avais apportée avec moi, oui, mais le Temps était passé là avant moi, et l'âge, de plus petites, plus terribles morts...

Bang.

Six coups dans le cœur.

Mais je ne me suis pas servi du revolver. J'ai seulement murmuré le bruit des coups de feu avec ma bouche. À chaque murmure, le visage de Ralph Underhill vieillissait de dix ans. Quand je suis arrivé au dernier coup de feu il avait cent dix ans.

«Bang, ai-je murmuré. Bang. Bang. Bang. Bang. Bang.»

Son corps a été secoué par l'impact.

«Tu es mort. Oh! mon Dieu, Ralph, tu es mort.»

J'ai tourné le dos et j'ai descendu les marches, atteint la rue avant qu'il n'appelle:

«Doug, c'est *toi*?»

Je n'ai pas répondu. Je marchais.

«Réponds-moi!» s'est-il écrié faiblement. «Doug! Doug Spaulding, c'est toi? Qui est-ce? Qui êtes-vous?»

J'ai repris ma valise et je suis parti dans la nuit pleine de criquets, j'ai passé le ravin obscur, puis le pont, je repartais.

«Qui est-ce?» J'ai entendu sa voix se lamenter une dernière fois.

Après un bon bout de chemin, je me suis retourné.

Toutes les lumières étaient allumées dans la maison de Ralph Underhill. C'était comme s'il en avait fait le tour et les avait allumées après mon départ.

De l'autre côté du ravin, je me suis arrêté sur la pelouse, devant la maison où j'étais né.

J'ai ramassé quelques petits cailloux et j'ai fait ce qui n'avait jamais été fait, de ma vie.

J'ai lancé les petits cailloux contre la fenêtre derrière laquelle j'avais couché mes douze premières années. J'ai crié mon propre nom. Je me suis appelé pour descendre jouer en amitié pendant un long été qui n'était plus.

J'ai attendu juste le temps nécessaire à un jeune autre moi-même pour descendre me rejoindre.

Puis rapidement, fuyant droit devant l'aube, nous avons quitté Green Town en courant et nous sommes revenus, Merci mon Dieu, vers Maintenant et Aujourd'hui pour le restant de ma vie.

Ray Bradbury, *Un dimanche tant bien que mal*,
© Éditions Denoël, 1979.
Traduit par R. Delouya et H. Robillaud.

RAY BRADBURY

Né aux États-Unis, dans l'Illinois, en 1920, Ray Bradbury est sans doute l'un des plus célèbres écrivains de science-fiction. Dès l'âge de 19 ans, il édite sa propre revue, *Futuria Fantasia*, dans laquelle il publie ses premières nouvelles. En 1947 paraît son premier recueil, *Dark Carnival*, suivi de plusieurs autres: *Les Chroniques martiennes* (1950), *L'Homme illustré* (1951), *Le Pays d'octobre* (1955), *Un remède à la mélancolie* (1959). Ray Bradbury est également l'auteur de trois romans, dont le célèbre *Fahrenheit 451* (1953) qui sera adapté au cinéma par François Truffaut en 1967, et de plusieurs scénarios pour le cinéma, dont celui de *Moby Dick*, de John Huston. Il a adapté lui-même nombre de ses récits pour la scène et la télévision.

Le style de Ray Bradbury se caractérise par la poésie, l'évocation nostalgique du passé et une certaine obsession de la mort. Son angoisse face à la mort, qui se traduit par une fascination pour les univers macabres, l'entraîne davantage vers le fantastique que la science-fiction. Pourtant, c'est cette dernière qui lui vaut, en 1950, avec *Les Chroniques martiennes*, de devenir l'un des écrivains américains les plus lus et les plus traduits dans le monde.

Les principaux thèmes de Bradbury sont la haine de la science et de la technologie, la célébration de la simplicité et de l'innocence, la difficulté d'être adulte, et le piège des masques et des apparences.

Il savait où son oncle gardait son argent liquide, mais il tenait à donner l'impression que le cambrioleur l'avait longuement cherché.

Erreur fatale

M. Walter Baxter était depuis de longues années grand lecteur de romans policiers; quand il décida d'assassiner son oncle il savait donc qu'il ne devrait pas commettre le moindre impair.

Il savait aussi que pour éviter toute possibilité d'erreur ou d'impair, le mot d'ordre devait être «simplicité». Une rigoureuse simplicité. Pas d'alibi préparé à l'avance et qui risque toujours de ne pas tenir. Pas de *modus operandi* compliqué. Pas de fausses pistes manigancées.

Si, quand même, une fausse piste, mais petite. Toute simple. Il faudrait qu'il cambriole la maison de son oncle, et qu'il emporte tout l'argent liquide qu'il y trouverait, de façon que le meurtre apparaisse comme une conséquence du cambriolage. Sans cela, unique héritier de son oncle, il se désignerait trop comme suspect numéro un.

Il prit tout son temps pour faire l'emplette d'une pince-monseigneur dans des conditions rendant impossible l'identification de l'acquéreur. La pince-monseigneur lui servirait à la fois d'outil et d'arme.

Il mit soigneusement au point les moindres détails, car il savait que la moindre erreur lui serait funeste et il était certain de n'en commettre aucune. Avec grand soin il fixa la nuit et l'heure de l'opération.

La pince-monseigneur ouvrit une fenêtre sans difficultés et sans bruit. Il entra dans le salon. La porte donnant sur la chambre à coucher était grande ouverte, mais comme aucun bruit n'en venait, il décida d'en finir d'abord avec la partie cambriolage de l'opération.

Il savait où son oncle gardait son argent liquide, mais il tenait à donner l'impression que le cambrioleur l'avait longuement cherché. Le beau clair de lune lui permettait de bien voir à l'intérieur de la maison; il travailla sans bruit.

□

Deux heures plus tard, rentré chez lui il se déshabilla vite et se mit au lit. La police n'avait aucune possibilité d'être alertée avant le lendemain, mais il était prêt à recevoir les policiers si par hasard ils se présentaient avant. L'argent et la pince-monseigneur, il s'en était débarrassé. Certes, cela lui avait fait mal au cœur de détruire quelques centaines de dollars en billets de banque, mais c'était une mesure de sécurité indispensable – et quelques centaines de dollars étaient peu de chose à côté des cinquante mille dollars au moins qu'allait représenter l'héritage.

On frappa à la porte. Déjà ? Il se força au calme, alla ouvrir. Le sheriff et son adjoint entrèrent en le bousculant :

— Walter Baxter ? Voici le mandat d'amener. Habillez-vous et suivez-nous.

— Vous m'arrêtez ? Mais pourquoi ?

— Vol avec effraction. Votre oncle vous a vu et reconnu; il est resté sans faire de bruit à la porte de sa chambre à coucher; dès que vous êtes parti il est venu au poste et a fait sa déposition sous serment.

La mâchoire de Walter Baxter s'affaissa. Il avait, malgré tout, commis une erreur.

Il avait, certes, conçu le crime parfait; mais le cambriolage l'avait tellement obnubilé, qu'il en avait oublié de tuer.

Fredric Brown, *Fantômes et farfouilles*, © Denoël, 1963.
Traduit par Jean Sendy.

FREDRIC BROWN

Esprit brillant et très porté vers l'humour, Fredric Brown est l'un des auteurs-cultes de la science-fiction américaine. Né en 1906 à Cincinnati, il est d'abord journaliste avant de devenir auteur de romans policiers : *Crime à Chicago* (1947), *La Fille de nulle part* (1951), *Ça ne se refuse pas* (1963). Il devient ensuite célèbre dans le domaine de la science-fiction grâce à deux romans, *L'Univers en folie* (1949) et *Martiens, go home !* (1955), ainsi qu'à de nombreuses nouvelles brèves réunies en une dizaine de recueils, *Fantômes et farfouilles* (1963), *Lune de miel en enfer* (1958), *Le Paradoxe perdu* (1943). Fredric Brown est aussi l'auteur d'un roman autobiographique, *Cincinnati Blues*, publié en 1958. Il meurt à Tucson, en Arizona, en 1972.

Fredric Brown refuse de prendre au sérieux les thèmes classiques de la science-fiction; il se permet d'imaginer des sociétés différentes, où les contraintes sociales laissent place aux joies de la métamorphose et du rire. Il est aussi l'auteur de la plus courte histoire de science-fiction jamais imaginée, que voici : «Le dernier homme vivant sur la terre se trouvait chez lui. On frappa à la porte.»

Hortense ouvrit la porte; de ses bras courts elle pressait un chagrin plus lourd que les rondins.

Hortense ouvrit la porte; de ses bras courts elle pressait un chagrin plus lourd que les rondins.

Le Bouquet de noce

Ce soir, après le chapelet, pendant que la mère couchait les enfants, le bonhomme se rassoyait pour fumer une dernière pipe, la meilleure de la journée, et il demandait à Hortense, sa fille aînée :

— Ma fille, entre donc un peu de bois pour le déjeuner, demain.

Hortense sortait et revenait avec quelques rondins; elle ne pouvait pas en prendre beaucoup, car elle avait déjà sa brassée. Alors le bonhomme disait :

— Eh, ma fille, comme tu as les bras courts !

C'était de même chaque soir. Puis Hortense s'allait coucher en rougissant.

Un dimanche après-midi, un grand gars s'amène. Pour qui vient-il ? Le grand gars ne le dit pas. Hortense s'offre à prévenir son père. Le gars n'est pas pressé : «Dérangez-le pas; je vais l'attendre ici.» Pour ne pas être impolie, Hortense l'attend avec lui. Quand le bonhomme rentre, il voit le cavalier et il n'est pas content. Le soir, après le chapelet, Hortense lui demande :

— Voulez-vous que j'aille quérir du bois ?

Le bonhomme répond:

— Non, ma fille.

Alors Hortense va se coucher, bien plus rouge que d'habitude.

La noce eut lieu deux mois plus tard. À la fin de la soirée il n'y avait plus de coin, tout le monde était rond. On avança devant la porte la voiture du marié. Comme Hortense y montait, le cheval se cabra, elle échappa son bouquet. D'un coup de fouet le marié remit la bête d'aplomb.

— Fais-toi obéir, lui cria-t-on.

Pour toute réponse il brandissait son fouet, puis il détendit les guides, Hortense ne riait pas, et le grand galop les emporta.

En revenant de faire son train, le lendemain, le bonhomme fronça les sourcils: on venait à travers champs en robe de noce. Il entra et à sa femme dit:

— Je crois que le curé a mal appliqué le sacrement. Regarde un peu qui nous revient: c'est Hortense par travers champs.

La femme dit au bonhomme:

— Fume ta pipe et reste tranquille.

Hortense ouvrit la porte; de ses bras courts elle pressait un chagrin plus lourd que les rondins. Quand elle vit son père impénétrable, faisant de la fumée pour cacher son sentiment, les bras lui tombèrent, mais cela ne changea rien: le chagrin était bien attaché.

— Bonjour, ma fille, dit la mère. Tu viens sans doute chercher ton bouquet? Le voici. Je l'ai ramassé dans la poussière; les roues de la voiture avaient passé dessus.

Hortense prit le bouquet. La mère dit au bonhomme:

— Attelle et va reconduire ta fille chez elle.

Le bonhomme la reconduisit donc. Chemin faisant, il fumait sa pipe, il ne disait pas mot. Et près de lui, sous la pluie, Hortense tenait son bouquet défleuri.

Jacques Ferron, *Contes*, coll. «L'Arbre»,

JACQUES FERRON

Auteur prolifique et polémiste, Jacques Ferron compte parmi les plus importants écrivains du Québec. Né à Louiseville en 1921, il fait ses études de médecine et exerce sa profession dans l'armée canadienne, puis en Gaspésie et à Ville-Jacques-Cartier (aujourd'hui faisant partie de Longueuil). Engagé politiquement, il collabore à divers journaux et revues, dont *Liberté* et *Parti Pris*, et fonde le parti Rhinocéros en 1963. Il est l'auteur de nombreuses pièces de théâtre: *Tante Élise* (1956), *Les Grands Soleils* (1958), *La Tête du roi* (1967); de romans et récits: *Cotnoir* (1962), *La Nuit* (1965), *Le Ciel de Québec* (1969), *L'Amélanchier* (1970); ainsi que de plusieurs recueils de contes: *Contes du pays incertain* (1963), *Contes anglais et autres* (1964). En 1977, il reçoit le prix David pour l'ensemble de son œuvre. Il meurt à Saint-Lambert en 1985.

L'œuvre de Ferron se caractérise par une prose truculente et un style incisif, où le réel se mêle à l'imaginaire, la fantaisie poétique à l'humour. Ses récits, où se côtoient clochards, médecins et charlatans, bêtes et humains, sont empreints d'une mythologie insolite.

Observateur des mœurs de son époque, Jacques Ferron est attentif aux rituels sociaux et préoccupé par le destin des Québécois. Dans la plupart de ses fictions, il arrive un moment où la situation bascule: à la faveur d'un événement inattendu, les rôles s'échangent et la transformation devient une véritable métamorphose.

Le père regardait sa fille. Elle était bien pâle, bien maigre, bien abattue, pas bien tentante, à vrai dire, pas du tout ce qu'il faut pour attirer un garçon.

Il marie sa fille

Au peintre Maurice LeBel

Ce matin-là, Isidore Tamareau, assistant-gérant à la quincaillerie Ledoux et Cie, était soucieux en se rendant au magasin. Tristement, il se disait que sa fille Liose était vraiment très malade. Depuis des mois, elle était maigre, décharnée, sans appétit. Justement, la veille, au souper, elle n'avait pris qu'une tranche de pain dont elle avait laissé la moitié dans son assiette. Et faible, faible... Pas le moindre doute, elle était finie. Selon lui, elle pouvait encore durer deux ou trois mois, peut-être moins. Depuis longtemps, il la sentait condamnée. Certes, cela lui causait de la peine de voir ainsi son enfant s'en aller, mais, homme pratique, Tamareau songeait à tout l'argent qu'il aurait à débourser, car il savait ce que ça coûte un enterrement. Déjà, en quelques années, il avait perdu trois filles, les aînées, emportées dans les vingt ans par la tuberculose. Oui, le docteur, le cercueil, le service à l'église, la mangeaille, les frais divers, ça se montait facilement à cinq cents piastres. Pas moyen de s'en tirer à moins. C'est beaucoup, pensait-il, pour envoyer un pauvre corps pourrir au cimetière. Lui, dans ces circonstances, il avait toujours été raisonnable. Pas besoin de faire les orgueilleux, de commettre des extravagances pour épater les parents, comme avait fait son beau-frère lors de la mort de sa nièce. Une bière de cinq cents piastres! Cela le remplissait d'indignation. Lorsque lui, Tamareau, avait fait quelques remarques, avait dit que c'était une grosse somme jetée dans la terre, la mère avait répondu: «Oui, c'est vrai, mais comme ma fille a été malade pendant plus de deux ans et que pendant ce temps elle ne s'est pas acheté de robes, de manteaux, de chapeaux, on peut bien lui donner un beau cercueil.» Lui, il n'était pas fou à ce point. Et, à cette pensée, il relevait son chapeau et le renvoyait en arrière de la tête, car il avait chaud bien que l'on fût en janvier. C'était un homme corpulent, aux larges épaules, avec une face ronde, grasse, sanguine, posée sur un cou gros et court. Il avait de tout petits yeux noirs très vifs, une bouche toujours ouverte comme s'il étouffait et ses narines évasées ressemblaient au groin de nos cousins les porcs.

C'était un bon père, Tamareau, et il trouvait ça triste de voir partir ses enfants en pleine jeunesse, mais il n'y pouvait rien. Ce n'était pas sa faute, car il était solide, sa femme aussi. Cette maladie-là, ça venait de la grand-mère, morte à trente-quatre ans en laissant deux fils et trois filles. Les garçons et l'une de leurs sœurs étaient disparus avant d'avoir atteint la trentaine et les petits-enfants mouraient aussi. Rien à faire. Lorsque Liose s'en irait, ce serait encore cinq cents piastres au diable. Ah! non, il n'avait pas de chance, car, depuis longtemps, ce qu'il voulait, c'était d'avoir comme tout le monde une automobile, une automobile dans laquelle un honnête homme part le dimanche pour se reposer de son travail de la semaine et pour oublier les tracas et les ennuis éprouvés pendant les derniers six jours. Se promener un peu, c'était son rêve. Oui, il était fatigué de passer ses fins de semaine à «Balconville». Ce qu'il désirait, c'était de s'éloigner de la cité le dimanche matin après le déjeuner et de s'en aller respirer l'air frais dans les verdures de la campagne. Alors, lorsqu'on a envie d'une voiture, ce n'est pas un cercueil qui fait votre bonheur. Quand on reçoit un salaire de trente-cinq à quarante piastres par semaine, que l'on élève quatre filles, et qu'on en perd trois juste à l'âge où elles devraient se marier, on ne peut pas mettre beaucoup d'argent de côté, ni se payer de l'agrément. Maintenant, après les trois aînées, c'était Liose qui dépérissait que c'en était pitié. On travaille, la vie passe, on devient vieux et l'on n'a aucune satisfaction, se disait-il amèrement. Tout en ruminant ces pensées, Tamareau arriva au magasin. En entrant, il aperçut les quatre commis groupés et riant aux éclats.

— Qu'est-ce qu'il y a donc de si drôle? demanda-t-il.

— C'est Huneau qui a vendu un vieil accordéon à Pilon, qui ne connaît pas une note, répondit l'un des employés.

— Oui, fit un autre, Huneau avait besoin d'argent et il lui a demandé d'acheter son accordéon. Pilon a répondu qu'il ne savait pas jouer, mais Huneau lui a dit: «Ça fait rien. Tu le mets sur un meuble dans ta chambre; tu places deux livres sur ta table puis, tout de suite, ça donne l'impression que tu n'es pas un pauvre ignorant. Moi non plus, je sais pas jouer, mais quand même, j'ai payé l'accordéon vingt piastres. Je te le cède pour six; autrement dit, je t'en fais cadeau.» Alors Pilon a donné les six piastres.

Et, de nouveau, les commis s'esclaffèrent devant cette démonstration de la simplicité de Pilon. Tamareau rit avec eux, puis, soudain, il s'arrêta net et sa figure s'illumina. Il

À Saint-Ambroise
1974
Monique Charbonneau

ne s'écria pas: «Eurêka!» pour l'excellente raison qu'il ne savait pas le grec, mais il se dit en lui-même: J'ai mon homme. Et il pensait: Un garçon qui est assez idiot pour acheter un accordéon quand il n'a jamais touché un instrument de musique est bien capable de... Suffit, il se comprenait.

Pilon était livreur pour le magasin. C'était un nouveau, très capable, c'était reconnu, pour conduire son camion et pour s'acquitter de son travail. Comme tant d'autres cependant, il était nul lorsqu'il s'agissait de ses propres affaires. Timide, gêné, sans volonté, incapable de dire non, comme le prouvait l'achat de l'accordéon. Sous divers prétextes, les camarades lui empruntaient de l'argent et ne rendaient jamais la somme complète. L'on abusait de sa timidité. Une bonne poire.

Tamareau avait vraiment trouvé son homme. Alors, l'après-midi, comme Pilon attendait l'heure de partir pour sa livraison, l'autre, tout en lui recommandant d'aller tout d'abord porter la peinture achetée par monsieur Leduc, une commande pressée, se mit à causer de choses indifférentes, puis, d'un ton paternel:

— Si tu t'ennuies le soir, viens donc faire un tour à la maison. Faut pas rester comme ça étrangers les uns aux autres. On fera une partie de cartes en famille. J'ai vu tout de suite que tu n'es pas un garçon commun comme les autres et ça nous ferait plaisir, à ma femme et à moi, si tu venais passer une veillée chez nous. Tiens, viens jeudi, si tu es libre.

Ainsi invité, Pilon ne pouvait se dérober. Il n'avait pas encore appris que, lorsque les gens vous font vachement des politesses ou une invitation, c'est qu'ils ont une faveur à vous demander, quelque chose à vous soutirer ou une marchandise endommagée à vous coller.

Le soir, au souper, Tamareau annonça:

— Nous aurons de la visite jeudi.

Et devant les figures étonnées de sa femme et de sa fille:

— Ah! pas le maire de Montréal, bien certain; simplement un commis du magasin, mais un vrai bon type. J'ai pensé que ça distrairait Liose, parce que, pour dire la vérité, il n'en vient pas souvent ici, des jeunes gens.

Et se tournant vers la malade:

— Tâche de lui faire bonne figure, hein? parce qu'il est plutôt timide.

Le père regardait sa fille. Elle était bien pâle, bien maigre, bien abattue, pas bien tentante, à vrai dire, pas du tout ce qu'il faut pour attirer un garçon. Ah! oui, il lui faudrait un stimulant. Il pensait à ça, Tamareau, parce que son père avait été un fameux maquignon qui savait doper un cheval pour lui donner de l'allure, le rendre fringant. Combien de fois n'avait-il pas vu le vieux administrer de formidables doses de drogue à de vieilles cavales, à de lamentables haridelles qui donnaient pour le moment le change à l'acheteur. Ça fait pas de tort un stimulant et aujourd'hui tout le monde en prend, ne marche qu'avec ça. Les hommes, les femmes, les filles, chacun est fatigué, épuisé, et chacun va se faire donner des piqûres ou chercher des pilules. Et ça fait vivre les docteurs. Dans sa chambre, Tamareau parla de la chose à sa femme. C'était une grosse matrone qui, en marchant, avait toujours l'air de se balancer de droite à gauche et de gauche à droite, levant lentement un pied, puis l'autre, tellement elle était lourde. Et sa graisse était comme une cuirasse qui la protégeait contre les ennuis. On aurait dit que cela la rendait indifférente à tout; rien ne la troublait, ne l'excitait. La placidité même, mais aucune énergie. Molle comme la soupe. Son mari gagnait la vie et ce qu'il disait faisait loi. Sans jamais le contredire, elle acceptait tout ce qu'il proposait. Tamareau parlait: un jeune homme allait venir. Il y a un commencement à tout et une première visite peut être d'une grande importance. On ne sait jamais ce que ça peut produire.

La femme regardait son mari sans comprendre parfaitement. Elle demanda :

— Est-ce que tu voudrais les marier ?

— Je ne dis pas ça, mais c'est une chose qui peut arriver. Un changement de vie, ça pourrait peut-être la remettre. On sait jamais. Dans le moment, on peut rien dire. Quand deux jeunes gens ne se connaissent pas, ne se sont jamais rencontrés, c'est inutile de parler de mariage. Tout de même, j'aimerais amener Liose chez le docteur. Il pourrait lui donner quelque chose à prendre pour la secouer un peu.

— Tu feras bien comme tu voudras, mais je crois que tous les remèdes ne lui feront pas beaucoup d'effet.

— On peut toujours essayer.

Mais Tamareau avait son idée et le mercredi, après le souper, il sortit avec Liose et se rendit chez le médecin.

— J'aimerais bien que vous lui donniez quelque chose pour la stimuler un peu, dit-il au praticien.

L'homme de l'art dit :

— C'est cinq piastres. Puis il écrivit une prescription qu'il tendit au visiteur.

Ensuite, le père et la fille arrêtèrent à la pharmacie. De retour à la maison, Tamareau regardait la boîte et lisait la direction : À prendre après le repas.

— C'est pas que tu es malade, dit-il à Liose. Non, tu es faible. Ça, ça va te renforcer. Tu prendras une pilule demain après ton dîner. Je suis certain que ça va te faire beaucoup de bien.

Confiant de voir réussir son plan, le père se coucha ensuite et dormit profondément.

— N'oublie pas de venir ce soir, fit Tamareau à Pilon lorsque ce dernier fut sur le point de partir pour sa livraison de l'après-midi.

— Entendu.

À vrai dire, le jeune homme était plutôt intimidé et nullement enthousiaste lorsqu'il arriva chez ses nouveaux amis, mais madame Tamareau le mit vite à son aise. Elle était simple, naturelle, cordiale, et sut tout de suite gagner la confiance de Pilon. En dépit de la pilule qu'elle avait prise après son dîner, Liose n'était pas en train, ni bien bavarde, mais elle avait au moins la force de sourire et elle n'était pas sans posséder un certain charme. Ses traits étaient réguliers, ses yeux gris inspiraient la sympathie et ses cheveux châtains, qui ignoraient la permanente, lui donnaient un air différent des poupées que l'on rencontre partout. Madame Tamareau, qui avait la parole facile, raconta une foule de choses insignifiantes, mais elle sut quand même intéresser et faire rire le timide Pilon. Vers les dix heures, le jeune homme se retira.

— Venez donc prendre le souper avec nous dimanche, fit madame Tamareau au visiteur.

Pilon se trouva pris au piège. Chaque jeudi, il allait passer la veillée chez les Tamareau et le dimanche soir il prenait le repas avec eux. La femme était très aimable, très accueillante et le mari montrait une jovialité peu commune, un peu vulgaire. Par contre, la fille était sage et réservée, mais Pilon eût été intimidé si elle eût été trop enjouée. Avec les semaines, il prenait l'habitude de la maison et de la famille.

Madame Tamareau avait acheté un flacon de crème de beauté dont Liose se servait les jours où le commis devait venir. Coquetterie recommandée par les parents. Un jour, pendant que la mère et la fille lavaient la vaisselle après le souper, Tamareau entraîna Pilon au vivoir.

— Tu sais, tu devrais te marier, dit-il. Tu ne sais pas comme tu serais heureux.

— Ah ! mais j'ai pas d'argent, protesta Pilon. Je ne pourrais jamais m'acheter un ménage.

— Mais tu n'as pas besoin de ménage. Tu pourrais rester ici. Je vous prendrais en pension tous les deux et ça ne te coûterait pas cher. Puis, ajouta-t-il avec un clin d'œil significatif et avec un sourire prometteur, je tâcherais de te faire obtenir une augmentation de salaire.

Pilon était hésitant, indécis, mais Tamareau avait de la volonté pour deux. Il voulait marier sa fille et s'acheter une automobile. Aussi, il fallait se hâter parce que Liose allait s'affaiblissant davantage. Habilement, Tamareau redoublait d'instances, faisait reluire les agréments d'une existence familiale, une existence paisible, toute de bonheur. Finalement, il réussit à décider le jeune homme et le mariage fut fixé au milieu de mars.

Comme Pilon n'avait pas à chercher de logis ni à s'acheter de meubles, il ne se préoccupait de rien. À une date fixée, il devrait se marier. Cela était entendu. Lorsque cette heure serait arrivée, il se marierait. Tout simplement. Mais, en attendant, il laissait les choses suivre leur cours. Sans résistance aucune, il s'abandonnait à son destin. Vaguement, il comprenait qu'il obéissait à une volonté supérieure à la sienne, mais il ne connaissait que cela, obéir. Il était comme le nageur emporté par le courant rapide et qui ne fait aucun effort pour se sauver. Toute sa volonté, tout son jugement, il s'en servait sur le siège de sa voiture, au volant de son camion, pour les autres. Lorsqu'il s'agissait de lui-même, il était sans défense.

Si Pilon, résigné, laissait s'écouler les jours sans s'occuper d'aucun préparatif, il n'en était pas de même d'Isidore Tamareau, désireux de mener son entreprise à bonne fin et de s'acheter ensuite une automobile.

— Ce serait le temps de voir au trousseau, déclara-t-il un jour à sa femme. Si on veut que la chose se fasse, il faut commencer à se préparer. Ça sert à rien d'attendre. Maintenant, quand je dis un trousseau, je ne dis pas de faire des extravagances. Allez-y en douceur, modérément. Pas besoin de la mettre en satin blanc. Elle est déjà assez pâle. Prends quelque chose qui a du bon sens.

— Dis, toi, as-tu acheté le jonc ? demanda-t-il à Pilon le soir où l'on étala aux yeux des deux hommes la toilette choisie l'après-midi.

— Non, pas encore, s'excusa Pilon d'un ton fautif.

— Ben, c'est une chose importante. Allez-y demain tous les deux, toi et Liose. Tu viendras la prendre avec ton camion, en passant.

Les jours fuyaient. Tamareau avait grandement hâte de voir sa fille mariée car, en dépit des pilules et des massages à la crème de beauté, Liose présentait une triste apparence. La veille du grand jour il alla voir un médecin et le pria de venir à la maison le lendemain matin pour donner une piqûre à son enfant. Autrement, elle n'aurait peut-être pas la force de tenir pendant toute la cérémonie à l'église. Et Tamareau pensait aux cavales que son père, le rusé maquignon, dopait furieusement pour déjouer l'acheteur. Une fois Liose mariée, il s'achèterait une automobile et, comme tout le monde, il pourrait se promener le dimanche, et s'il y avait des funérailles à payer, ce serait Pilon qui paierait. C'est à cela qu'il rêvait, lui, Tamareau, la veille du mariage. Jamais il n'était allé nulle part. À la maison et au magasin, toujours. Et l'argent avait passé à payer des comptes de médecins, d'entrepreneurs de pompes funèbres et de services religieux à l'église. Misère ! Il n'avait pas été chanceux, mais maintenant, ça allait changer. Et pour ses vacances, il entrevoyait un beau voyage au bord de la mer avec sa femme. C'est ça qui serait agréable. C'est sur cette idée souriante qu'il s'endormit.

Lorsque le médecin mandé la veille arriva à la maison le lendemain matin et qu'il vit cette grande fille pâle, émaciée et le bras décharné dans lequel il devrait enfoncer la seringue, il regarda un moment la victime en silence, se disant que ces parents étaient ou inconscients ou inhumains et criminels et qu'ils auraient mieux fait de l'envoyer à l'hôpital que de la marier. Et il se rappelait un autre spectacle lamentable dont il avait été témoin. Celui d'une cousine presque mourante qui voulait à tout prix se faire religieuse et que l'on avait conduite à la chapelle dans une chaise roulante pour qu'elle prononce ses vœux. Ah ! il y en a des drames dans l'existence.

Une heure après avoir été dopée, Liose et Pilon étaient mari et femme, unis pour la vie par les liens sacrés du mariage.

De l'église, les invités se rendirent à la maison des parents de la mariée pour prendre un verre de vin et des gâteaux. Chauve, avec un gros nez rouge, huileux, et avec une seule dent, une longue canine jaunie qui pointait entre ses lèvres, l'oncle Adolphe, frère d'Isidore Tamareau, était le boute-en-train du groupe. Comme il aimait à jouer un tour, il versa discrètement une forte dose de cognac dans la coupe de Liose pour l'émoustiller. En lui-même, il trouvait cela très drôle et se disait que c'était une bonne farce. Après que l'on eût bu à la santé des nouveaux époux, tout le monde se rendit à la gare pour assister au départ de «l'heureux couple» qui partait en voyage de noces à Saint-Hyacinthe.

Dans la salle des pas perdus, il y avait une demi-douzaine d'autres couples mariés le matin qui s'apprêtaient aussi à partir. Chaque groupe était fort bruyant et très gai. Liose, qui se ressentait de la dose de cognac qu'elle avait prise, poussa soudain un cri perçant, aigu et, avec un rire hystérique, lança en l'air son bouquet de mariée. Les parents se précipitèrent pour le saisir, chacun s'emparant d'une rose ou d'un brin de muguet. L'oncle Adolphe empoigna alors sa nièce par un bras et avec l'aide de quatre ou cinq des invités l'envoya en l'air comme elle venait de faire de son bouquet. Naturellement, il fallait la berner; cela faisait partie du cérémonial. Projetée par des bras robustes, la frêle mariée, les jambes et les bras ballants, comme désarticulés, ainsi que ceux d'un pantin, s'éleva au-dessus de l'assemblée. En s'envoyant ainsi, sa robe remonta à la ceinture, révélant ses dessous. L'on aperçut ses maigres jambes de tuberculeuse et son pantalon rose. Deux autres fois encore, la mariée, au milieu des cris et des rires, fut projetée en l'air par l'oncle Adolphe et ses aides. Lorsqu'elle se retrouva sur ses pieds, elle était fort étourdie et dut s'appuyer sur l'épaule de son père pour ne pas s'écraser au plancher. Ensuite, ce fut au tour de Pilon. Comme il s'élevait dans l'espace, son portefeuille, ses billets de chemin de fer et quelques pièces de monnaie s'échappèrent de ses poches et s'éparpillèrent sur le parquet. En lui-même il ne goûtait pas fort le procédé, mais il se disait que c'était là le rite, la coutume, et il s'efforçait de sourire. Non, vraiment, ce n'était pas très amusant de se marier.

Le dispatcher appela alors les voyageurs pour Saint-Hyacinthe. Ce furent aussitôt de chaleureuses embrassades, puis le groupe entonna la chanson en vogue:

T'es ben chanceux, mon vieux,
Tu t'en vas et tu nous quittes.

Au milieu des confettis qui pleuvaient de tous côtés, les nouveaux mariés s'échappèrent en hâte pour aller prendre leurs places. Le train n'était parti depuis cinq minutes que Liose, énervée par le demi-verre de cognac, les piqûres, et trop secouée lorsqu'elle avait été bernée, perdit connaissance. Elle revint à elle en arrivant à destination. Sitôt dans sa chambre, à l'hôtel, Pilon dut faire venir le médecin. Le lendemain, elle était terriblement démolie, la nouvelle épousée. Pas belle du tout et si faible que c'était pitié de la voir. Alors, l'on décida de revenir en ville le jour même.

Tamareau, lui, était rayonnant. Il avait marié sa fille et il achèterait son auto.

Liose n'était plus qu'une loque. Elle se sentait si mal qu'elle dut garder le lit. On lui avait déclaré qu'elle prendrait du mieux, mais maintenant, elle commençait à comprendre que ses espoirs étaient des illusions. Avec découragement, elle songeait à ses sœurs parties si jeunes et elle réalisait qu'elle aurait le même sort. Dix jours après son mariage, elle entrait à l'hôpital. Elle y passa deux mois, mais tous les traitements furent vains et on la ramena chez ses parents où elle s'éteignit une semaine plus tard.

Pilon, qui avait déjà emprunté pour payer la pension au sanatorium, dut recourir aux usuriers pour le cercueil et le service religieux. Il est pris dans un terrible engrenage. Il n'en sortira peut-être jamais. Et, le dimanche matin, pendant qu'engoncé dans son habit de deuil acheté à crédit, il s'en va à la messe en songeant aux échéances qui arrivent si vite, aux lourds intérêts qu'il paie aux prêteurs juifs, monsieur Isidore Tamareau part d'un cœur léger avec sa femme dans leur auto neuve toute reluisante et se dirige vers les campagnes verdoyantes que traversent des rivières miroitantes au soleil. Ce sont d'honnêtes bourgeois qui prennent un peu de distraction après le travail de la semaine.

Albert Laberge, *La Fin du voyage*, © Édition Privée. 1942.

ALBERT LABERGE

Auteur d'un seul roman, qui fit scandale, Albert Laberge fut un nouvelliste et un fin conteur. Né à Beauharnois au Québec, en 1871, il travaille dans une étude d'avocats, puis comme rédacteur sportif au journal *La Presse*, avant de devenir membre de l'École littéraire de Montréal et de collaborer à la revue *Le Terroir*. En 1918, il publie *La Scouine*, un roman de mœurs qui choque par son esprit et son style naturalistes. Accusé de pornographie, il élabore dans la clandestinité la suite de son œuvre, composée de recueils de nouvelles qui sont tirés à un très petit nombre d'exemplaires hors commerce: *Quand chantait la cigale* (1936), *La Fin du voyage* (1942), *Le Dernier Souper* (1953). Ce n'est qu'après sa mort, à Montréal, en 1960, que l'on célébrera son œuvre, que l'on considère à l'origine d'un courant naturaliste en réaction contre la peinture idyllique du terroir.

Albert Laberge est avant tout un conteur. Ses contes et nouvelles sont tantôt des biographies condensées, tantôt des faits divers librement ordonnés, tantôt des tableaux. Dans *Le Destin des hommes* (1950), il explique son art d'écrire: «Le conte doit être une image, une représentation de la vie. Il ne doit toutefois pas en être une copie servile.»

En tout cas, mon histoire aurait commencé par «Il était une fois» et se serait terminée par «Vous ne trouvez pas ça triste ?».

À propos de ma rencontre avec la fille cent pour cent parfaite par un beau matin d'avril

Par une belle matinée d'avril, j'ai croisé la fille cent pour cent parfaite dans une ruelle passante du quartier de Harajuku. À franchement parler, elle n'était pas si jolie que ça. Elle n'attirait pas spécialement l'attention. Elle n'était pas habillée à la dernière mode. Sur la nuque, ses cheveux étaient encore tout froissés par le sommeil, et elle n'était même pas dans sa prime jeunesse. Elle devait avoir pas loin de trente ans. On ne pouvait plus l'appeler une «fille» à strictement parler, c'était presque une «dame». Et pourtant, cinquante mètres avant de la croiser, je savais déjà. Je savais qu'elle était la fille cent pour cent parfaite pour moi. Dès l'instant où j'ai aperçu sa silhouette, mon cœur s'est mis à vibrer comme s'il y avait un tremblement de terre, ma bouche s'est desséchée comme si elle était pleine de sable.

D'accord, chacun a son type de fille. Certains aiment les filles aux chevilles fines, d'autres les filles aux grands yeux, d'autres n'aiment que celles qui ont de jolies mains, d'autres encore, pour je ne sais quelle raison, celles qui mangent très lentement. Moi aussi, naturellement, j'ai des préférences. Au restaurant, par exemple, il m'arrive d'être fasciné par la forme du nez d'une fille assise à la table voisine.

Seulement, personne ne peut ranger la fille cent pour cent parfaite dans une catégorie. Je n'arrive absolument pas à me souvenir de la forme de son nez. Je ne sais même pas si elle avait un nez. Je me souviens seulement que ce n'était pas une beauté. Étrange.

J'ai dit à quelqu'un :

— Hier j'ai croisé la fille cent pour cent parfaite.

— Pfff, dis donc. Elle était belle ?

— Euh, pas tellement.

— C'était ton genre alors ?

— Je n'arrive pas à me souvenir. Je ne me rappelle pas la forme de ses yeux, ni si elle avait des gros ou des petits seins, je ne me rappelle rien.

— Bizarre, dis donc.

— Bizarre, hein ?

— Et alors ? a dit mon interlocuteur d'un air las. Tu as fait quelque chose, tu lui as parlé, tu l'as suivie ?

— Non, je l'ai juste croisée.

Elle marchait d'est en ouest, et moi d'ouest en est. C'était un agréable matin d'avril.

J'aurais aimé discuter avec elle, ne serait-ce qu'une demi-heure. Je lui aurais posé des questions sur elle, je lui aurais parlé de moi. Et puis surtout, j'aurais aimé lui parler des aléas du destin qui nous avait conduits à nous croiser dans une ruelle de Harajuku par un beau matin d'avril 1981. Au cœur de pareille rencontre palpitait sûrement un doux secret, une machinerie ancienne datant d'une époque où le monde vivait en paix.

Après avoir bavardé un moment, nous aurions déjeuné ensemble, puis nous serions allés voir un film de Woody Allen, ensuite nous aurions bu quelques cocktails au bar d'un hôtel. Avec un peu de chance, j'aurais peut-être même couché avec elle.

Diverses possibilités frappent à la porte de mon cœur.

Nous n'étions plus séparés que par une quinzaine de mètres.

Bon, de quelle façon allais-je l'aborder ?

— Bonjour, vous n'auriez pas une petite demi-heure à me consacrer, pour discuter ?

Ridicule. Ça fait représentant en assurances.

— Excusez-moi, vous ne connaîtriez pas une laverie automatique dans le coin ?

Presque aussi ridicule. Je ne portais même pas de sac de linge sale. Qui croirait à une telle plaisanterie ?

Il valait peut-être mieux y aller franco de jeu :

— Bonjour. Vous êtes la fille cent pour cent parfaite pour moi.

Non, ça ne marcherait pas. Elle ne me croirait pas. Et même si elle me croyait, elle n'aurait peut-être pas envie de parler avec moi. Elle me répondrait : je suis peut-être la fille cent pour cent parfaite pour vous, mais vous, vous n'êtes pas le garçon cent pour cent parfait pour moi, désolée. Ça avait pas mal de chances d'arriver, ça. Et si elle me répondait une chose pareille, je crois bien que j'aurais été totalement décontenancé. Je ne me serais jamais relevé du choc. J'ai trente-deux ans, ça doit être ça, vieillir.

Nous nous sommes croisés à hauteur d'un magasin de fleurs. J'ai senti une petite masse d'air tiède effleurer ma peau. L'asphalte du trottoir était fraîchement aspergé d'eau, il y avait un parfum de roses. Impossible de lui adresser la parole. Elle portait un pull blanc et tenait dans la main gauche une enveloppe blanche pas encore timbrée. Elle avait écrit une lettre à quelqu'un. Comme elle avait l'air terriblement ensommeillé, je me suis dit qu'elle avait peut-être passé la nuit à l'écrire, cette lettre. Peut-être que cette enveloppe blanche contenait tous ses secrets.

Je me suis retourné au bout de quelques pas, elle avait déjà disparu dans la foule.

◻

Maintenant, évidemment, je sais bien ce que j'aurais dû lui dire pour l'aborder. Mais comme de toute façon ça aurait fait un trop long discours, je n'aurais sans doute pas pu tout lui dire. Mes idées manquent toujours de réalisme.

En tout cas, mon histoire aurait commencé par «Il était une fois» et se serait terminée par «Vous ne trouvez pas ça triste ?».

◻

Il était une fois, dans un certain pays, un jeune homme de dix-huit ans et une jeune fille de seize ans. Il n'était pas spécialement beau, et elle non plus. C'étaient juste deux jeunes gens solitaires comme il y en a tant. Mais chacun d'eux était persuadé qu'existaient quelque part, elle le jeune homme, lui la jeune fille cent pour cent parfaits qui leur étaient destinés. Ils croyaient aux miracles, et le miracle advint.

Étude pour La Ville, 1919. Fernand Léger

Un jour tous deux se rencontrèrent au coin d'une rue.

— Ah, quelle surprise ! Ça fait longtemps que je te cherchais ! Tu ne me croiras peut-être pas, mais tu es la fille cent pour cent parfaite pour moi, dit le jeune homme à la jeune fille.

Et la jeune fille répondit :

— Et toi le garçon cent pour cent parfait pour moi, tu es exactement tel que je t'avais imaginé, j'ai l'impression de vivre un rêve.

Tous deux s'assirent sur un banc dans un parc, se prirent par la main et se mirent à parler, parler sans se lasser. Ils n'étaient plus seuls au monde. Ils avaient trouvé leur moitié cent pour cent parfaite. C'était vraiment merveilleux. Un miracle cosmique.

Mais un doute, un léger doute, traversa leur cœur à tous deux. Ils se demandèrent si un rêve pouvait se réaliser si facilement. Le jeune homme profita d'une pause dans leur conversation pour proposer ceci :

— Mettons-nous à l'épreuve. Si nous sommes vraiment cent pour cent parfaits l'un pour l'autre, un jour, quelque part, nous nous rencontrerons à nouveau et nous saurons que nous sommes vraiment faits l'un pour l'autre. Alors nous nous marierons aussitôt. D'accord ?

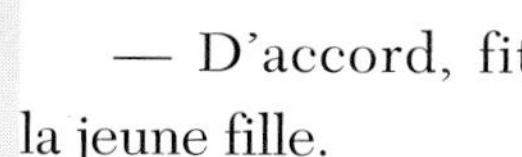

— D'accord, fit la jeune fille.

Et ils se séparèrent. L'un partit vers l'est, l'autre vers l'ouest.

Cette épreuve, cependant, était absolument inutile. Ils n'auraient jamais dû l'entreprendre, car ils étaient vraiment cent pour cent parfaits l'un pour l'autre, et leur rencontre avait été un vrai miracle. Mais ils étaient trop jeunes pour le comprendre, et les vagues indifférentes du destin les ballottèrent à leur gré.

Un hiver, chacun de leur côté, ils furent victimes d'une vilaine grippe qui courait et passèrent plusieurs semaines entre la vie et la mort, à l'issue desquelles ils guérirent. Mais ils avaient perdu tous leurs souvenirs du passé. Quelle étrange chose ! Quand ils se réveillèrent leur tête était aussi vide que le compte d'épargne de D. H. Lawrence dans sa jeunesse. Mais c'étaient des jeunes gens vraiment patients et courageux, et grâce à leurs efforts ils parvinrent à retrouver la connaissance et les sentiments qui leur permirent de reprendre leur place au sein de la société. Ah, Seigneur, c'étaient vraiment des jeunes gens bien méritants ! Ils arrivaient de nouveau à prendre le métro et à changer de ligne, à envoyer une lettre en express, et ils firent même l'expérience d'amours parfaits à soixante-quinze, parfois même quatre-vingt-cinq pour cent.

Le jeune homme parvint ainsi à l'âge de trente-deux ans, la jeune fille à celui de vingt-huit. Le temps passait avec une étonnante rapidité. Et puis, un jour, par un beau matin d'avril, le jeune homme traversa d'est en ouest une ruelle de Harajuku, pour aller boire un café matinal, et la jeune fille emprunta le même chemin, mais d'ouest en est, pour aller mettre une lettre urgente à la poste. Ils se croisèrent en pleine rue. Leurs souvenirs perdus répandirent une légère lueur dans leurs cœurs, leur poitrine palpita. Et ils surent.

Il sut qu'elle était la fille cent pour cent parfaite pour lui, elle sut qu'il était le garçon cent pour cent parfait pour elle.

Mais la lumière dans leur cœur brillait trop faiblement, leurs pensées n'étaient pas aussi claires que quatorze ans plus tôt. Ils se croisèrent sans un mot et disparurent dans la foule, chacun de leur côté. À jamais.

Vous ne trouvez pas cette histoire triste ?

□

Voilà ce que j'aurais dû lui dire.

Haruki Murakami, *L'Éléphant s'évapore*,

HARUKI MURAKAMI

Né à Kôbe au Japon, en 1949, Haruki Murakami est reconnu comme l'une des figures littéraires les plus marquantes de sa génération. Il étudie la tragédie grecque à l'université, puis il dirige un bar de jazz à Tōkyō, avant de se consacrer totalement à l'écriture. Il est l'auteur de plusieurs romans, dont *Danse, danse, danse* (1995) et *La Ballade de l'impossible* (1994), ainsi que d'un recueil de nouvelles, *L'Éléphant s'évapore* (1998).

Les fables occidentalisées de Murakami dépeignent un Japon contemporain, plutôt urbain, peuplé de personnages qui écoutent la musique des Rolling Stones, mangent des spaghettis et aiment les films de Woody Allen.

Que dire ensuite ? Je t'aime, t'aime t'aime…

Poldi

Hans n'était plus très loin de l'hôtel quand une pluie glaciale se mit à tomber, brouillant l'éclat des lumières qui venaient juste de s'allumer le long de Broadway. Il fixa de ses yeux pâles une enseigne où il lut: COLTON ARMS, glissa la partition sous son manteau et se mit à courir. En pénétrant dans le hall décoré de marbre crasseux, il haletait à en avoir mal et la partition était toute froissée.

Il fit un vague sourire au visage qui lui faisait face.

— Troisième étage – pour cette fois.

Les sentiments que le garçon d'ascenseur portait aux clients permanents de l'hôtel étaient très faciles à connaître. Lorsqu'il avait un certain respect pour la personne qu'il faisait monter, il lui tenait la porte un moment avec un sourire obséquieux. Si Hans n'avait pas fait un petit bond rapide, la porte lui aurait mordu les talons.

Poldi…

Il s'arrêta en hésitant. Du fond du couloir mal éclairé venait le son d'un violoncelle – jouant une suite de phrases descendantes, cascadant comme une poignée de billes dans un escalier. Il se dirigea vers la pièce d'où venait la musique, et s'immobilisa un long moment devant la porte. Une pancarte à l'écriture maladroite y était fixée par une punaise.

POLDI KLEIN
NE PAS DÉRANGER PENDANT LES EXERCICES

La première fois qu'il avait vu cette pancarte, il s'en souvenait, il manquait un *s* à *exercices*.

La température était très basse. L'humidité sortait des plis de son manteau en petites bouffées de froid. Se blottir contre le radiateur à peine tiède, près de la fenêtre du fond, ne lui apporta aucun soulagement.

Poldi… Je t'ai attendu si longtemps. Si souvent j'ai marché dans les rues, pour te laisser finir tes exercices, en cherchant les mots que je voulais te dire. Que c'était beau, *mein Gott* !… Comme un poème, comme une petite mélodie de Schumann. Ça commençait ainsi : Poldi…

Sa main glissait le long du métal rouillé. Elle était chaude ; toujours. Et s'il l'étreignait, ce serait au point de s'en mordre la langue jusqu'au sang.

— Hans, tu sais parfaitement que les autres ne représentent rien pour moi. Joseph, Nicolas, Harry – tous ces garçons que j'ai rencontrés. Et ce Kurt (*trois fois seulement, elle ne pouvait quand même pas…*) dont je t'ai parlé la semaine dernière. Absolument rien, du vent !

Il s'aperçut que ses mains froissaient la partition. Il regarda la couverture violemment colorée. Elle était humide, la couleur s'effaçait, mais à l'intérieur la partition était intacte. Mauvaise qualité. Quelle importance ?

Il fit les cent pas dans le couloir, en grattant les boutons qu'il avait sur le front. Le violoncelle fit monter un arpège incertain. Ce concerto – celui de Castelnuovo-Tedesco… Combien de temps allait-elle poursuivre ses exercices ? Il s'arrêta devant la porte, tendit la main vers la poignée. Non. Il était entré, une fois, et elle l'avait regardé… Elle l'avait regardé et lui avait dit…

La musique dansait dans sa tête et lui procurait une sorte d'ivresse. Il remuait nerveusement les doigts, comme s'il voulait transcrire au piano la partition d'orchestre. Elle devait être penchée en avant, ses doigts glissant le long des cordes.

La lumière qui venait de la fenêtre était trop faible pour percer la pénombre du couloir. Il s'agenouilla brusquement, fixa son œil à la serrure.

Juste le mur et l'angle. Elle doit être assise près de la fenêtre. Juste le mur et sa collection de photographies (Casals, Piatigorski, un type de sa ville natale qu'elle aimait beaucoup, Heifetz), mêlées à des cartes de Noël et de la Saint-Valentin. Tout près de lui, un tableau baptisé *L'Aube* (une dame aux pieds nus, tenant une rose) et le chapeau en papier rose tout défraîchi qu'elle avait gagné au 1er janvier, l'année précédente.

La musique s'enfla jusqu'au crescendo et s'acheva par quelques coups d'archet rapides. *Ach !* la dernière note… un quart de ton trop bas. Poldi…

Il se releva rapidement et frappa à la porte avant qu'elle n'attaque l'exercice suivant.

— Qui est là ?

— Moi… Han… Hans.

— Bon. Tu peux entrer.

Elle était assise près de la fenêtre de la cour, dans la faible clarté du crépuscule. Ses jambes largement ouvertes serraient son violoncelle. Elle leva très haut les sourcils, avec l'air d'attendre quelque chose, et laissa tomber son archet.

Il regardait obstinément les gouttes de pluie contre la vitre.

— J'étais juste venu t'apporter la nouvelle rengaine qu'on va jouer ce soir. Celle dont tu nous as parlé.

Elle rajusta sa jupe, qui était retroussée jusqu'au revers de ses bas. Hans ne put s'empêcher de suivre son geste. Elle avait les mollets saillants, une maille filait à l'un de ses bas. Il sentit que les boutons de son front s'empourpraient et préféra revenir aux gouttes de pluie.

Jeune fille assise
1910 Egon Schiele

— Tu m'as entendue travailler ?

— Oui.

— Dis-moi, Hans, as-tu senti toute la spiritualité ? Que la musique t'emporte vers les cimes ?

Elle était congestionnée. Une goutte de transpiration se faufila jusqu'au petit sillon qui lui partageait les seins, et disparut dans son corsage.

— Euh... oui.

— J'ai eu cette impression, moi aussi. Je crois que mon jeu s'est beaucoup approfondi ce dernier mois.

Elle eut un vaste haussement d'épaules.

— C'est la vie qui m'a apporté ça. Ça se produit chaque fois qu'une chose pareille m'arrive. C'était différent autrefois. Tu ne joues bien que si tu as souffert.

— C'est ce qu'on prétend.

Elle le regarda un long moment, espérant une approbation un peu plus chaleureuse, puis pinça les lèvres avec agacement.

— Cet animal de violoncelle me rend folle ! Tu sais, ce truc de Fauré, en *mi* bémol, cette note qui revient sans arrêt, et qui me donne envie de me soûler... Je suis affolée par ce *mi* bémol – c'est un véritable supplice.

— Tu ne peux pas le donner à réparer ?

— Évidemment – mais ça n'arrangera rien : le prochain truc que je vais travailler sera sûrement dans le même ton. Et puis, ça coûtera de l'argent, il faudra que je leur laisse mon violoncelle pendant quelques jours, et je jouerai avec quoi, pendant ce temps ?

Quand il aurait de l'argent, elle pourrait faire...

— C'est un véritable scandale ! Quand je pense qu'il y a des gens qui jouent comme leurs pieds, qui s'offrent des violoncelles de premier ordre, et moi, je ne peux même pas en avoir un convenable. Je devrais refuser de jouer sur une pareille camelote. Ça gâte mon jeu. Tout le monde te le dira. Comment veux-tu que je tire une seule note de cette cloche à fromage ?

Quelques notes d'une sonate qu'il était en train de travailler allaient et venaient dans sa tête.

— Poldi...

Que dire ensuite ? *Je t'aime t'aime t'aime...*

— D'ailleurs, à quoi bon m'en faire – avec le boulot minable que nous avons...

Elle se leva avec un grand geste dramatique et alla poser son instrument dans un coin de la chambre. Quand elle alluma la lampe, un cercle de lumière éclatante cerna d'ombres les courbes de son corps.

— Si tu savais, Hans ! Je suis tellement énervée que j'en hurlerais !

La pluie éclaboussait les vitres. Il se gratta le front et la regarda faire les cent pas. Quand elle s'aperçut qu'un de ses bas avait filé, elle eut un petit sifflement de fureur, cracha sur le bout de son index et se pencha pour coller ce point de salive à la dernière maille.

— Personne n'a autant de problèmes de bas qu'une violoncelliste. Et pour quel résultat ? Vivre dans une chambre d'hôtel, et gagner cinq dollars par soirée en jouant pendant trois heures de la musique de bastringue. Chaque mois deux paires de bas neufs. Le soir, je me contente de rincer le pied, le haut file quand même.

Elle décrocha une paire de bas pendus à côté d'un soutien-gorge, et les enfila après avoir enlevé les autres. Ses jambes étaient très blanches, piquetées de poils noirs. Des veines bleues lui entouraient les genoux.

— Excuse-moi... Ça ne te gêne pas, j'espère ? Pour moi, tu es comme un petit frère. Et on va se faire virer ce soir, si je joue avec des bas pareils.

Il était debout devant la fenêtre, et regardait la pluie brouiller le mur de l'immeuble voisin. Sur le rebord de la fenêtre qui lui faisait face, il y avait une bouteille de lait et un tube de mayonnaise. En dessous, quelqu'un avait mis des vêtements à sécher, mais avait oublié de les rentrer. Ils claquaient tristement dans le vent et la pluie. Un petit frère... Seigneur !

— Et les robes ! reprit-elle, excédée. Les coutures qui craquent sans arrêt parce que tu as les genoux écartés. Sur ce plan-là, heureusement, ça va mieux. Je te connaissais quand tout le monde portait des jupes ultracourtes ? C'était terrible de vouloir suivre la mode sans être indécente en jouant. Je te connaissais ou pas ?

— Non, répondit Hans. Il y a deux ans, les jupes étaient à peu près comme aujourd'hui.

— C'est vrai. Ça fait deux ans qu'on s'est rencontrés.

— Après le concert. Tu étais avec Harry et...

— Hans !

Elle se pencha et le regarda avec intensité. Elle était si proche de lui qu'il pouvait sentir son odeur.

— J'ai été comme folle, toute la journée. À cause de lui.

— Qu... Qui ?

— Tu le sais parfaitement. Lui. Kurt ! Oh ! Hans, il m'aime, tu crois ?

— Poldi, mais... Tu l'as vu combien de fois ? Vous vous connaissez à peine.

Il lui avait tourné le dos, chez les Levin, quand elle lui avait fait des compliments sur son jeu et...

— Que je l'aie vu trois fois seulement, ça n'est pas ce qui compte. Je devrais être inquiète. Mais son regard, la façon dont il parlait de mon jeu... Quelle âme noble ! Ça s'entend dans sa musique. As-tu déjà entendu quelqu'un jouer la sonate funèbre de Beethoven comme il l'a jouée ce soir-là ?

— C'était bien.

— Il a dit à Mrs. Levin que mon jeu laissait deviner un tel tempérament...

Il aurait voulu la regarder. Ses yeux pâles restaient fixés sur la pluie.

— Il est tellement *gemütlich. Ein Edel Mensch !* Qu'est-ce que je dois faire ? Hans, réponds !

— Je ne sais pas.

— Ne prends pas cet air sinistre. Qu'est-ce que tu ferais ?

Il essaya de sourire.

— As-tu... As-tu des nouvelles de lui ?... A-t-il téléphoné ou écrit ?

— Non. Mais je suis sûre que c'est par délicatesse. Il a peur que je sois choquée, ou que je le repousse.

— Ne doit-il pas épouser la fille de Mrs. Levin au printemps prochain ?

— Si. Mais c'est une erreur. Que peut-il attendre d'une pareille dinde ?

— Mais, Poldi...

Elle leva les bras pour aplatir ses cheveux contre sa nuque. Sa vaste poitrine se trouva projetée en avant. On devinait les muscles de ses bras à travers la soie du corsage.

— Le soir de son concert, tu sais, j'avais l'impression qu'il ne jouait que pour moi. Il me regardait dans les yeux chaque fois qu'il saluait. C'est pour ça qu'il n'a pas répondu à ma lettre. Il a tellement peur de me blesser. Il demande à la musique de parler à sa place.

Hans avala sa salive, et sa pomme d'Adam monta et descendit le long de son cou délicat.

— Tu lui as écrit ?

— J'ai été obligée de le faire. Une artiste ne peut pas maîtriser la violence des sentiments qui la bouleversent.

— Tu lui as écrit quoi ?

— Je lui ai dit à quel point je l'aimais. Ça fait dix jours – une semaine après que je l'ai eu rencontré chez les Levin.

— Et tu n'as pas de nouvelles ?

— Non. Mais tu ne comprends pas ce qu'il ressent ? J'étais tellement sûre qu'il ne répondrait pas que je lui ai envoyé un autre petit mot avant-hier pour lui dire de ne pas s'inquiéter – que je serais toujours la même.

D'une main hésitante, Hans arrangea la raie de ses cheveux.

— Mais, Poldi, il y en a eu tellement d'autres... depuis que je te connais.

Il se leva, posa un doigt sur la photographie qui était à côté de celle de Casals. Le visage lui souriait. Des lèvres épaisses, surmontées d'une moustache noire. Une petite marque rouge à la base du cou. Deux ans plus tôt, Poldi lui avait fait remarquer cette marque elle-même, en lui expliquant que c'était là qu'il appuyait son violon, que c'était toujours irrité, qu'elle avait l'habitude d'y passer le doigt doucement. Elle appelait ça la lèpre du violoniste. Pour aller plus vite, ils disaient entre eux: la *violonite*. Hans regardait fixement la marque. Elle se voyait à peine. Il se demandait si elle était vraiment sur la photographie ou si ce n'était que l'usure du temps.

Le regard sombre et perçant était fixé sur lui. Il sentit ses genoux lui manquer. Il s'assit de nouveau.

— Réponds, Hans. Il m'aime ? Qu'est-ce que tu crois ? Tu crois vraiment qu'il m'aime et qu'il attend le moment favorable pour me répondre ? Qu'est-ce que tu crois ?

Un léger brouillard semblait s'être infiltré dans la pièce.

— Oui, répondit-il très lentement.

Elle changea de visage.

— Hans !

Il se pencha en avant. Il tremblait.

— Hans... Tu as l'air tellement bizarre... Ton nez remue, tes lèvres tremblent, on dirait que tu vas pleurer. Est-ce que...

Poldi...

Elle se mit à rire bruyamment.

— Tu ressembles à un drôle de petit chat qui appartenait à mon père !

Il se tourna rapidement vers la fenêtre pour qu'elle ne voie pas son visage. La pluie coulait toujours contre la vitre argentée, semi-opaque. Les lampes de l'immeuble voisin étaient allumées. Elles brillaient doucement dans le crépuscule gris. *Ach !* Hans se mordit les lèvres. Derrière l'une des fenêtres, on apercevait une ombre – l'ombre d'une femme: Poldi dans les bras d'un homme très grand aux cheveux très noirs. Et sur le rebord de la fenêtre, entre la bouteille de lait et le tube de mayonnaise, il y avait un drôle de petit chat jaune, sous la pluie, qui regardait à l'intérieur. De ses longs doigts osseux, Hans se frotta doucement les paupières.

Carson McCullers, *Le Cœur hypothéqué*,
© Éditions Stock, 1971.

CARSON MCCULLERS

Malgré la maladie, l'alcool et l'instabilité affective, Carson McCullers a produit une œuvre poétique et extrêmement touchante. Née dans le sud des États-Unis, en 1917, elle est célèbre à vingt-trois ans avec son premier roman, *Le Cœur est un chasseur solitaire* (1940). Suivront *Reflets dans un œil d'or* (1941), *Frankie Addams* (1946), *L'Horloge sans aiguilles* (1961), ainsi que de nombreuses nouvelles, dont la fameuse *Ballade du café triste* (1951). Devenue presque invalide, elle meurt en 1967 dans l'État de New York.

«Je n'écris pas pour gagner ma vie, mais pour gagner mon âme», a dit Carson McCullers. Voilà peut-être pourquoi, du sourd-muet du *Cœur est un chasseur solitaire* au Noir aux yeux bleus de *L'Horloge sans aiguilles,* ses personnages sont tous des marginaux en quête de quelque chose qui les dépasse et ont tous la nostalgie d'un bonheur qu'ils n'ont jamais connu.

Depuis que je sais qu'il va mourir, je me demande comment lui dire que je l'aime.

À cinq ans, mon frère m'a dit je t'aime

Onze août 1959. Mon frère a appris aujourd'hui, de la bouche de son médecin, qu'il ne vivra pas vieux. Le docteur a averti ma mère cet après-midi: «Avec les problèmes respiratoires qu'il a, ça m'étonnerait qu'il passe le cap des vingt et un ans. Il a déjà le cœur d'un vieillard. Tenez, prenez cette prescription. Ne vous étonnez pas quand on vous donnera des cigarettes à la pharmacie. C'est la dernière trouvaille pour les asthmatiques! Ça vient de Russie». Depuis une heure, je fais la même chose que mon frère. J'écris à côté de lui sans dire un mot. Il m'a laissée m'asseoir à sa table de travail. Habituellement, il ne m'accepte jamais dans sa chambre. Mon frère a seize ans. Moi, j'en ai cinq. Je regarde mon frère écrire ses poèmes en tirant sur sa cigarette russe et je fais comme lui. Je dessine de petites vagues d'un bout à l'autre d'une ligne et je recommence sur l'autre ligne sans m'arrêter. Ça fait une heure qu'on est dans sa chambre. Je voudrais lui dire que je l'aime. J'ai entendu ces mots-là chez les Vanier, cet après-midi. Je n'avais encore jamais vu ça de près des adultes qui s'embrassaient, encore moins qui disaient qu'ils s'aimaient. C'est monsieur Vanier qui a dit ça à madame Vanier en la prenant par la taille. Moi, j'attendais leurs enfants debout près de la porte de la cuisine. Monsieur Vanier venait de terminer la vaisselle. Il s'est retourné au moment où madame Vanier passait près de lui pour répondre au téléphone. Il l'a arrêtée, a passé son bras autour de la taille de madame Vanier et lui a dit je t'aime avec un grand sourire puis il l'a embrassée pendant que le téléphone continuait de sonner. Hubert est descendu en courant suivi de Jeanne. Hubert, il a douze ans. Jeanne, elle est en première année. C'est Hubert qui a répondu.

— Monsieur ou madame Vanier ? Ils sont en train de faire l'amour. Voulez-vous rappeler plus tard ?

Les Vanier, ce sont nos nouveaux voisins depuis un mois. Mes parents les trouvent bizarres.

□

Je regarde mon frère écrire. Je le trouve beau, surtout quand il a ses pantalons noirs et sa chemise blanche comme maintenant. Quand il sort, il met toujours un chapeau mou que mon grand-père lui a donné en cadeau pour ses quinze ans. Je me demande comment attirer son attention.

— Est-ce que je peux prendre une cigarette ?

Mon frère s'arrête un instant, me regarde comme s'il me voyait pour la première fois. Il pousse le paquet vers moi. J'en prends une. Il frotte une allumette. Je tire ma première bouffée sans m'étouffer. Il se remet à écrire en continuant de m'ignorer. Il croit peut-être que je ne comprends pas ce que ça veut dire, la mort. Mais je sais ce que c'est. J'ai passé très près, la fin de semaine dernière, au chalet des Vanier, mais je l'ai raconté à personne. C'était un secret entre moi, Jeanne et Hubert qui a voulu me montrer comment faire du canot. Jeanne avait décidé de nous suivre de la rive. Quand je me suis retrouvée à l'avant du canot avec ma rame, je me sentais très fière. J'étais jamais allée sur l'eau, jamais allée dans le bois. Mon frère et moi, on vit dans une banlieue pas loin de la grande ville où je ne suis jamais allée non plus. Mes parents voyagent pas beaucoup. Je découvrais la nature en pagayant sur la rivière du Loup. Soudain, j'ai entendu un Hubert très méchant me crier :

— Envoye ! Force pas du nez maintenant. Rame !

Je me suis retournée d'un coup pour le traiter d'épais mais le canot a basculé à droite puis à gauche. J'ai eu peur. Il y avait beaucoup plus d'eau que tantôt. Sous le canot, j'ai senti la rivière s'énerver.

— Regarde en avant, rame des deux bords, faut que tu fasses le balan. Sers-toi de ta rame pour éloigner le canot des roches. Envoye, force pas des oreilles !

Au moment où je me suis retournée, j'ai reçu un gros paquet d'eau en pleine poitrine. Ça s'est corsé quand je me suis levée dans le canot pour frapper Hubert avec ma rame.

— Heille, assis-toi ! Tu vas nous faire chavirer !

J'ai entendu Jeanne crier quelque chose puis je suis tombée dans un tourbillon de bulles. L'eau glacée est tout de suite rentrée dans ma bouche, dans mes oreilles, dans mon nez. La rivière était comme une main qui me tirait par mon nombril à toute vitesse et la minute après me poussait dans les reins. J'ai senti une brûlure sur une de mes jambes, je me suis retrouvée à genoux sur un fond rocheux, j'ai essayé de me relever mais j'ai été poussé à nouveau jusqu'à une grosse roche ronde que j'ai attrapée à la dernière minute et que j'ai entourée de mes bras. Mes pieds ne touchaient plus le fond. J'ai craché sur la roche pendant que l'eau tonnait et que mille chevaux passaient tout près de moi. J'ai grimpé un peu plus haut. Le soleil tapait dans mes cils mouillés. Je ne voyais rien. J'ai senti des piqûres de moustiques sur les bras. Je me suis ramenée plus profondément dans l'eau et je me suis tordu le cou pour voir de l'autre côté. Il n'y avait plus ni canot, ni Hubert, ni Jeanne. J'étais seule. Les moustiques ont commencé à attaquer mes oreilles. Je ne sentais plus mes doigts et mes bras. C'est là que j'ai entendu la voix de ma mère survoler la cime des arbres. Elle est arrivée sous la forme d'un faucon, s'est posée sur la plus haute branche d'une épinette et a sorti cette phrase que j'entends toujours : «Je te l'avais dit !» puis j'ai vu ma mère s'envoler au-dessus de moi en

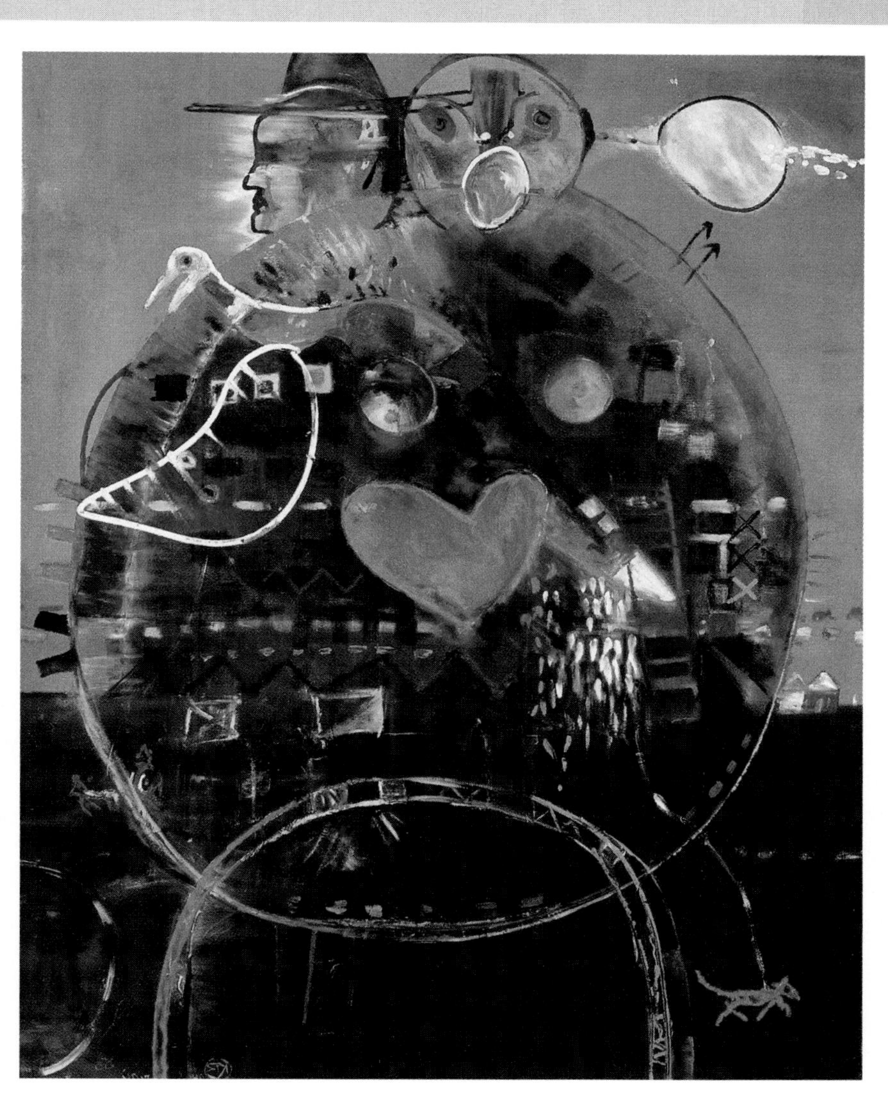

Emmanuel la bomba
1980 Kittie Bruneau

lançant une dernière fois sa phrase: Je te l'avais dit, et je me suis mise à pleurer toute l'eau que j'avais avalée. Soudain, j'ai réalisé que je pouvais mourir. Quand Jeanne et Hubert sont réapparus sur la rive avec une immense branche d'arbre, mes bras et mes mains étaient sur le point de se séparer de la roche sans que je le veuille.

Je fume à côté de mon frère en faisant des vagues sur ma feuille. Depuis que je sais qu'il va mourir, je me demande comment lui dire que je l'aime. On a jamais utilisé ces mots-là chez nous. J'écrase ma cigarette et je me tourne vers lui. Il est toujours penché sur sa feuille. Je le trouve beau quand il laisse sa chemise blanche déboutonnée. Mon frère boutonne jamais ses chemises. Il étouffe. Je lui ai pas parlé de mon week-end chez les Vanier. On ne se parle pas dans la famille.

— Moi pis le grand Vanier, on a presque fait l'amour. On s'est approchés, proche, proche, mais on l'a pas fait.

— Tu sais même pas ce que c'est.

— Oui, je le sais. J'ai vu les parents d'Hubert et de Jeanne Vanier le faire.

Mon frère me regarde avec un sourire moqueur. Mon frère sourit jamais.

— Ah oui ! Ils ont fait ça comment ?

— Lève-toi, je vais te montrer.

Je grimpe sur ma chaise. Mon frère est debout face à moi.

— Passe ton bras autour de ma taille.

Il ne bouge pas. Je prends son bras et le pose sur mes reins. Ma mère crie que le souper est prêt.

— Maintenant, dis je t'aime !

Mon frère me regarde longtemps. Son visage change d'expression, devient dur. C'est son visage habituel. Ses sourcils ont toujours été froncés. Il est né avec les sourcils froncés comme s'il était pas content d'arriver au monde, a déjà dit mon père. Je lui annonce:

— Quand j'aurai vingt et un ans, je veux me marier avec toi.

Mon frère ne bouge pas. Sa lèvre inférieure se met à trembler. Ma mère crie d'une voix impatiente que le souper va être froid.

— Quand t'auras vingt et un ans, je...

Mon frère met ses deux bras autour de ma taille. Je pose mes lèvres sur les siennes en continuant de le regarder. Ma mère entre.

— Voyons, c'est quoi ces niaiseries-là ?

— On est en train de faire l'amour, t'as pas le droit de nous déranger.

Ma mère claque la porte en criant quelque chose à mon père qui vient juste de rentrer. J'embrasse mon frère en fermant les yeux maintenant. Je sens les larmes de mon frère couler sur mes lèvres.

□

Quand j'aurai vingt et un ans, j'aurai connu la mort de près, j'aurai déjà fait l'amour depuis longtemps et j'aurai enterré mon premier amant.

11 août 1959. Mon frère m'a dit je t'aime sur ma bouche.

Lise Vaillancourt, © *Le Devoir*, 2 et 3 août 1997.

L I S E V A I L L A N C O U R T

Née à Longueuil en 1954, Lise Vaillancourt est l'une des voix originales de sa génération. Elle est l'auteure d'une dizaine de pièces de théâtre, dont *Marie-Antoine, opus 1* (1988), *Billy Strauss* (1991) et *Balade pour Fannie et Carcassonne* (1995), une pièce pour enfants qui a connu un grand succès. Elle a également publié deux romans: *Le Journal d'une obsédée* (1989) et *L'Été des eiders* (1996), qui l'a promue finaliste pour le prix du Gouverneur général.

Les textes de Lise Vaillancourt témoignent d'un imaginaire très personnel, où la gravité se mêle à la fantaisie et où la conscience n'est pas dénuée d'humour. Femme de théâtre, elle sait jouer avec intensité de la vérité des émotions humaines.

J'ai tellement hâte que J. revienne de voyage...

J'ai tellement hâte que J. revienne de voyage...

Une virgule comme bouclier

Même si l'affliction, ou un deuil peut-être, l'attend ici à la maison, comme j'ai hâte que J. revienne de voyage, bien que je comprenne tout à fait qu'elle doive, une ou deux fois par année, aller secouer la relative apathie de ses éditeurs à l'étranger, je l'imagine, si pâle et si maigre, assise devant un bureau de chêne massif, fumant plus encore que de coutume, écoutant, comme à chaque fois depuis dix ans, les mêmes lieux communs sur l'essoufflement du marché et le marasme des milieux d'édition, n'ayant dans sa poche que les humbles arguments de son travail opiniâtre, extorqué au silence chaque matin avant l'aube, comme j'ai hâte qu'elle revienne, elle me rapportera des cartes postales et des photos, elle revient chaque fois bouleversée, la misère s'étale avec plus d'impudence là-bas qu'ici, je sais que c'est l'impuissance surtout qui la mine, elle se désole toujours de ne pas pouvoir agir sur toute cette détresse, j'essaierai de lui dire, comme chaque fois, que je suis là, qu'elle s'occupe de moi et que ce n'est pas rien, je lui rappellerai la toute première fois où nous nous sommes rencontrées, c'était un onze janvier il y a seize ans maintenant, je n'avais que six ans, j'était en classe, sa mère m'enseignait à parler et à lire, ce n'était jamais facile parce que les arriérés et les mongoliens nous dérangeaient sans cesse, mais la mère de J. avait saisi que j'étais intelligente, que si je ne m'étais pas développée intellectuellement et physiquement c'était parce qu'on m'avait attachée dans mon lit d'hôpital depuis ma naissance, la mère de J. m'avait tout de même montré à parler et surtout à lire, et j'avais beau n'avoir que six ans, jusque-là je n'avais voulu que mourir, jusque-là je n'avais rien connu du simple plaisir de vivre, que l'infinie douleur de vivre, dans ma tête d'enfant je ne comprenais pas pourquoi les médecins avaient tenu à me réchapper, moi, un bébé né sans œsophage, pourquoi ne m'avaient-ils pas laissé crever, pourquoi avaient-ils cherché à me construire un œsophage artificiel, pourquoi m'avaient-ils soumise en six ans à plus de quarante interventions chirurgicales pour enfin découvrir qu'un bout de mon intestin grêle pouvait relier ma gorge à mon estomac, tant bien que mal, que mal, avant que la mère de J. me montre à lire je n'avais aucune raison de vivre, que la douleur de vivre, et puis, un onze janvier, J. était venue voir sa mère pendant la classe, il y a seize ans elle avait trente-cinq ans, elle ne s'habillait que de cuir noir, elle avait des cheveux embroussaillés, et la grâce chagrine de celles qu'aucun homme ne veut aimer, et la beauté apeurante de celles qui se maquillent quand même, mais trop, les ombres à paupières et le rouge à lèvres comme de frêles remparts contre la solitude, et J. s'était approchée de mon fauteuil roulant et elle m'avait demandé, tout doucement, pourquoi je bougeais la tête sans arrêt, et personne avant J. n'avait été aussi direct avec moi, avant J. je n'avais connu que des regards pleins de pitié ou de répugnance, et tout à coup j'avais su pour la première fois ce qu'était la dignité, parce que je pouvais dire clairement, avec mes mots d'enfant, qu'ayant été attachée dans mon lit d'hôpital depuis ma naissance afin de ne pas tirer sur mes points de suture et afin de ne pas arracher mes tubes de perfusion, tout ce que je pouvais bouger était ma tête et que ce hochement représentait pour moi la liberté et l'indépendance, d'ailleurs cela m'est resté, je branle la tête à jamais, comme pour dire non, non aux expériences médicales, non aux violences sournoises et aveugles de la bureaucratie, non aux cœurs cadenassés, j'ai tellement hâte que J. revienne de voyage, et alors, pour la consoler, je lui raconterai notre première rencontre, elle dira qu'elle ne s'en souvient pas, mais je poursuivrai, je lui rappellerai comment ma maman, déjà cinq enfants, donc épuisée, et mon papa en chômage puis alcoolique, donc épuisé, m'avaient abandonnée dans un centre censément pour mon bien, mais pas vraiment pour mon bien puisque je n'étais pas une débile, juste une enfant aux jambes trop molles, et qui, depuis sa naissance, n'avait appris qu'à écouter, et qu'on devait obliger à manger, je n'ai jamais aimé manger, la gorge me brûle tout le temps, déjà, juste l'eau et les pilules antirejet ça m'écorche la transplantation de viscère, je ne connaîtrai probablement jamais l'heureuse fureur des baisers qui ne veulent s'achever, au centre je me roulais toute seule dans la bibliothèque et je lisais, à douze ans j'avais la taille d'une fillette de cinq ans, et c'est là, un vingt-sept novembre, que J. m'a revue pour la deuxième fois, elle venait porter des livres pour enfants, des livres que Lépervier avait reçus en service de presse, et je ne sais pas comment elle s'est par la suite débrouillée pour que je puisse demeurer chez elle, il a fallu sans doute qu'elle discute avec les Services sociaux, je suis classée «cas lourd» et elle vivait soi-disant

Rêverie
1997
Daniel Nevins

seule, au deuxième étage, son logement n'était pas adapté pour les handicapés, mais elle est têtue ma J., quand elle veut quelque chose elle parvient toujours à ses fins, elle aime répéter ça, en ajoutant invariablement sauf avec les hommes, les hommes elle a beau vouloir eux ne veulent pas, et est-ce pire depuis que je suis avec elle, elle dit non, elle dit c'est elle, elle n'est plus assez jeune, elle dit elle est trop cernée maintenant, pourquoi avait-elle discuté avec les Services sociaux pour que je puisse demeurer avec elle, j'aime à penser que c'est parce que je lisais dans la bibliothèque au moment précis où elle y était entrée, c'était en novembre, il y avait pourtant du soleil à profusion, et des poussières en bacchanale dans sa lumière, du soleil comme si ce jour-là les miracles étaient devenus possibles, je lisais pour la centième fois le tome *Les Cœurs inhumains* des *Mille et Une Nuits*, il manquait le tome précédent et les suivants, mais, même taché et déchiré, *Les Cœurs inhumains*, c'était ce qu'il y avait de mieux dans la bibliothèque, et J. avait foncé sur moi, avec ses boucles d'oreilles si extravagantes, trop extravagantes peut-être pour une femme de quarante et un ans, elle m'avait demandé si elle pouvait me serrer dans ses bras, et puisque jamais personne me serrait dans ses bras j'en avais sangloté d'allégresse, et bavé, et morvé, J. m'avait bercée jusqu'à l'ankylose, en me jurant qu'elle se débrouillerait pour me sortir du centre, et le trente juin de cette année-là elle était venue me chercher, et j'avais déménagé chez elle, dans le logement qu'elle avait pu louer au rez-de-chaussée, où elle avait de plus décloué les seuils pour que mon fauteuil passe sans encombre, où elle avait vissé des rampes à côté de la baignoire et de la toilette pour que je puisse m'accrocher, où elle avait bricolé, avec du fil de fer et des bouts de bois, chaque interrupteur, chaque poignée afin que je puisse m'en servir, en plus, avec les lisières à trous de son papier pour imprimante elle avait confectionné de minces guirlandes blanches pour tous les plafonds, elle m'avait offert la chambre de Lépervier, qui avait soutenu que cela ne le dérangeait en rien, il était allé habiter ailleurs, chez l'un de ses amis, Lépervier n'a ni maison, ni compte en banque, ni rien, que ses dictionnaires et son mauvais ordinateur, lorsque J. est à l'étranger, il se réinstalle chez nous pour s'occuper de moi, les Services sociaux n'en savent rien, comment pourraient-ils admettre qu'un homosexuel miséreux puisse avoir avec moi la voix et surtout la bonté d'un ange gardien, mais j'ai tout de même hâte que J. revienne de voyage, pour mes dix-sept ans, elle avait, pendant que je dormais, décoré mon fauteuil avec des décalcomanies et de la peinture fluorescente, on ne croirait jamais, à voir les longs ongles vernis de J., jusqu'à quel point elle est habile de ses mains, jusqu'à quel point elle aime les travaux manuels, et, avec ses têtes de mort et ses dragons crachant le feu, mon fauteuil avait pris l'allure féroce de certaines motos des Hell's Angels et le lendemain, J. et moi, nous nous étions promenées dans le quartier, et au parc le bruissement des arbres ressemblait à des applaudissements, et l'été avait jeté à nos yeux la beauté à demi dénudée de tant de jeunes gens rieurs, nous avions toutes les deux des verres fumés, nous nous étions promenées vraiment longtemps, et tous les voisins et tous les marchands m'avaient souhaité bon anniversaire, surtout le propriétaire du commerce de la photocopie, un paralytique depuis vingt ans, à cause d'un accident, il avait piqué une fausse crise de jalousie à propos de mon beau fauteuil, il avait tonné qu'il lui en fallait un semblable, ensuite J. et moi, nous étions même allées boire, elle une bière, et moi une crème de cacao, c'est moins long à avaler, nous nous étions assises au café au coin de Duluth, où il y a une rampe d'accès pour les fauteuils roulants, je n'avais pas l'âge réglementaire, mais le garçon avait fait semblant de rien, et d'autres artistes mange-misère comme J. s'étaient joints à nous, une danseuse solo à la chevelure indomptable, une dramaturge au regard frémissant, un peintre aux pantalons tachés d'arcs-en-ciel baroques, nous avions beaucoup ri, et après, de retour à la maison, J. m'avait promis que, dès que l'un de ses livres deviendrait un best-seller, elle m'achèterait un fauteuil avec un moteur pour que je puisse errer dans la ville à mon gré, pour que je puisse connaître moi aussi une forme d'autonomie, et il y avait eu un rêve de plus chez nous, un rêve qui rejoignit tous les autres dans l'armoire-aux-fantômes, celle dont la porte s'ouvre toute seule dans les moments les plus surprenants, mais chez nous, le rêve que l'on enlevait le plus souvent de son cintre, c'était celui de Lépervier, depuis des années J. et lui se sont établi un périple imaginaire dans une roulotte motorisée à travers les trois Amériques, ensemble ils assiègent le Bronx ou Bahia Blanca, ils plongent dans la source thermale d'Aguascalientes, J. et Lépervier s'inventent ensemble des crépuscules, des marées et des horizons, mais lui aujourd'hui sait qu'il ne partira jamais plus, même de la maison, il faut que J. revienne vite, lors de ses précédents voyages, c'était donc Lépervier qui me roulait dehors, toujours après vingt-trois heures, il me roulait dehors dans les gifles poudreuses de l'hiver ou dans les moiteurs jazzées de l'été, autrefois il me poussait jusqu'au fleuve en me parlant, enthousiaste ou critique, du livre qu'il lisait cette semaine-là, sans l'amour des livres son existence à lui aussi aurait été si dure, et quand, parfois, son âme risquait l'échouage, et quand, parfois, il pleurait bruyamment dans les rues désertes, il finissait toujours par dire où est ce verre d'eau que je boive sa tempête, et cela nous faisait rigoler à chaque fois car Lépervier buvait rarement de l'eau, aujourd'hui il ne peut plus ingérer grand-chose, il me roulait dehors, je lui allumais ses Gitanes, en chemin de temps à autre, nous croisions certaines de ses connaissances, la nuit met de drôles d'incendies dans les regards, lorsqu'on le questionnait sur sa santé, Lépervier changeait brusquement de sujet, revenu à la maison, il ne pouvait s'assoupir qu'enfin rassuré par l'aurore, moi je me roulais près de la fenêtre du bureau pour rêver, je regardais la noirceur chanceler, j'écoutais les premiers pigeons s'ébrouer, je pensais à J., à Lépervier, à moi, il me semblait que nous avions réussi à construire l'esquif de notre bonheur, et plus je tâche de me souvenir de tout pour J., et plus je suis terrorisée, car me voici la scribe d'une agonie, une virgule ne peut pas retenir la mort, et pourtant, il faut tout noter, ne rien négliger, pour J., pour Lépervier, pour moi, lorsqu'il s'est réinstallé chez nous il y a six semaines, même si le voyage n'était prévu que trois semaines plus tard, c'était la première fois qu'il arrivait avec autant d'avance, et un instant, un instant seulement j'ai vu J. harponnée par l'effroi, et quoique Lépervier n'eût pas l'air malade du tout, elle m'a chuchoté plus tard que je devrais dorénavant trouver les meilleurs prétextes pour refuser ma promenade quotidienne avec lui, j'ai bien menti, ou je me suis sentie faible, ou la température était trop mauvaise, ou un cauchemar m'avait troublée, mais à présent tous les mensonges sont inutiles puisque Lépervier ne veut plus, ne peut plus sortir, il somnole en gémissant légèrement, il ne peut plus fumer, alors, pour le parfum, je lui allume une cigarette que je dépose dans un cendrier, où elle se consume toute seule, il sourit au parfum de la Gitane, je suis terrifiée, s'il meurt avant que J. revienne, et puis ce n'est pas le pire, le pire c'est de tenter sans force de repousser les tenailles de la mort, de ne pas pouvoir soulager les souffrances de mon ami, j'ai voulu appeler une ambulance il y a trois nuits, mais il a refusé, il a murmuré pas la peine, faut espérer le retour de J., et ensuite il m'a conté d'une voix hachée son seul regret, cet homme qu'il a aimé autrefois, qui est disparu maintenant, cet homme avec quatre cicatrices sur le bras, quatre tentatives de suicide, et Lépervier regrette tant de n'avoir appris que l'histoire d'une des cicatrices, il m'a dit de ne pas oublier de raconter son seul regret à J., un seul regret au terme d'une vie, il insistait un seul regret, j'ai promis, et puis il s'est tu, et pendant une heure le silence ne nous menaçait plus, hier j'ai lavé Lépervier, avec une petite serviette, le savon à l'odeur de pamplemousse, et le bol à salade que j'ai rempli d'eau tiède, il m'a fallu plusieurs aller-retour de son lit au lavabo afin que l'eau ne refroidisse pas trop, j'ai commencé par ses pieds et j'ai remonté, ses cuisses, son ventre, son sexe, son torse, son dos, ses aisselles, sa nuque, ses oreilles, sa nudité fragile icône, je l'ai revêtue d'un pyjama propre, et la nuit dernière, il claquait des dents, pourtant la maison était bien chaude, je me suis traînée contre lui, j'ai placé mes jambes autour des siennes, je lui ai chantonné une berceuse, tout bas, Paul Lépervier mon vieil enfant, Paul Lépervier mon seul enfant, ne crains rien, n'aie pas peur, je suis là, je ne te quitte pas, et tout bas, il répétait ne crains rien, n'aie pas peur, je suis là, je ne te quitte pas, quand la nuit a basculé, nous nous sommes endormis dans nos bras, je suis tranquille à présent, nous sommes prêts pour quand elle arrivera

ANNE DANDURAND

Ambassadrice de la nouvelle québécoise dans le monde, Anne Dandurand est l'une des plus actives écrivaines de sa génération. Née à Montréal en 1953, elle est d'abord actrice, scénariste, journaliste et cinéaste, avant de publier un premier recueil de nouvelles, *La Louve-garou* (1982), avec sa sœur jumelle Claire Dé. Seule, elle continue avec *Voilà c'est moi : c'est rien j'angoisse* (1987), *L'Assassin de l'intérieur* (1988), *Petites Âmes sous ultimatum* (1991), *Les Porteuses d'ombre* (1999), et les romans *Un cœur qui craque* (1990), *La Salle d'attente* (1994), *La Marquise ensanglantée* (1996). Elle collabore aussi à de nombreux ouvrages collectifs au Canada anglais, aux États-Unis et en Europe. À ce jour, quatre de ses livres ont été traduits en anglais.

L'univers d'Anne Dandurand est celui d'une femme à la fois forte et fragile, écorchée par la vie, avide d'amour et passionnée d'écriture. Prenant souvent le ton du journal intime, sa prose est pleine de lucidité et d'humour, et l'érotisme y est très présent.

Pour lui, toutes les distances étaient de compétition.

Le Champion

Mario était le plus rapide à la course mais c'était là sa seule qualité. Tout le temps où il eut besoin d'affirmer cette supériorité, son prestige fut grand mais lorsqu'il fut bien entendu, une fois pour toutes, qu'il était le plus véloce d'entre nous, cette supériorité ne se discuta plus et ce qui avait été prestige devint chose banale et établie. Alors Mario s'ennuya et la mélancolie mit des couleurs grises dans ses yeux. «Je te prends à la course, disait-il à l'un ou à l'autre. — Non, on le sait que tu cours vite...» Pauvre Mario avec sa tête de lévrier aux pommettes hautes, ses longues cuisses et ses mollets de fer! Pauvre Mario qui passait son temps à errer en quête d'un challenger! La course lui avait donné une sorte de neurasthénie et une vision du monde tout à fait étrange. Pour lui, toutes les distances étaient de compétition. Entre l'épicerie et les docks, par exemple, l'espace était fait pour s'élancer et courir. Entre le canal et les réservoirs d'essence, il savait que la distance était de deux cents mètres. Tout lui était ligne de départ et tout, là-bas, lui apparaissait comme un but. «Je te prends à la course, de cette borne jusqu'au platane... — Je te dis qu'on le sait que tu cours vite...» Il implorait. Il se prétendait fatigué. Il déclarait qu'une chaussure lui faisait mal. «Peut-être tu peux me battre...» disait-il, mais ses ruses, trop grosses, étaient depuis longtemps éventées. Il avait beau boitiller ou prendre un air accablé, nous savions tous que si nous avions mordu à l'appât et relevé le défi, il se serait envolé comme une flèche – toute fatigue et toute claudication disparues par miracle – pour atteindre le platane en nous mettant, sans forcer son talent, cinq ou six mètres «dans le nez». D'où nos refus. «Je te prends de cette borne jusqu'au jardin... — Ça va, Mario, on le sait que tu cours vite... — Je te laisse dix mètres d'avance.» Il suppliait. Pour un peu, il eût accepté de courir à quatre pattes ou à cloche-pied, mais sa réputation de vélocité était si établie que rien n'y faisait et qu'il en était réduit à l'arborer comme un blason inutile. Mieux même: figurez-vous qu'il mettait son espérance dans les compositions de gymnastique au cours desquelles nous étions bien obligés de nous mesurer à lui sous l'œil de notre instituteur. Eh bien, savez-vous ce que nous faisions? Nous traînions la patte avec une telle paresse et une telle mauvaise volonté qu'à vaincre sans péril Mario triomphait sans aucune gloire. Ses écrasantes victoires perdaient dès lors toute signification et lui étaient infiniment amères. «Tu as gagné, Mario!» criait l'instituteur. Mais le champion baissait la tête et haussait les épaules. Pauvre Mario! Un lièvre égaré parmi des lapins ricaneurs. Il lui arrivait de rêver d'être battu. Il envisagea même de se laisser battre pour qu'on acceptât de nouveau de courir contre lui mais, dès que le départ était donné, c'était vraiment plus fort que lui. Il se laissait distancer puis n'y tenait plus, accélérait, sprintait et comme un bolide avalait ses adversaires les uns après les autres. Pauvre Mario! C'était un animal. Un lièvre. Un zèbre. Une gazelle. De ces animaux il avait les frémissements, la démarche un peu dansante et prudente, les longues oreilles, les yeux bridés et tout noyés par la douceur d'un rêve. Il n'aimait qu'une chose au monde: courir. Et toujours vaincre. Alors, quand il s'élançait, il devenait magnifique et terrible. Ses yeux se bridaient jusqu'à n'être plus qu'une fente, son cou s'allongeait, ses pieds griffaient à peine le sol et une véritable transfiguration s'opérait qui le transformait en un animal d'une beauté inouïe. Je me souviens qu'un jour d'été j'eus l'imprudence – tant il m'avait supplié – d'accepter de «courir un sprint» entre la rivière et le jardin potager de M. Siget. Sur les quarante premiers mètres, je réussis, en me défonçant, à me maintenir à sa hauteur mais, soudain, comme si un démon lui eût piqué le dos de son trident, Mario démarra et me laissa sur place. Découragé, je stoppai net mais il ne se souciait pas de savoir si je le suivais, le talonnais ou avais renoncé. Il courait. Il volait. Il filait dans une ivresse, comme un possédé. Et moi, je restais là, planté, à admirer le formidable et fragile animal... Il atteignit le but puis revint vers moi avec un sourire un peu triste comme s'il eût été dégrisé et honteux. Il me dit gentiment: «Tu as eu une crampe, hein? — Non... — Pourquoi tu t'es arrêté? — Parce que. J'aime pas courir. — Tu veux que je te donne ta revanche? Je te laisse l'avance que tu veux.» Un comble! Comme si j'allais accepter non seulement d'être battu mais encore humilié!

Telle était la vie de Mario. Bien triste. Bien solitaire. Imaginez la vie d'un grand capitaine devant lequel les ennemis toujours s'enfuiraient ou d'un torero à qui les *toros*, dans l'arène, tourneraient le dos dès qu'ils l'apercevraient. On voit parfois pareil spectacle, dans les arènes. Le matador s'avance et le *toro*, au lieu de se ruer sur la silhouette cambrée qui le provoque en agitant un chiffon, racle le sable du sabot, souffle, coule un regard vers l'excité et brusquement pique un petit trot désinvolte vers le corral pendant que le torero reste là, tout seul et tout ridicule. Ainsi de Mario. Son génie lui était une malédiction.

Un jour de novembre, il nous aborde et nous annonce qu'il a une grande nouvelle à nous apprendre. Ah oui? Oui! C'est une grande nouvelle. Il nous dit: «Les gars, je suis tuberculeux et je vais partir en sana!» Il prend une mine

L'homme qui court
1932-1934
Kasimir Malévitch

funèbre et importante, tord la bouche, creuse la poitrine, donne à son œil droit sur lequel il ferme à demi la paupière une expression d'agonie et murmure: «Oui, les gars, je suis tubar...» Nous sommes intéressés au plus haut point. Nous faisons cercle. «Je suis salement tubar...» Nous sommes absolument éblouis et Mario savoure son triomphe. «Je sue, je transpire, je coule, je crache... — Du sang? — Oui, du sang! Le docteur a dit à ma mère qu'il allait falloir que je parte en sana.» Mario est *tubar* et est promis au *sana*! Ça, c'est une nouvelle! Nous en concluons qu'il va mourir. Pauvre Mario... Des jours se passent. Il nous donne les dates – de plus en plus rapprochées – de son départ «en sana». Il ne court plus. Il nous raconte qu'il tousse la nuit et qu'il crache des bassines de sang. «Je ne pourrai pas faire la composition de gymnastique. J'ai plus de souffle.»

Le 17 novembre, arriva le jour de la composition qui débutait par un «100 mètres». À l'appel de son nom, Mario vint – ou plutôt se traîna – sur la ligne de départ. «Qui veut courir dans le groupe de Mario?» demanda M. Glaizes, l'instituteur. À son grand étonnement, la moitié des garçons leva la main. «Ha! s'écria-t-il en s'adressant à Mario, on dirait que tu ne leur fais plus peur...» Mario amollit encore son regard et coula vers les garçons un pauvre regard de chien battu. Et ce regard disait: «Je m'aligne parce que j'aime courir et parce que c'est plus fort que moi mais je suis tuberculeux, je vais mourir et je sais bien que je serai vaincu...» Les garçons, eux, sans pitié aucune, s'alignaient, piaffaient, et tous étaient prêts à donner le meilleur d'eux-mêmes afin de prendre la succession de ce pauvre tuberculeux de Mario, assez fou pour prendre ses marques à leurs côtés bien qu'il eût – comme il l'avait raconté avec mille détails – «des trous comme ça dans les poumons». Enfin, le jour était venu où, Mario étant hors jeu, la course serait une vraie course. «À vos marques!» crie M. Glaizes. Et les enfants arquent les reins. «Prêts!» crie M. Glaizes. Et ils bandent le jarret et relèvent la tête. «Partez!» crie M. Glaizes. Et ils s'élancent. Et Mario est aussitôt distancé et semble ramper derrière le groupe qui lui prend deux mètres, cinq mètres, dix mètres... Et M. Glaizes se frotte les yeux et croit assister à la chute d'un empire. En tête, Lamousse tricote la distance à toute allure, talonné par Pedron. Qui va gagner? Les gosses hurlent. Qui va gagner? Qui va poser sur son front la couronne de Mario?

M. Glaizes n'oubliera jamais ce qui se passa alors. Comme propulsé par un prodigieux coup de vent qui l'eût frappé aux reins, Mario avait démarré et l'on eût dit d'une flèche qui sifflait dans l'espace. La tête en triangle qui troue l'air. Les pieds qui paraissent ailés. L'ample foulée de gazelle qui devient rageuse et se précipite. La férocité qui remonte les traits, creuse les joues et bride les yeux. Et, sur la ligne d'arrivée, bras jetés en arrière, le cri sauvage du vainqueur. Il revient en trottinant vers Lamousse et Pedron qui le regardent en haletant avec des yeux de stupeur. Il sourit. «Dis donc, le tubar...» lui dit Pedron. Mario le regarda et éclata de rire.

Jean Cau, ***Les Enfants***, **© Éditions Gallimard, 1975.**

J E A N C A U

Né à Bram, en France en 1925, Jean Cau collabore au magazine *L'Express* et est le secrétaire de Jean-Paul Sartre. Il est l'auteur de nombreux essais, dont *Lettre ouverte aux têtes de chiens occidentaux* (1967), ainsi que de romans qui peignent les interrogations de toute une génération: *Le Fort intérieur* (1947), *Les Paroissiens* (1958), *La Pitié de Dieu* (1961). On lui doit aussi des pièces de théâtre, dont *Les Yeux crevés* (1967).

Critique acerbe de ses contemporains et de la décadence du monde occidental, Jean Cau porte également un regard nostalgique sur l'enfance et sur l'activité d'écrivain, comme le révèle le titre du livre *Proust, le chat et moi* (1984).

entracte

Pierre
CORNEILLE

CRÉATION: Paris, décembre 1636

Le Cid

L'action se passe à Séville, vers 1100. Rodrigue (le Cid) et Chimène s'aiment et doivent s'épouser. Dans la scène précédente, à la suite d'un différend, le père de Chimène, comte de Gormas, a insulté et souffleté don Diègue, père du Cid.

Acte 1

SCÈNE 4

DON DIÈGUE
Ô rage ! ô désespoir ! ô vieillesse ennemie !
N'ai-je donc tant vécu que pour cette infamie ?
Et ne suis-je blanchi dans les travaux guerriers
Que pour voir en un jour flétrir tant de lauriers ?

Don Diègue (Jean Vilar) et don Rodrigue (Gérard Philippe), festival d'Avignon, 1951.

Don Rodrigue (Gilles Pelletier) et Chimène (Monique Miller), Nouvelle Compagnie Théâtrale, 1964-1965.

Don Rodrigue (Patrice Godin), théâtre Denise-Pelletier, 1997.

Mon bras qu'avec respect toute l'Espagne admire,
Mon bras, qui tant de fois a sauvé cet empire,
Tant de fois affermi le trône de son roi,
Trahit donc ma querelle et ne fait rien pour moi ?
Ô cruel souvenir de ma gloire passée !
Œuvre de tant de jours en un jour effacée !
Nouvelle dignité, fatale à mon bonheur !
Précipice élevé d'où tombe mon honneur !
Faut-il de votre éclat voir triompher le Comte,
Et mourir sans vengeance, ou vivre dans la honte ?
Comte, sois de mon prince à présent gouverneur :
Ce haut rang n'admet point un homme sans honneur;
Et ton jaloux orgueil, par cet affront insigne,
Malgré le choix du Roi, m'en a su rendre indigne.
Et toi, de mes exploits glorieux instrument,
Mais d'un corps tout de glace inutile ornement,
Fer, jadis tant à craindre, et qui, dans cette offense,
M'as servi de parade, et non pas de défense,
Va, quitte désormais le dernier des humains,
Passe, pour me venger, en de meilleures mains.

SCÈNE 5

DON DIÈGUE
Rodrigue, as-tu du cœur ?

DON RODRIGUE
Tout autre que mon père
L'éprouverait sur l'heure.

DON DIÈGUE
Agréable colère !
Digne ressentiment à ma douleur bien doux !
Je reconnais mon sang à ce noble courroux;
Ma jeunesse revit en cette ardeur si prompte.

Pierre Corneille

Né à Rouen en 1606, Pierre Corneille est un monument du théâtre français. Attiré très tôt par la carrière dramatique, il connaît d'abord le succès avec des comédies: *La Veuve* (1631), *La Suivante* (1632-1633), *La Place royale* (1633-1634), mais c'est comme auteur de tragédies qu'il deviendra célèbre. Bénéficiant de la protection du cardinal de Richelieu, qui lui donne une pension, il publie *Médée* (1635), puis triomphe avec *Le Cid* (1636), qui provoque une polémique sur la question des règles d'unité au théâtre. Après de nombreux autres succès, dont *Horace* (1640), *Cinna* (1641) et *Polyeucte* (1642), Corneille se voit peu à peu supplanté par son jeune rival, Jean Racine, et finit par se détourner du théâtre. Il meurt à Paris en 1684, après avoir revu une édition collective de son *Théâtre* (1682). À mi-chemin entre le classique et le baroque, le théâtre de Corneille a suscité l'admiration et la critique, car il bousculait les conventions de l'époque. Selon lui, le théâtre ne peut instruire que s'il réussit à faire naître de l'émotion chez le spectateur. Dans ses tragédies, il a appliqué le principe de la catharsis, qui consiste à représenter sur scène des passions violentes, de façon à «purger» le cœur et l'esprit des spectateurs. (D'après le *Dictionnaire des littératures*, Paris, Larousse, 1985.)

Viens, mon fils, viens, mon sang, viens réparer ma honte;
Viens me venger.

Don Rodrigue

De quoi?

Don Diègue

D'un affront si cruel,
Qu'à l'honneur de tous deux il porte un coup mortel:
D'un soufflet. L'insolent en eût perdu la vie;
Mais mon âge a trompé ma généreuse envie:
Et ce fer que mon bras ne peut plus soutenir,
Je le remets au tien pour venger et punir.
Va contre un arrogant éprouver ton courage:
Ce n'est que dans le sang qu'on lave un tel outrage;
Meurs ou tue. Au surplus, pour ne te point flatter,
Je te donne à combattre un homme à redouter:
Je l'ai vu, tout couvert de sang et de poussière,
Porter partout l'effroi dans une armée entière.
J'ai vu par sa valeur cent escadrons rompus;
Et pour t'en dire encor quelque chose de plus,
Plus que brave soldat, plus que grand capitaine,
C'est...

Don Rodrigue

De grâce, achevez.

Don Diègue

Le père de Chimène.

Don Rodrigue

Le...

Don Diègue

Ne réplique point, je connais ton amour;
Mais qui peut vivre infâme est indigne du jour.
Plus l'offenseur est cher, et plus grande est l'offense.
Enfin tu sais l'affront, et tu tiens la vengeance:
Je ne te dis plus rien. Venge-moi, venge-toi;
Montre-toi digne fils d'un père tel que moi.
Accablé des malheurs où le destin me range,
Je vais les déplorer: va, cours, vole, et nous venge.

Pierre Corneille, *Le Cid*, (1636).

MOLIÈRE *CRÉATION: Paris, 24 mai 1671*

Les Fourberies de Scapin

L'histoire se déroule à Naples. Léandre aime Zerbinette, mais celle-ci est retenue par des Égyptiens qui demandent une rançon de cinq cents écus. Au comble du désespoir, Léandre implore Scapin, son valet, de trouver cette somme. Scapin veut soutirer cette somme à Géronte, le propre père de Léandre, en échange de sa libération.

Acte II

SCÈNE 7

SCAPIN, *feignant de ne pas voir Géronte.* — Ô Ciel ! ô disgrâce imprévue ! ô misérable père ! Pauvre Géronte, que feras-tu ?

GÉRONTE, *à part.* — Que dit-il là de moi, avec ce visage affligé ?

SCAPIN, *même jeu.* — N'y a-t-il personne qui puisse me dire où est le seigneur Géronte ?

GÉRONTE. — Qu'y a-t-il Scapin ?

SCAPIN, *courant sur le théâtre, sans vouloir entendre ni voir Géronte.* — Où pourrai-je le rencontrer, pour lui dire cette infortune ?

GÉRONTE, *courant après Scapin.* — Qu'est-ce que c'est donc ?

SCAPIN, *même jeu.* — En vain je cours de tous côtés pour le pouvoir trouver.

GÉRONTE. — Me voici.

SCAPIN, *même jeu.* — Il faut qu'il soit caché en quelque endroit qu'on ne puisse point deviner.

GÉRONTE, *arrêtant Scapin.* — Holà ! es-tu aveugle, que tu ne me vois pas ?

SCAPIN. — Ah ! Monsieur, il n'y a pas moyen de vous rencontrer.

GÉRONTE. — Il y a une heure que je suis devant toi. Qu'est-ce que c'est donc qu'il y a ?

SCAPIN. — Monsieur...

GÉRONTE. — Quoi ?

SCAPIN. — Monsieur, votre fils...

GÉRONTE. — Hé bien ! mon fils...

SCAPIN. — Est tombé dans une disgrâce la plus étrange du monde.

GÉRONTE. — Et quelle ?

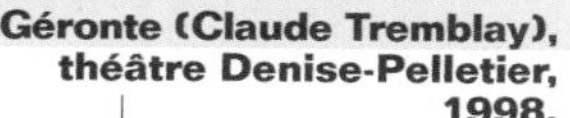

Géronte (Claude Tremblay), théâtre Denise-Pelletier, 1998.

SCAPIN. — Je l'ai trouvé tantôt tout triste de je ne sais quoi que vous lui avez dit, où vous m'avez mêlé assez mal à propos ; et, cherchant à divertir cette tristesse, nous nous sommes allés promener sur le port. Là, entre autres plusieurs choses, nous avons arrêté nos yeux sur une galère turque assez bien équipée. Un jeune Turc de bonne mine nous a invités d'y entrer, et nous a présenté la main. Nous y avons passé ; il nous a fait mille civilités, nous a donné la collation, où nous avons mangé des fruits les plus excellents qui se puissent voir, et bu du vin que nous avons trouvé le meilleur du monde.

GÉRONTE. — Qu'y a-t-il de si affligeant à tout cela ?

SCAPIN. — Attendez, Monsieur, nous y voici. Pendant que nous mangions, il a fait mettre la galère en mer, et, se voyant éloigné du port, il m'a fait mettre dans un esquif, et m'envoie vous dire que, si vous ne lui envoyez par moi tout à l'heure cinq cents écus, il va vous emmener votre fils en Alger.

GÉRONTE. — Comment, diantre ! cinq cents écus ?

SCAPIN. — Oui, Monsieur ; et, de plus, il ne m'a donné pour cela que deux heures.

GÉRONTE. — Ah ! le pendard de Turc, m'assassiner de la façon !

SCAPIN. — C'est à vous, Monsieur, d'aviser promptement aux moyens de sauver des fers un fils que vous aimez avec tant de tendresse.

GÉRONTE. — Que diable allait-il faire dans cette galère ?

SCAPIN. — Il ne songeait pas à ce qui est arrivé.

GÉRONTE. — Va-t'en, Scapin, va-t'en dire à ce Turc que je vais envoyer la justice après lui.

SCAPIN. — La justice en pleine mer ! Vous moquez-vous des gens ?

GÉRONTE. — Que diable allait-il faire dans cette galère ?

SCAPIN. — Une méchante destinée conduit quelquefois les personnes.

GÉRONTE. — Il faut, Scapin, il faut que tu fasses ici l'action d'un serviteur fidèle.

SCAPIN. — Quoi, Monsieur ?

GÉRONTE. — Que tu ailles dire à ce Turc qu'il me renvoie mon fils, et que tu te mettes à sa place jusqu'à ce que j'aie amassé la somme qu'il demande.

SCAPIN. — Eh ! Monsieur, songez-vous à ce que vous dites ? et vous figurez-vous que ce Turc ait si peu de sens, que d'aller recevoir un misérable comme moi à la place de votre fils ?

GÉRONTE. — Que diable allait-il faire dans cette galère ?

Scapin (Martin Héroux), théâtre Denise-Pelletier, 1998.

Scapin (Yves Jacques) et Géronte (Jean Besré), Théâtre Saint-Denis, Festival Juste pour rire, 1992.

Scapin. — Il ne devinait pas ce malheur. Songez, Monsieur, qu'il ne m'a donné que deux heures.

Géronte. — Tu dis qu'il demande...

Scapin. — Cinq cents écus.

Géronte. — Cinq cents écus ! N'a-t-il point de conscience ?

Scapin. — Vraiment oui, de la conscience à un Turc !

Géronte. — Sait-il bien ce que c'est que cinq cents écus ?

Scapin. — Oui, Monsieur, il sait que c'est mille cinq cents livres.

Géronte. — Croit-il, le traître, que mille cinq cents livres se trouvent dans le pas d'un cheval ?

Scapin. — Ce sont des gens qui n'entendent point de raison.

Géronte. — Mais que diable allait-il faire dans cette galère ?

Scapin. — Il est vrai; mais quoi ? on ne prévoyait pas les choses. De grâce, Monsieur, dépêchez.

Géronte. — Tiens, voilà la clef de mon armoire.

Scapin. — Bon.

Géronte. — Tu l'ouvriras.

Scapin. — Fort bien.

Géronte. — Tu trouveras une grosse clef du côté gauche, qui est celle de mon grenier.

Scapin. — Oui.

Géronte. — Tu iras prendre toutes les hardes qui sont dans cette grande manne, et tu les vendras aux fripiers pour aller racheter mon fils.

Scapin, *en lui rendant la clef.* — Eh ! Monsieur, rêvez-vous ? Je n'aurais pas cent francs de tout ce que vous dites; et, de plus, vous savez le peu de temps qu'on m'a donné.

Géronte. — Mais que diable allait-il faire dans cette galère ?

Scapin. — Oh ! que de paroles perdues ! Laissez là cette galère, et songez que le temps presse, et que vous courez risque de perdre votre fils. Hélas ! mon pauvre maître, peut-être que je ne te verrai de ma vie, et qu'à l'heure que je parle, on t'emmène esclave en Alger. Mais le Ciel me sera témoin que j'ai fait pour toi tout ce que j'ai pu, et que si tu manques à être racheté, il n'en faut accuser que le peu d'amitié d'un père.

Géronte. — Attends, Scapin, je m'en vais quérir cette somme.

Scapin. — Dépêchez-vous donc vite, Monsieur, je tremble que l'heure ne sonne.

Géronte. — N'est-ce pas quatre cents écus que tu dis ?

Scapin. — Non, cinq cents écus.

Géronte. — Cinq cents écus.

Scapin. — Oui.

Géronte. — Que diable allait-il faire dans cette galère ?

Scapin. — Vous avez raison, mais hâtez-vous.

Géronte. — N'y avait-il point d'autre promenade ?

Scapin. — Cela est vrai. Mais faites promptement.

Géronte. — Ah ! maudite galère !

Scapin, *à part* — Cette galère lui tient au cœur.

MOLIÈRE

Né à Paris en 1622, de son vrai nom Jean-Baptiste Poquelin, Molière a consacré toute sa vie au théâtre. Après des études de droit, il fait ses débuts comme acteur sous le pseudonyme de Molière, puis il se met à écrire des comédies pour alimenter le répertoire de sa troupe.
En 1659, il connaît son premier grand succès avec *Les Précieuses ridicules*. Suivent quantité de pièces qui seront acclamées par le public et souvent décriées par l'Église : *L'École des femmes* (1662), *Tartuffe* (1664), *Le Médecin malgré lui*, *Le Misanthrope* (1666), *Le Bourgeois gentilhomme* (1670), *Les Femmes savantes* (1672).
Molière meurt le 17 février 1673, après la quatrième représentation du *Malade imaginaire*.
Son œuvre abondante n'a cessé d'être jouée par les plus grands metteurs en scène, et sa vie a inspiré le film *Molière* (1979), d'Ariane Mnouchkine.
Si le théâtre de Molière fut si populaire, c'est sans doute qu'il écrivait ses textes en fonction du spectacle et des acteurs. Avec lui, pour la première fois, la grandeur comique atteint la dimension tragique : tout en faisant rire, il n'a cessé de fustiger les médecins cupides, les faux intellectuels, les pédants, les prudes et les dévots.

GÉRONTE. — Tiens, Scapin, je ne me souvenais pas que je viens justement de recevoir cette somme en or, et je ne croyais pas qu'elle dût m'être si tôt ravie. (*Il lui présente sa bourse, qu'il ne laisse pourtant pas aller; et, dans ses transports, il fait aller son bras de côté et d'autre, et Scapin le sien pour avoir la bourse.*) Tiens. Va-t'en racheter mon fils.

SCAPIN, *tendant la main.* — Oui, Monsieur.

GÉRONTE, *retenant la bourse qu'il fait semblant de vouloir donner à Scapin.* — Mais dis à ce Turc que c'est un scélérat.

SCAPIN, *tendant toujours la main.* — Oui.

GÉRONTE, *même jeu.* — Un infâme.

SCAPIN. — Oui.

GÉRONTE, *même jeu.* — Un homme sans foi, un voleur.

SCAPIN. — Laissez-moi faire.

GÉRONTE, *même jeu.* — Qu'il me tire cinq cents écus contre toute sorte de droit.

SCAPIN. — Oui.

GÉRONTE, *même jeu.* — Que je ne les lui donne ni à la mort ni à la vie.

SCAPIN. — Fort bien.

GÉRONTE. — Et que, si jamais je l'attrape, je saurai me venger de lui.

SCAPIN. — Oui.

GÉRONTE, *remettant sa bourse dans sa poche et s'en allant.* — Va, va vite requérir mon fils.

SCAPIN *allant après lui.* — Holà ! Monsieur.

GÉRONTE. — Quoi ?

SCAPIN. — Où est donc cet argent ?

GÉRONTE. — Ne te l'ai-je pas donné ?

SCAPIN. — Non, vraiment, vous l'avez remis dans votre poche.

GÉRONTE. — Ah ! c'est la douleur qui me trouble l'esprit.

SCAPIN. — Je le vois bien.

GÉRONTE. — Que diable allait-il faire dans cette galère ? Ah ! maudite galère ! traître de Turc à tous les diables !

SCAPIN, *seul.* — Il ne peut digérer les cinq cents écus que je lui arrache; mais il n'est pas quitte envers moi, et je veux qu'il me paie en une autre monnaie l'imposture qu'il m'a faite auprès de son fils.

Molière, *Les Fourberies de Scapin*, (1671).

William
SHAKESPEARE

CRÉATION: Angleterre, entre le 22 juillet 1596 et le 17 avril 1597

Roméo et Juliette

L'action se passe à Vérone. Les Capulet et les Montague sont des familles ennemies. Roméo, un Montague, assiste, masqué, à une fête donnée par les Capulet et tombe éperdument amoureux de leur fille Juliette. Après la fête, il se rend sous sa fenêtre.

Acte II

SCÈNE 2

Le jardin de Capulet.
Entre Roméo.

ROMÉO

Il rit des plaies, celui qui n'a jamais été blessé!

Juliette paraît à une fenêtre.

Mais silence! quelle lumière éclate à la fenêtre?
C'est l'orient et Juliette est le soleil!
Lève-toi, clair soleil, et tue l'envieuse lune
Déjà malade et pâle de chagrin
De voir que sa servante est bien plus belle qu'elle.
Ne sois pas sa servante puisqu'elle est envieuse,
Sa robe de vestale n'est que malade et verte
Nul ne la porte sinon les fous, rejette-la.
Voici ma Dame! oh elle est mon amour!
Oh! si elle savait qu'elle l'est!
Elle parle et pourtant ne dit rien, mais qu'importe,
Ses yeux font un discours et je veux leur répondre.
Je suis trop hardi, ce n'est pas à moi qu'elle parle:
Deux des plus belles étoiles dans tout le ciel
Ayant quelque affaire, ont supplié ses yeux
De briller dans leurs sphères
Jusqu'à ce qu'elles reviennent.
Que serait-ce si ses yeux étaient là-haut
Et les étoiles dans sa tête?
Car l'éclat de sa joue ferait honte aux étoiles
Comme le jour à une lampe, tandis que ses yeux au ciel

Roméo (Danny Gilmore) et Juliette (Isabelle Blais), théâtre du Nouveau Monde, 1998.

Répandraient à travers la région aérienne un si
[grand éclat
Que les oiseaux chanteraient, croyant la nuit
[terminée.
Voyez, comme elle pose sur sa main sa joue !
Oh ! si j'étais le gant sur cette main
Que je puisse toucher cette joue !

JULIETTE

Ah !

ROMÉO

Elle a parlé :
Oh ! parle encore, lumineux ange ! Car tu es
Aussi glorieuse à cette nuit, te tenant par-dessus
[ma tête,
Que pourrait l'être un messager ailé du ciel
Aux yeux retournés blancs d'émerveillement
Des mortels, qui se renversent pour le voir,
Quand il enjambe les nuages paresseux,
Quand il glisse sur la poitrine de l'air.

JULIETTE

Ô Roméo, Roméo ! Pourquoi es-tu Roméo ?
Renie ton père, refuse ton nom ;
Ou si tu ne le fais, sois mon amour juré
Et moi je ne serai plus une Capulet.

ROMÉO, *à part.*

L'écouterai-je encore
Ou vais-je lui parler ?

JULIETTE

C'est seulement ton nom qui est mon ennemi.
Tu es toi-même, tu n'es pas un Montague.
Qu'est-ce un Montague ? Ce n'est ni pied ni main,
Ni bras ni visage, ni aucune partie
Du corps d'un homme. Oh ! sois un autre nom !
Qu'y a-t-il en un nom ? Ce que nous nommons rose
Sous un tout autre nom sentirait aussi bon ;
Et ainsi Roméo, s'il ne s'appelait pas
Roméo, garderait cette chère perfection
Qu'il possède sans titre. Oh ! retire ton nom,
Et pour ton nom qui n'est aucune partie de toi
Prends-moi tout entière !

ROMÉO

Je te prends au mot :
Ne m'appelle plus qu'amour et je serai rebaptisé ;
Dorénavant je ne serai plus jamais Roméo.

JULIETTE

Quel homme es-tu, toi, caché par la nuit,
Qui trébuches dans mon secret ?

ROMÉO

Par aucun nom
Je ne sais comment te dire qui je suis.
Mon nom, ô chère sainte, est en haine à moi-même
Puisqu'il est ton ennemi.
Et si je l'avais écrit j'aurais déchiré le mot.

JULIETTE

Mes oreilles n'ont pas bu cent paroles encore
De cette bouche, mais j'en reconnais le son :
N'es-tu pas Roméo ? n'es-tu pas un Montague ?

ROMÉO

Ni l'un ni l'autre, ô belle jeune fille,
S'ils te déplaisent l'un et l'autre.

JULIETTE

Comment es-tu venu, dis-moi, et pourquoi ?
Les murs du jardin sont hauts, durs à franchir,
Et ce lieu est la mort, vu celui que tu es,
Si l'un de mes parents ici te voit.

ROMÉO

Sur les ailes légères d'amour j'ai passé ces murs
Car les limites de pierres ne retiennent pas l'amour.
Ce que peut faire amour, amour ose le tenter.
Ainsi tes parents ne pourraient m'arrêter.

JULIETTE

S'ils te voient, ils te tueront.

ROMÉO

Hélas ! il est dans tes yeux plus de péril
Que dans vingt de leurs épées ;
Regarde seulement avec douceur
Et je suis à l'abri de leur inimitié.

JULIETTE

Pour le monde entier
Je ne voudrais pas qu'ils te voient !

ROMÉO

J'ai le manteau de la nuit
Pour me dérober à leurs yeux.
Et toi aime-moi seulement, et qu'ils me voient !
Mieux vaudrait ma vie terminée par leur haine
Qu'attendant ton amour, ma mort retardée.

JULIETTE

Mais guidé par qui as-tu trouvé ce lieu ?

ROMÉO

Par l'amour, qui m'a conduit à demander;
Il me donna conseil, je lui donnai mes yeux.
Je ne suis pas pilote, et pourtant serais-tu
Aussi loin que la vaste côte de la mer la plus
[lointaine,
Je me serais aventuré pour une si belle marchandise.

JULIETTE

Tu sais, le masque de la nuit couvre mon visage,
Sinon une rougeur de vierge
Aurait coloré mes joues
Pour ce que tu m'as entendue dire cette nuit.
Ah ! si je pouvais demeurer dans les bons usages,
Si je pouvais, si je pouvais
Effacer tout ce que j'ai dit.
Mais non, adieu, adieu, cérémonie !
M'aimes-tu ? Je sais que tu répondras «oui»,
Je croirai ta parole, et pourtant si tu jures
Tu peux te montrer faux, des parjures d'amants
On dit que Jupiter sourit. Doux Roméo,
Si tu aimes, proclame-le sincèrement;
Ou si tu penses que trop vite je suis conquise
Je serai sévère et méchante, je dirai non
Pour que tu me fasses ta cour;
Mais autrement, pour rien au monde !
En vérité, ô beau Montague, j'ai trop d'amour
Et c'est pourquoi tu peux penser que ma conduite
[est bien légère;
Mais crois-moi, noble jeune homme,
Je me montrerai plus fidèle
Que celles qui ont plus d'adresse à demeurer
[réservées.
Je l'avoue, je devais être plus réservée;
Mais voici que tu as surpris, avant que je fusse
[prévenue,
Ma vraie passion d'amour, aussi pardonne-moi
Et n'impute pas à la légèreté mon abandon
Que cette sombre nuit t'a révélé.

ROMÉO

Ô ma Dame, par la lune sacrée je jure,
Qui touche d'argent clair tous ces arbres fruitiers...

JULIETTE

Oh ! ne jure pas par la lune, l'inconstante lune
Qui change chaque mois en son orbite ronde,
De peur que ton amour ne se montre comme
[elle changeant.

ROMÉO

Par quoi faut-il jurer ?

JULIETTE

Ne jure pas du tout
Ou jure si tu veux par ton gracieux Toi-même
Qui est le dieu de mon idolâtrie,
Je te croirai.

ROMÉO

Si le cher amour de mon cœur...

JULIETTE

Non, non, ne jure pas. Bien qu'en toi soit ma joie,
Le serment cette nuit ne me fait nulle joie;
Il est trop prompt, trop irréfléchi, trop soudain,
Trop pareil à l'éclair
Qui cesse d'être avant qu'on ait dit «il éclaire».
Doux cœur, oh ! bonne nuit !
Au souffle mûrissant d'été ce bourgeon d'amour
Sera belle fleur quand nous nous reverrons.
Qu'un aussi doux et calme repos vienne en ton cœur
Que ce doux et calme repos qui est dans mon sein.

ROMÉO

Mais vas-tu me laisser partir mal satisfait ?

Juliette (Geneviève Rioux) et Roméo (Roy Dupuis), théâtre du Nouveau Monde et théâtre du Trident, 1989.

JULIETTE
Quelle satisfaction peux-tu avoir cette nuit ?

ROMÉO
L'échange de ton vœu de fidèle amour et de
[mon vœu.

JULIETTE
Avant que tu l'aies demandé je te l'ai donné
Et je voudrais encore avoir à le donner.

ROMÉO
Tu voudrais le reprendre, oh ! pourquoi,
[bien-aimée ?

JULIETTE
Pour être généreuse, et te le redonner !
J'aspire seulement à la chose que j'ai,
Ma bonté est aussi sans bornes que la mer,
Mon amour est aussi profond;
Oui, plus je donne, plus je possède,
L'un et l'autre sont infinis.
(*La Nourrice appelle.*)
J'ai entendu du bruit; mon cher amour, adieu ! –
Je viens, bonne Nourrice. – Doux Montague,
[sois fidèle,
Demeure encore un peu, je reviendrai.
(*Elle sort.*)

ROMÉO
Ô nuit bénie ! J'ai peur, car c'est la nuit
Que tout ne soit que rêve
Trop délicieusement flatteur pour être vrai.
(*Juliette reparaît à la fenêtre.*)

JULIETTE
Trois mots, cher Roméo, et encore bonne nuit !
Si ton penchant d'amour est honorable
Si tu te proposes mariage, envoie demain
Un mot par la personne que je t'adresserai
Disant où et à quelle heure tu veux accomplir le rite,
Et toutes mes destinées je les déposerai à tes pieds
Et te suivrai, toi mon seigneur, à travers le monde.

LA NOURRICE, *au-dehors.*
Madame !

JULIETTE
Je viens, je viens. – Mais si ta pensée n'est pas pure
Je te conjure...

LA NOURRICE
Madame !

JULIETTE
Tout de suite, je viens... –
De cesser ta poursuite et de laisser mon cœur
À son chagrin. Demain j'envoie quelqu'un.

ROMÉO
Tant que vivra mon âme...

JULIETTE
Et mille fois bonne nuit !
(*Elle sort.*)

ROMÉO
Nuit mille fois assombrie de perdre ta lumière !
Amour court vers l'amour
Ainsi l'écolier fuyant loin de ses livres,
Amour quitte l'amour
Comme il va vers l'école avec un regard lourd.
(*Il se retire lentement. Juliette reparaît à la fenêtre.*)

JULIETTE
Stt ! Stt ! Roméo ! Ô voix du fauconnier,
T'avoir pour rappeler ce noble tiercelet !
La captivité est enrouée et ne peut parler haut,
Sinon je forcerais la grotte où dort Écho
Et sa voix aérienne je la rendrais plus enrouée
[encore que la mienne,
À répéter le nom de mon Roméo.

ROMÉO
C'est mon âme qui m'appelle par mon nom.
Quel doux son d'argent dans la nuit fait la langue
[des amants
Comme la musique la plus belle que l'oreille puisse
[écouter !

JULIETTE
Roméo !

ROMÉO
Mon amour ?

JULIETTE
À quelle heure demain
T'envoyer le messager ?

ROMÉO
À la neuvième heure.

William Shakespeare

Auteur d'une œuvre immense, Shakespeare reste le dramaturge le plus joué à travers le monde. Né en 1564 à Stratford-upon-Avon, en Angleterre, il y fait ses débuts comme comédien et poète dramatique, puis, à la suite d'un mariage malheureux, il s'installe à Londres où sa réputation s'établit rapidement. Devenu propriétaire d'une compagnie de théâtre, il connaît la gloire et la prospérité matérielle, mais il décide de se réinstaller à Stratford en 1613. C'est là qu'il meurt, dans la sérénité, le 23 avril 1616. En vingt-trois ans, Shakespeare a écrit trente-sept pièces où se mêlent comédies, tragédies, pièces historiques ou romanesques. Parmi les plus célèbres, mentionnons *La Comédie des erreurs* (1592), *La Mégère apprivoisée* (1593-1594), *Roméo et Juliette* (1594-1595), *Le Songe d'une nuit d'été* (1595), *Beaucoup de bruit pour rien* (1598), *Hamlet* (1600), *Macbeth* (1605), *Le Roi Lear* (1606), *La Tempête* (1611). L'œuvre de Shakespeare se caractérise par une extraordinaire diversité. Mêlant tous les genres : farce, comédie, féérie, drame et tragédie, elle s'adressait à un public composite, issu de toutes les classes sociales. Encore aujourd'hui, ses pièces font l'émerveillement d'un public innombrable, et tant les thèmes qu'il aborde que les personnages qu'il met en scène trouvent un écho dans la réalité contemporaine.

JULIETTE

Je n'y manquerai pas. Ce me semble vingt ans
Jusque-là. J'ai oublié pourquoi je te rappelais.

ROMÉO

Laisse-moi demeurer ici
Jusqu'à ce que tu t'en souviennes.

JULIETTE

Je l'oublierai, c'est pour t'avoir ici toujours,
Me souvenant que j'aime tant ta compagnie.

ROMÉO

Et moi je resterai afin que toujours tu l'oublies,
Moi-même oubliant toute autre demeure que celle-ci.

JULIETTE

C'est bientôt l'aube; je voudrais que tu fusses loin
Mais pas plus loin
Que l'oiseau tenu par un fripon d'enfant;
Il le fait sautiller un peu hors de sa main,
Le pauvre prisonnier dans ses liens enroulés,
Et le ramène à lui avec un fil de soie
Tant il est jaloux amoureux de sa liberté.

ROMÉO

Que ne suis-je ton oiseau !

JULIETTE

Mon doux cœur, que ne l'es-tu !
Il est vrai que je te tuerais par trop de caresses.
Bonne nuit ! Séparation est un si doux chagrin
Que je vais dire bonne nuit jusqu'à demain.

(*Elle sort.*)

ROMÉO

Que le sommeil descende sur tes yeux, paix en ta poitrine.
Que ne suis-je sommeil et paix, pour si doucement reposer !
D'ici je vais à la cellule de mon père spirituel
Pour demander son secours et lui dire mon bonheur.

(*Il sort.*)

William Shakespeare, *Roméo et Juliette*, (1594-1595), traduction de P.-J. Jouve et G. Pitoëff, Œuvres complètes, tome II, Bibliothèque de la Pléiade,

Edmond
ROSTAND

CRÉATION: Paris, 28 décembre 1897

Cyrano de Bergerac

Cyrano aime Roxane, mais celle-ci aime Christian. À la demande de la jeune femme, Cyrano accepte d'être le protecteur de Christian. Le dévoué Cyrano en viendra à écrire des lettres d'amour que Christian enverra à Roxane et lui soufflera les paroles par lesquelles il parviendra à la conquérir. Christian et Cyrano se retrouvent sous le balcon de Roxane.

Acte III

SCÈNE 6

[...]

CHRISTIAN

Roxane !

CYRANO, *ramassant des cailloux qu'il jette dans les vitres.*

Attends ! Quelques cailloux.

SCÈNE 7

ROXANE, CHRISTIAN, CYRANO, *d'abord caché sous le balcon.*

ROXANE, *entrouvrant sa fenêtre.*

Qui donc m'appelle ?

CHRISTIAN

Moi.

ROXANE

Qui, moi ?

CHRISTIAN

Christian.

ROXANE, *avec dédain.*

C'est vous ?

CHRISTIAN

Je voudrais vous parler.

CYRANO, *sous le balcon, à Christian.*

Bien. Bien. Presque à voix basse.

Cyrano (Pierre Lebeau) et Roxane (Sophie Prégent), théâtre du Nouveau Monde, 1997.

ROXANE

Non ! Vous parlez trop mal. Allez-vous-en !

CHRISTIAN

De grâce !...

ROXANE

Non ! Vous ne m'aimez plus !

CHRISTIAN, *à qui Cyrano souffle ses mots.*

M'accuser, – justes dieux !
De n'aimer plus... quand... j'aime plus !

ROXANE, *qui allait refermer sa fenêtre, s'arrêtant.*

Tiens, mais c'est mieux !

CHRISTIAN, *même jeu.*

L'amour grandit bercé dans mon âme inquiète...
Que ce... cruel marmot prit pour... barcelonnette !

ROXANE, *s'avançant sur le balcon.*

C'est mieux ! – Mais, puisqu'il est cruel, vous fûtes sot
De ne pas, cet amour, l'étouffer au berceau !

CHRISTIAN, *même jeu.*

Aussi l'ai-je tenté, mais... tentative nulle :
Ce... nouveau-né, Madame, est un petit... Hercule.

ROXANE

C'est mieux !

CHRISTIAN, *même jeu.*

De sorte qu'il... strangula comme rien...
Les deux serpents... Orgueil et... Doute.

ROXANE, *s'accoudant au balcon.*

Ah ! c'est très bien.
— Mais pourquoi parlez-vous de façon peu hâtive ?
Auriez-vous donc la goutte à l'imaginative ?

CYRANO, *tirant Christian sous le balcon et se glissant à sa place.*

Chut ! Cela devient trop difficile !...

ROXANE

Aujourd'hui...
Vos mots sont hésitants. Pourquoi ?

CYRANO, *parlant à mi-voix, comme Christian.*

C'est qu'il fait nuit,
Dans cette ombre, à tâtons, ils cherchent
[votre oreille.

ROXANE

Les miens n'éprouvent pas difficulté pareille.

CYRANO

Ils trouvent tout de suite ? oh ! cela va de soi,
Puisque c'est dans mon cœur, eux, que je les reçois ;
Or, moi, j'ai le cœur grand, vous, l'oreille petite.
D'ailleurs vos mots à vous descendent : ils vont vite
Les miens montent, Madame : il leur faut plus
[de temps !

ROXANE

Mais ils montent bien mieux depuis quelques
[instants.

CYRANO

De cette gymnastique, ils ont pris l'habitude !

ROXANE

Je vous parle, en effet, d'une vraie altitude !

CYRANO

Certes, et vous me tueriez si de cette hauteur
Vous me laissiez tomber un mot dur sur le cœur !

ROXANE, *avec un mouvement.*

Je descends !

CYRANO, *vivement.*

Non !

ROXANE, *lui montrant le banc qui est sous le balcon.*

Grimpez sur le banc, alors, vite !

CYRANO, *reculant avec effroi dans la nuit.*

Non !

ROXANE

Comment... non ?

CYRANO, *que l'émotion gagne de plus en plus.*

Laissez un peu que l'on profite...
De cette occasion qui s'offre... de pouvoir
Se parler doucement, sans se voir.

ROXANE

Sans se voir ?

CYRANO

Mais oui, c'est adorable. On se devine à peine.
Vous voyez la noirceur d'un long manteau qui
[traîne,
J'aperçois la blancheur d'une robe d'été :
Moi je ne suis qu'une ombre, et vous qu'une clarté !
Vous ignorez pour moi ce que sont ces minutes !
Si quelquefois je fus éloquent...

ROXANE

Vous le fûtes !

CYRANO

Mon langage jamais jusqu'ici n'est sorti
De mon vrai cœur...

ROXANE

Pourquoi ?

CYRANO

Parce que... jusqu'ici
Je parlais à travers...

ROXANE

Quoi ?

CYRANO

... le vertige où tremble
Quiconque est sous vos yeux !... Mais, ce soir,
[il me semble...
Que je vais vous parler pour la première fois !

ROXANE

C'est vrai que vous avez une tout autre voix.

CYRANO, *se rapprochant avec fièvre.*

Oui, tout autre, car dans la nuit qui me protège
J'ose être enfin moi-même, et j'ose...

Il s'arrête et, avec égarement.

Où en étais-je ?
Je ne sais... tout ceci, – pardonnez mon émoi, –
C'est si délicieux... c'est si nouveau pour moi !

ROXANE

Si nouveau ?

CYRANO, *bouleversé, et essayant toujours de rattraper ses mots.*

Si nouveau... mais oui... d'être sincère :
La peur d'être raillé, toujours au cœur me serre...

ROXANE

Raillé de quoi ?

CYRANO

Mais de... d'un élan !... Oui, mon cœur,
Toujours, de mon esprit s'habille, par pudeur :
Je pars pour décrocher l'étoile, et je m'arrête
Par peur du ridicule, à cueillir la fleurette !

ROXANE

La fleurette a du bon.

CYRANO

Ce soir, dédaignons-la !

ROXANE

Vous ne m'aviez jamais parlé comme cela !

CYRANO

Ah ! si, loin des carquois, des torches et des flèches,
On se sauvait un peu vers des choses... plus fraîches !
Au lieu de boire goutte à goutte, en un mignon
Dé à coudre d'or fin, l'eau fade du Lignon,
Si l'on tentait de voir comment l'âme s'abreuve
En buvant largement à même le grand fleuve !

ROXANE

Mais l'esprit ?...

CYRANO

J'en ai fait pour vous faire rester
D'abord, mais maintenant ce serait insulter
Cette nuit, ces parfums, cette heure, la Nature,
Que de parler comme un billet doux de Voiture !
– Laissons, d'un seul regard de ses astres, le ciel
Nous désarmer de tout notre artificiel :

Je crains tant que parmi notre alchimie exquise
Le vrai du sentiment ne se volatilise,
Que l'âme ne se vide à ces passe-temps vains,
Et que le fin du fin ne soit la fin des fins !

ROXANE

Mais l'esprit ?...

CYRANO

Je le hais, dans l'amour ! C'est un crime
Lorsqu'on aime de trop prolonger cette escrime !
Le moment vient d'ailleurs inévitablement,
– Et je plains ceux pour qui ne vient pas ce
[moment !
Où nous sentons qu'en nous un amour noble existe
Que chaque joli mot que nous disons rend triste !

ROXANE

Eh Bien ! si ce moment est venu pour nous deux,
Quels mots me direz-vous ?

CYRANO

Tous ceux, tous ceux, tous ceux
Qui me viendront, je vais vous les jeter, en touffe,
Sans les mettre en bouquets : je vous aime, j'étouffe,
Je t'aime, je suis fou, je n'en peux plus, c'est trop ;
Ton nom est dans mon cœur comme dans un grelot,
Et comme tout le temps, Roxane, je frissonne,
Tout le temps, le grelot s'agite, et le nom sonne !
De toi, je me souviens de tout, j'ai tout aimé :
Je sais que l'an dernier, un jour, le douze mai,
Pour sortir le matin tu changeas de coiffure !
J'ai tellement pris pour clarté ta chevelure
Que, comme lorsqu'on a trop fixé le soleil,
On voit sur toute chose ensuite un rond vermeil,
Sur tout, quand j'ai quitté les feux dont tu m'inondes,
Mon regard ébloui pose des taches blondes !

ROXANE, *d'une voix troublée.*

Oui, c'est bien de l'amour...

CYRANO

Certes, ce sentiment
Qui m'envahit, terrible et jaloux, c'est vraiment
De l'amour, il en a toute la fureur triste !
De l'amour, – et pourtant il n'est pas égoïste !
Ah ! que pour ton bonheur je donnerais le mien,
Quand même tu devrais n'en savoir jamais rien,
S'il se pouvait, parfois, que de loin, j'entendisse
Rire un peu le bonheur né de mon sacrifice !
– Chaque regard de toi suscite une vertu
Nouvelle, une vaillance en moi ! Commences-tu
À comprendre, à présent ? Voyons, te rends-tu
[compte ?
Sens-tu mon âme, un peu, dans cette ombre,
[qui monte ?...
Oh ! mais vraiment, ce soir, c'est trop beau,
[c'est trop doux !
Je vous dis tout cela, vous m'écoutez, moi, vous !
C'est trop ! Dans mon espoir même le moins
[modeste,
Je n'ai jamais espéré tant ! Il ne me reste
Qu'à mourir maintenant ! C'est à cause des mots
Que je dis qu'elle tremble entre les bleus rameaux !
Car vous tremblez, comme une feuille entre
[les feuilles !
Car tu trembles ! car j'ai senti, que tu le veuilles
Ou non, le tremblement adoré de ta main
Descendre tout le long des branches du jasmin !

Il baise éperdument l'extrémité d'une branche pendante.

ROXANE

Oui, je tremble, et je pleure, et je t'aime,
[et suis tienne !
Et tu m'as enivrée !

CYRANO

Alors, que la mort vienne !
Cette ivresse, c'est moi, moi, qui l'ai su causer !
Je ne demande plus qu'une chose...

CHRISTIAN, *sous le balcon.*

Un baiser !

Christian (François Tassé) et Roxane (Monique Lepage), Nouvelle Compagnie Théâtrale, 1974.

Edmond Rostand
Auteur de la célèbre pièce *Cyrano de Bergerac*, Edmond Rostand naît à Marseille, en France, en 1868. Après avoir amorcé des études de droit à Paris, il se met à écrire de la poésie, puis il passe au théâtre avec des pièces d'inspiration fantaisiste, *Les Romanesques* (1894), ou religieuse, *La Samaritaine* (1897). Mais c'est avec sa comédie héroïque *Cyrano de Bergerac* (1897) qu'il connaît son premier grand succès, suivi de *L'Aiglon* (1900), un drame interprété par la grande Sarah Bernhardt. Après l'échec de sa dernière pièce, *Chantecler* (1910), Rostand, gravement malade, s'éloigne de la scène. Il meurt à Paris le 2 décembre 1918. *Cyrano de Bergerac* a été porté à l'écran par Jean-Paul Rappeneau en 1990, avec Gérard Depardieu dans le rôle-titre.
Avec sa virtuosité verbale et son sens du panache, le théâtre d'Edmond Rostand s'inscrivit en réaction au naturalisme et au symbolisme qui triomphaient à l'époque. Son chef-d'œuvre reste *Cyrano de Bergerac*, une pièce drôle, brillante, au rythme rapide, qui séduisit le public par ses répliques en vers et son romantisme flamboyant.

ROXANE, *se rejetant en arrière.*
Hein ?

CYRANO
Oh !

ROXANE
Vous demandez ?

CYRANO
Oui... je...
À Christian, bas.
Tu vas trop vite.

CHRISTIAN
Puisqu'elle est si troublée, il faut que j'en profite !

CYRANO, *à Roxane.*
Oui, je... j'ai demandé, c'est vrai... mais justes cieux !
Je comprends que je fus bien trop audacieux.

ROXANE, *un peu déçue.*
Vous n'insistez pas plus que cela ?

CYRANO
Si ! j'insiste...
Sans insister !... Oui, oui ! votre pudeur s'attriste !
Eh bien ! mais, ce baiser... ne me l'accordez pas !

CHRISTIAN *à Cyrano, le tirant par son manteau.*
Pourquoi ?

CYRANO
Tais-toi, Christian !

ROXANE, *se penchant.*
Que dites-vous tout bas ?

CYRANO
Mais d'être allé trop loin, moi-même je me gronde;
Je me disais : tais-toi Christian !...
Les théorbes se mettent à jouer.
Une seconde !...
On vient !
Roxane referme la fenêtre. Cyrano écoute les théorbes, dont l'un joue un air folâtre et l'autre un air lugubre.
Air triste ? Air gai ?... Quel est donc leur dessein ?
Est-ce un homme ? Une femme ? – Ah ! c'est un capucin !
Entre un capucin qui va de maison en maison, une lanterne à la main, regardant les portes.

Edmond Rostand, *Cyrano de Bergerac*, (1897).

Roger VITRAC

CRÉATION: Paris, 24 décembre 1928

Victor ou les Enfants au pouvoir

Le jour de ses neuf ans, Victor choque sa famille en révélant des vérités qu'on aimerait voir cachées, puis tombe gravement malade.

Émilie (Sophie Clément) et Victor (Marc Béland), théâtre du Nouveau Monde, 1979-1980.

Acte 3

SCÈNE 18

ÉMILIE, VICTOR.

ÉMILIE. — Victor ! Victor ! Mon Totor bien-aimé, mon chéri ! mon fils ! Car toi, du moins, tu l'es mon fils. Totor, fils d'Émilie et de Charles, je t'en supplie, réponds-moi. Oh, mon Dieu ! Marie, Joseph et tous les anges, déliez-lui au moins la langue, et qu'il parle, et qu'il réponde aux appels d'une mère dans la détresse. Victor ! Mon Victor ! Il se tait. Il est mort. Es-tu mort ? Si tu étais mort, je le sentirais. Rien n'est sensible comme les entrailles d'une mère.

Victor se retourne en gémissant.

Ah ! ah ! tu bouges. Tu n'es donc pas mort. Alors, pourquoi ne réponds-tu pas, dis ? Tu le fais exprès, tu nous persécutes, tu veux que je me torde les bras, que je me roule à terre. C'est cela que tu veux, hein ? Puisque tu remues ton grand corps il ne t'en coûterait pas plus de remuer ta petite langue. Il t'en coûterait moins. Tu ne peux pas parler ? Tu ne veux pas parler ? Une fois, deux fois ? Victor ! Une fois, deux fois, trois fois ? Tiens, tête de têtu.

Elle le gifle.

VICTOR. — Si c'est pas malheureux, battre un enfant malade, un enfant qui souffre. Une mère qui gifle un enfant qui va mourir, qu'est-ce que c'est maman ?

ÉMILIE. — Pardon, pardon, Victor. Je ne m'appartenais plus. Mais pourquoi aussi ne pas répondre ?

VICTOR. — Qu'est-ce que c'est qu'une mère qui brutalise son fils moribond ?

ÉMILIE. — Il fallait répondre, Totor, répondre mon petit.

VICTOR. — Eh bien, je réponds... qu'une mère qui fait cela, c'est un monstre.

ÉMILIE. — Pardon, Victor ! Je t'ai si souvent pardonné, tu peux bien après cette soirée, après cette nuit maudite, après toute la vie, tu peux bien... Mon Totor, songe que si tu allais mourir...

VICTOR. — Tu crois que je vais mourir ?

ÉMILIE. — Non, bien sûr ! Je ne sais pas ce que tu as. Que peux-tu avoir ? Non, ne t'inquiète pas. Mourir, mais mon petit ce n'est pas possible. Tu es si jeune !

VICTOR. — On meurt à tout âge.

ÉMILIE. — Tu ne mourras pas, je ne veux pas que tu meures, je veux seulement que tu me pardonnes.

VICTOR. — Allons, allons, bonne mère. Primo, je vais mourir, secundo, parce qu'il faut que je meure, et tertio, il faut donc que je te pardonne. Tu es pardonnée.

Il lui donne sa bénédiction.
Émilie sanglote et lui baise convulsivement la main.

VICTOR. — Il est des enfants précoces, dont la précocité confine au génie. Il est des enfants géniaux.

ÉMILIE. — Quoi ?

Charles Paumelle (Michel Dumont), Victor (Marc Béland), le général Lonségur (Jean-Louis Millette) et Émilie (Sophie Clément), théâtre du Nouveau Monde, 1979-1980.

Roger Vitrac

Né en 1899 à Pinsac, en France, Roger Vitrac est un précurseur du théâtre de l'absurde. Participant aux débuts du surréalisme avec André Breton, René Crevel et Antonin Artaud, il fait paraître deux recueils poétiques parmi les plus significatifs de l'époque : *Connaissance de la mort* (1926) et *Cruautés de la nuit* (1927). Exclu du surréalisme pour « déviation artistique », il fonde avec Artaud le théâtre Alfred-Jarry, qui monte deux de ses pièces : *Les Mystères de l'amour* (1927) et *Victor ou les Enfants au pouvoir* (1928), considérée comme son chef-d'œuvre. Il est également l'auteur des pièces *Le Coup de Trafalgar* (1934), *Les Demoiselles du large* (1938), *Le Sabre de mon père* (1950), ainsi que d'un recueil posthume intitulé *Dés-Lyre* (1964). Roger Vitrac meurt à Paris le 22 janvier 1952.

VICTOR. — ... Mais écoute ! Hercule, dès le berceau, étranglait des serpents. Moi, j'ai toujours été trop grand pour qu'un tel prodige puisse vraisemblablement m'être attribué. Pascal, avec des ronds et des bâtons, retrouvait les propositions essentielles de la géométrie d'Euclide. Le petit Mozart, avec son violon et son archet, étonnera longtemps les visiteurs de la galerie de sculpture du Luxembourg. Le petit Frédéric jouait simultanément vingt parties d'échecs et les gagnait. Enfin, plus fort que tous, Jésus, dès sa naissance, était proclamé le Fils de Dieu. De tels précédents sont pour accabler le fils de Charles et d'Émilie Paumelle, lequel doit mourir à neuf ans très précis.

ÉMILIE. — Mon chéri !

VICTOR. — Très précis. Que me restait-il, je te le demande, dans le petit domaine familial tout encombré de mes prix d'excellence, que me restait-il ?

ÉMILIE. — Mais, le travail, l'affection des tiens, et tu es fils unique.

VICTOR. — Tu l'as dit, il me restait d'être fils unique. Unique. Aidé par la nature, j'ai neuf ans et j'ai deux mètres, je compris dès l'âge de cinq ans, j'avais alors un mètre soixante, que je devais me destiner à l'UNIQUAT.

ÉMILIE. — À quoi ?

VICTOR. — À l'Uniquat. J'ai cherché en silence, j'ai travaillé en secret, et j'ai trouvé.

ÉMILIE. — Tu as trouvé ? Il délire.

VICTOR. — Oui, Eurêka ! j'ai trouvé les ressorts de l'Uniquat.

ÉMILIE. — Pauvre enfant ! Et quels sont-ils ?

VICTOR. — Les ressorts de l'Uniquat... Oh, ce serait si facile si j'avais une feuille de papier et un crayon.

ÉMILIE. — Veux-tu que j'aille t'en chercher ?

VICTOR. — Non, non, c'est inutile. Je n'aurais pas la force d'écrire.

ÉMILIE. — Alors ?

VICTOR. — Cela ne fait rien, je vais essayer tout de même de t'expliquer. Les ressorts de l'Uniquat...

Entre le père, suivi du docteur.

Roger Vitrac, *Victor ou les Enfants au pouvoir*, © Éditions Gallimard, 1946.

CRÉATION: Berlin, 28 août 1928

L'Opéra de quat'sous

Pour faire face à l'endurcissement croissant de l'espèce humaine, l'homme d'affaires J. Peachum avait ouvert une officine où les plus déshérités des déshérités prenaient une apparence capable de parler au cœur le plus racorni.

Premier acte

Le vestiaire à mendiants de Jonathan Jeremiah Peachum.

CHORAL MATINAL DE PEACHUM

Réveille-toi, mauvais chrétien !
Reprends ta vie de péché, chien !
Montre de quoi tu es capable,
Et que Dieu te soit secourable !

Vends ton frère, vends, salaud,
Ta femme, infâme maquereau !
Et Dieu le Père, c'est du vent ?
Attends le jour du Jugement !

Costume du personnage Peachum, théâtre du Trident, 1977.

PEACHUM, *au public*: Il faut que cela change. Mon métier devient impossible; il consiste à éveiller la pitié chez les gens. Il existe bien quelques trop rares procédés capables d'émouvoir le cœur de l'homme, mais le malheur est qu'ils cessent d'agir au bout de deux ou trois fois. Car l'homme possède une redoutable aptitude à se rendre insensible pour ainsi dire à volonté. C'est ainsi, par exemple, qu'un homme qui en voit un autre tendre un

Peachum (Guy Provost) et des mendiants, théâtre du Nouveau Monde, 1991.

moignon au coin de la rue, sera prêt, dans son saisissement, à lui donner dix pennies la première fois, mais la deuxième fois, plus que cinq pennies, et, s'il le rencontre une troisième fois, il le livrera froidement à la police. Il en va de même des armes psychologiques. (*Un grand panneau descend des cintres. On y lit*: «Le vrai bonheur consiste à donner.») À quoi bon peindre avec amour les devises les plus nobles et les plus convaincantes sur les plus ravissants panonceaux ? Elles perdent tout de suite leur force de persuasion. Dans la Bible, il y a peut-être quatre ou cinq maximes qui parlent au cœur; quand on les a épuisées, on se retrouve sans gagne-pain. Tenez, par exemple, cet écriteau: «Donne, et il te sera donné», depuis trois malheureuses semaines qu'il pend ici, il ne fait plus aucun effet. Le public veut toujours du nouveau. Évidemment, je vais encore mettre la Bible à contribution, mais combien de temps cela suffira-t-il ?

On frappe. Peachum va ouvrir. Entre un jeune homme du nom de Filch.

FILCH: Peachum et Cie ?

PEACHUM: Peachum.

FILCH: C'est bien vous le directeur de la société «L'Ami du mendiant» ? On m'a dit de m'adresser à vous. Ah, ça, au moins, c'est des maximes ! Un vrai capital ! Vous en avez sans doute toute une bibliothèque ? Ça, au moins, c'est quelque chose. Nous autres, où est-ce qu'on irait chercher des idées pareilles, et quand on n'a pas d'instruction, comment voulez-vous que les affaires prospèrent ?

PEACHUM: Votre nom ?

FILCH: Voyez-vous, monsieur Peachum, dès ma jeunesse, j'ai joué de malchance. Ma mère buvait et mon père était joueur. Livré à moi-même depuis toujours, sans la main aimante d'une mère, je me suis enfoncé peu à peu dans le bourbier de la grande ville. Je n'ai jamais connu l'affectueuse sollicitude d'un père ni les bienfaits d'un foyer uni. Et c'est ainsi que vous me voyez...

PEACHUM: C'est ainsi que je vous vois...

FILCH, *déconcerté*: ... dénué de toutes ressources, jouet de mes instincts.

PEACHUM: Comme une épave en haute mer et cætera. Maintenant, dites-moi espèce d'épave, dans quel secteur récitez-vous cette émouvante bluette ?

FILCH: Pardon, monsieur Peachum ?

PEACHUM: Ce récital, vous le donnez bien en public ?

FILCH: C'est-à-dire, voyez-vous, monsieur Peachum, hier, à Highland Street, il s'est produit un pénible incident. Je me tiens là, tranquille et malheureux au coin de la rue, le chapeau à la main, sans songer à mal...

PEACHUM *feuillette un registre*: Highland Street, oui, c'est bien ça. C'est toi le salopard que Sam et Honey ont pincé hier. Tu avais le culot d'importuner les passants dans le secteur n° 10. Nous avons réglé l'affaire par une volée de bois vert, parce que nous nous sommes dit: «En voilà un qui n'a pas su frapper à la bonne porte.» Mais si on t'y repince une seule fois, alors, ce sera la scie! Compris?

FILCH: Je vous en prie, monsieur Peachum, je vous en prie. Que dois-je faire, monsieur Peachum? Avant de me donner votre carte, ces messieurs m'ont couvert de bleus. Tenez, si j'enlevais ma veste, vous croiriez parler à une morue séchée.

PEACHUM: Cher ami, tant que tu n'es pas aplati comme une raie, tu peux dire que mes hommes ont été bougrement mous! Regardez-moi ce blanc-bec! Ça s'amène tranquillement, persuadé qu'il lui suffira de faire le beau pour avoir son bifteck assuré. Que dirais-tu, si on venait pêcher les meilleures truites de ton étang?

FILCH: Eh bien, c'est-à-dire, monsieur Peachum... je n'ai pas d'étang.

Peachum (Jean-Marie Lemieux) et Filch (Jacques Girard), théâtre du Trident, 1977.

PEACHUM: Bon. Les licences ne sont délivrées qu'à des professionnels. (*Très homme d'affaires, il montre un plan de la ville.*) Londres est divisée en quatorze secteurs. Quiconque se propose d'exercer la profession de mendiant dans l'un de ces secteurs a besoin d'une licence de Jonathan Jeremiah Peachum et Cie. Autrement, n'importe qui pourrait s'amener – jouet de ses instincts.

FILCH: Monsieur Peachum, seuls quelques shillings me séparent de la ruine complète. Pour deux shillings, il doit y avoir moyen...

PEACHUM: Vingt shillings.

FILCH: Monsieur Peachum! (*Implorant, il montre un panneau sur lequel on lit*: «Ne ferme pas ton oreille à la misère!» *Peachum montre le rideau d'une vitrine, sur lequel on lit*: «Donne, et il te sera donné.») Dix shillings.

PEACHUM: Et cinquante pour cent des recettes hebdomadaires. Avec fourniture de l'équipement, soixante-dix pour cent.

FILCH: Pardon, en quoi consiste l'équipement?

PEACHUM: C'est la société qui le décide.

FILCH: Dans quel secteur pourrais-je entrer en fonction?

PEACHUM: Baker Street, 2-104. C'est même meilleur marché. Là, ça ne fera que cinquante pour cent avec l'équipement.

FILCH: Voici.

Il paie.

PEACHUM: Votre nom?

FILCH: Charles Filch.

PEACHUM: C'est bien ça. (*Il crie*:) Madame Peachum! (*Entre madame Peachum.*) Voici Filch, numéro trois cent

Bertolt BRECHT

Créateur du théâtre de la «distanciation», Brecht est l'un des plus importants dramaturges du XXe siècle. Né en 1898 à Augsbourg, en Allemagne, il commence sa carrière à Berlin comme assistant metteur en scène, puis s'associe au compositeur Kurt Weill pour créer sa plus célèbre pièce, *L'Opéra de quat'sous* (1928). Adversaire du nazisme, il s'exile de 1933 à 1948, puis fonde et dirige à Berlin la troupe du Berliner Ensemble, qui joue ses pièces avec succès. Brecht meurt à Berlin le 14 août 1956, laissant une importante œuvre théâtrale: *Dans la jungle des villes* (1923), *Mère Courage et ses enfants* (1941), *La Bonne Âme de Setchouan* (1942), *Le Cercle de craie caucasien* (1948); des poèmes: *Sermons domestiques* (1927), *Élégies de Buckow* (1953); ainsi que des textes théoriques: *Petit Organon pour le théâtre* (1948), *Écrits sur le théâtre* (1963-1964). D'inspiration marxiste, l'œuvre de Brecht remet en question la structure actuelle de la société où l'homme ne peut ni s'abstenir d'agir sans se renier, ni agir sans perpétuer l'injustice. On l'a qualifiée de «théâtre didactique», de «théâtre de la distanciation» ou de «théâtre dialectique».

quatorze. C'est moi qui l'inscris. Naturellement vous voulez vous faire embaucher juste avant les fêtes du couronnement, le seul moment dans toute une vie d'homme où il y ait un petit quelque chose à glaner. Équipement C.

Il soulève le rideau d'une vitrine où se trouvent cinq mannequins de cire.

FILCH: Qu'est-ce que c'est?

PEACHUM: Ce sont les cinq types fondamentaux de misère qui sont capables d'émouvoir le cœur de l'homme. La vue de ces différents types plonge l'homme dans cet état contre-nature où il est prêt à lâcher son argent. Équipement A: victime du progrès des moyens de transport. L'alerte paralytique, toujours gai (*il mime le personnage*), toujours insouciant, à peine assombri par un moignon. Équipement B: victime de l'art de la guerre. L'insupportable trembloteur, importune les passants. Travaille par le dégoût qu'il inspire (*il mime le personnage*), dégoût que la vue de ses nombreuses décorations atténue à peine. Équipement C: victime de l'essor industriel. Le pitoyable aveugle, ou la haute école de l'art mendicitaire. (*Il mime le personnage, en s'avançant à tâtons vers Filch. Au moment où il se heurte à Filch, celui-ci, effrayé, pousse un cri. Peachum s'arrête aussitôt, le toise d'un air stupéfait, et se met à hurler*:) Il a pitié! Jamais, au grand jamais, vous ne ferez un bon mendiant! Regardez-moi ça! C'est à peine capable de faire un passant! Bon, équipement D! Celia, tu as encore bu! Et maintenant, tu n'as pas les yeux en face des trous! Le numéro cent trente-six s'est plaint de ses frusques. Combien de fois devrai-je te répéter qu'un gentleman n'enfile jamais de vêtements crasseux. Le numéro cent trente-six a payé pour un costume flambant neuf. Les taches, le seul élément du costume qui doive inciter à la pitié, il fallait les faire à l'aide de stéarine de bougie appliquée au fer chaud. Mais tu ne penses à rien! Il faut que je fasse tout moi-même! (*À Filch*:) Déshabille-toi et enfile-moi ça, mais entretiens-le bien!

[...]

Bertolt Brecht, *L'Opéra de quat'sous*,
traduction de J.-C. Hénery, © L'Arche Éditeur, 1983.

CRÉATION: Chicago, 26 décembre 1944

La Ménagerie de verre

Les années 1930, Saint-Louis, Missouri, où vit Amanda Wingfield avec Tom, son fils et Laura, sa fille légèrement handicapée.

SCÈNE 1

L'appartement des Gordon est situé sur le derrière d'un immeuble représentant le type de ces immenses ruches qui poussent comme des verrues dans les centres surpeuplés où vivent pêle-mêle ouvriers et petits bourgeois. Ils répondent aux aspirations de cette partie considérable de la population américaine réduite à l'état d'esclavage et qui, loin de chercher l'espace et l'isolement, se complaît dans l'automatisme d'une existence grégaire.

L'appartement donne sur une impasse; on y accède par l'escalier d'incendie. Ce détail ne manque pas d'une certaine pertinence car ces immeubles géants ne cessent de flamber du sombre et implacable feu du désespoir humain. L'escalier fait partie du décor; on doit voir le palier et les marches qui en descendent.

L'action n'est qu'un souvenir et n'a par conséquent rien de réel. La mémoire se permet beaucoup de licences; elle omet certains détails et en exagère d'autres suivant le caractère plus ou moins sentimental des souvenirs, ce qui est naturel puisqu'elle a son siège dans notre cœur. L'intérieur de l'appartement est donc sombre et poétique.

Au lever du rideau, le public a devant lui le vilain mur gris qui forme le fond du logement des Gordon. Ce mur est parallèle à la rampe: il est flanqué d'un côté par un étroit et sombre couloir qui mène à des impasses encombrées de cordes à linge, de poubelles et du lacis des échelles à claire-voie que sont les escaliers de secours. Au cours de la pièce, toutes les entrées et les sorties s'effectuent par ces couloirs. À la fin du premier monologue de Tom, le mur du premier plan devient graduellement transparent, révélant l'intérieur de l'appartement.

Au premier plan, un salon qui sert aussi de chambre à coucher pour Laura lorsqu'on déplie le sofa. Au fond et au centre, la salle à manger, séparée du salon par une large baie cintrée ornée de portières transparentes – et fanées – ou par un second rideau de scène. Dans le salon, un vieux meuble à rayons ou étagères, contenant une centaine d'animaux en verre transparent. Sur la cloison qui sépare la salle à manger du salon, face au public et à gauche de la baie, un agrandissement de la photographie du père de Laura : il est jeune, beau garçon, et porte le calot des soldats de l'avant-dernière ; il sourit fièrement, immuablement, comme pour dire :

« Je sourirai toujours, quoi qu'il arrive. »

Le public voit et entend la première scène à travers le mur du premier plan et à travers les portières de tulle qui décorent la baie de la salle à manger. C'est seulement un moment après le début de cette scène que le mur du premier plan remonte lentement dans les cintres pour ne reparaître que tout à fait à la fin de la pièce, pendant la dernière tirade de Tom.

Le récitant est un élément purement conventionnel du spectacle : il prend toutes les libertés qu'il juge nécessaires à la compréhension de son rôle.

Tom, vêtu en matelot de la marine marchande, entre par le couloir de gauche et se dirige lentement, en traversant le plateau, vers l'escalier de secours. Arrivé là, il s'arrête, allume une cigarette et s'adresse au public :

TOM

Oui, j'ai des tours dans mon sac, j'ai des tours dans ma manche ; cependant je suis le contraire d'un prestidigitateur de salon, car lui vous présente une illusion qui a l'apparence de la vérité ; moi, je vous offre la vérité affublée du masque plaisant de l'illusion. Pour commencer, je renverse le cours du temps. Je ramène l'aiguille à cette période attendrissante de l'entre-deux-guerres, où la classe moyenne américaine se rôtissait les plumes à un système économique en fusion, et où toute une jeunesse désemparée, désabusée, cherchait à tâtons on ne sait quelle illusoire espérance.

Voilà pour l'époque et pour l'ambiance...

On peut estimer que comme précision, c'est évidemment vague, mais si nous vivons perpétuellement entre deux der de der dans une paix où les accords idylliques de la harpe ont des résonances de grosse caisse, moi je n'y peux rien, je ne suis que le récitant de la pièce.

Musique, je vous prie.

Musique

La pièce est purement sentimentale. Elle est faite d'évocations... de souvenirs. C'est ce qui explique le violon en coulisses et la lumière diffuse (*geste*) qui la baigne.

Je ne suis pas seulement le récitant. Je tiens également un rôle dans la pièce.

Les autres personnages sont Amanda, ma mère ; Laura, ma sœur ; et un « Monsieur en visite », qui fait son apparition dans les scènes finales. C'est le personnage le plus

Laura (Dorothée Berryman), Tom (Réjean Roy), Amanda (Marjolaine Hébert) et Jim (Serge Thériault), Nouvelle Compagnie Théâtrale, 1973.

réaliste de la pièce, étant l'émissaire d'un univers de réalité duquel nous avons, en quelque sorte, été coupés. Mais, comme j'ai un faible pour les symboles, je dirai que ce personnage représente l'objet de nos rêves, ce «quelque chose» que toujours l'on attend et qui met souvent un temps fou à venir.

Amanda (Marjolaine Hébert) et Laura (Dorothée Berryman), Nouvelle Compagnie Théâtrale, 1973.

Il y a aussi un cinquième personnage. Mais qui, lui, ne se manifeste que sous la forme de cette photographie plus grande que nature que vous voyez au-dessus de la cheminée. Notre père (*projecteur*) qui nous a quittés il y a fort longtemps. Il était téléphoniste et un jour il a plaqué son standard pour aller s'ébattre dans les sentiers fleuris de la liberté... Il était amoureux du «Long-Distance»...

La dernière fois que nous eûmes de ses nouvelles, ce fut sous la forme d'une carte postale en couleurs, venant de Chihuahua, au Mexique, et qui contenait le laconique message que voici: «Hello, Goodbye. Bonjour, Au revoir», et pas d'adresse.

Pour le reste, eh bien, mon Dieu, vous allez voir...

(*On entend la voix d'Amanda à travers les portières baissées.*)

Sous-titre à l'écran[1]: *Mais où sont les neiges...*

(*Tom écarte les portières et passe à l'arrière-plan. Amanda et Laura sont assises à une table pliante. Elles font les gestes de personnes qui mangent, mais il n'y a ni plat ni couvert. Amanda fait face au public. Tom et Laura seront de profil. La scène s'est éclairée lentement, et à travers le rideau transparent nous voyons Amanda et Laura, toutes deux assises autour de la table à l'arrière-plan.*)

AMANDA, *appelant.*

Tom!

TOM

Oui, maman.

AMANDA

Nous ne pouvons pas dire le bénédicité tant que tu ne seras pas à table.

TOM

J'arrive maman.

(*Il fait une petite révérence au public, se retire, et reparaît quelques instants plus tard à sa place à la table.*)

AMANDA, *à son fils.*

Ne *pousse* pas avec *tes doigts*, mon ange; s'il faut absolument que tu pousses avec quelque chose, alors prends un croûton de pain. Et mâche – *mâche!* Les animaux ont l'estomac compartimenté de manière à pouvoir digérer les aliments sans les mastiquer; mais les êtres humains sont censés *mâcher* leur nourriture avant de l'avaler et de la faire passer dans l'œsophage. Prends ton temps pour manger, mon fils, si tu veux déguster ce que tu manges. Un plat bien cuisiné recèle une quantité de saveurs qui demandent à être conservées dans la bouche pour être pleinement appréciées. Alors, mâche tes aliments et donne à tes glandes salivaires l'occasion de fonctionner...

(*Posément Tom remet sa fourchette imaginaire sur la nappe et, d'une secousse, écarte sa chaise de la table.*)

TOM

Je n'ai pas goûté une seule bouchée de mon dîner, avec tes conseils exaspérants. Et si j'expédie mes repas ventre à terre, c'est toi qui m'y obliges, toi qui guettes comme un vautour chaque morceau que je porte à ma bouche. Les sécrétions des

1. L'utilisation de l'écran et des sous-titres est FACULTATIVE.

Tennessee Williams

Depuis les années 1950, la popularité du théâtre de Tennessee Williams ne s'est jamais démentie. Né en 1911 à Columbus, dans le sud des États-Unis, il commence très tôt à écrire, menant une vie de bohème avant de devenir célèbre avec *La Ménagerie de verre* en 1945. Suivent d'autres grands succès au théâtre: *Un tramway nommé Désir* (1947), *La Rose tatouée* (1950), *La Chatte sur un toit brûlant* (1955); des romans et nouvelles: *Le Boxeur manchot* (1948), *Le Printemps romain de Mme Stone* (1950); ainsi que des poèmes: *Dans l'hiver des villes* (1976). Malgré sa notoriété grandissante, l'écrivain sombre dans l'alcool et la drogue. Il meurt solitaire dans un hôtel de New York en 1983, après avoir écrit ses *Mémoires* (1975). La plupart de ses romans ont été portés à l'écran, dont le célèbre *Un tramway nommé Désir*, réalisé par Elia Kazan en 1951.

animaux, les glandes salivaires, la mastication... Écœurant! De quoi vous gâcher à tout jamais l'appétit!

AMANDA, *affectant de ne pas le prendre au sérieux.*

Ombrageux comme une vedette de l'Opéra! (*Il se lève et vient à l'avant-scène.*) Personne ne t'a autorisé à quitter la table!

TOM

Je vais prendre une cigarette.

AMANDA

Tu fumes trop.

LAURA, *elle se lève.*

Je vais chercher le blanc-manger.

(*Tom reste debout, adossé aux portières, la cigarette à la bouche, pendant l'entretien qui va suivre.*)

AMANDA, *se levant.*

Non sœurette, non! Aujourd'hui c'est toi qui es la Dame et moi le Chevalier Servant.

LAURA

Mais puisque je suis debout.

AMANDA

Rassieds-toi, sœurette. Je veux que tu sois fraîche et jolie... pour les galants...

LAURA

Je n'attends pas de «galants».

AMANDA, *traverse pour se rendre à la cuisine. D'un ton désinvolte.*

Quelquefois ils viennent quand on les attend le moins. Ainsi par exemple, je me rappelle certain dimanche après-midi à Roche-Bleue...

(*Elle disparaît dans la cuisine.*)

TOM

Je connais la suite.

LAURA

Oui, mais laisse-la raconter.

TOM

Encore?

[...]

Tennessee Williams, *La Ménagerie de verre*, adaptation de Marcel Duhamel,

Laura (Dorothée Berryman) et Jim (Serge Thériault), Nouvelle Compagnie Théâtrale, 1973.

CRÉATION: Paris, 11 mai 1950

La Cantatrice chauve

anti-pièce

Un couple d'Anglais, les Smith, reçoivent les Martin. Soirée creuse où la conversation s'enlise dans l'insignifiance et les clichés lorsqu'arrive le capitaine des pompiers.

SCÈNE VIII

LES MÊMES, LE CAPITAINE DES POMPIERS

LE POMPIER (*il a, bien entendu, un énorme casque qui brille et un uniforme*): Bonjour, Mesdames et Messieurs. (*Les gens sont encore un peu étonnés. Mme Smith, fâchée, tourne la tête et ne répond pas à son salut.*) Bonjour, [...]

Mme SMITH: Et qu'est-ce qu'il y a pour votre service, Monsieur le Capitaine?

LE POMPIER: Je vais vous prier de vouloir bien excuser mon indiscrétion (*très embarrassé*); euh (*il montre du doigt les époux Martin*)... puis-je... devant eux...

Mme MARTIN: Ne vous gênez pas.

M. MARTIN: Nous sommes de vieux amis. Ils nous racontent tout.

M. SMITH: Dites.

LE POMPIER: Eh bien, voilà. Est-ce qu'il y a le feu chez vous?

Mme SMITH: Pourquoi nous demandez-vous ça?

LE POMPIER: C'est parce que... excusez-moi, j'ai l'ordre d'éteindre tous les incendies dans la ville.

Mme MARTIN: Tous?

LE POMPIER: Oui, tous.

Mme Smith, *confuse*: Je ne sais pas... je ne crois pas, voulez-vous que j'aille voir ?

M. Smith, *reniflant*: Il ne doit rien y avoir. Ça ne sent pas le roussi.

Le Pompier, *désolé*: Rien du tout ? Vous n'auriez pas un petit feu de cheminée, quelque chose qui brûle dans le grenier ou dans la cave ? Un petit début d'incendie, au moins ?

Mme Smith: Écoutez, je ne veux pas vous faire de la peine mais je pense qu'il n'y a rien chez nous pour le moment. Je vous promets de vous avertir dès qu'il y aura quelque chose.

Le Pompier: N'y manquez pas, vous me rendriez service.

Mme Smith: C'est promis.

Le Pompier, *aux époux Martin*: Et chez vous, ça ne brûle pas non plus ?

Mme Martin: Non, malheureusement.

M. Martin, *au Pompier*: Les affaires vont plutôt mal, en ce moment !

Le Pompier: Très mal. Il n'y a presque rien, quelques bricoles, une cheminée, une grange. Rien de sérieux. Ça ne rapporte pas. Et comme il n'y a pas de rendement, la prime à la production est très maigre.

M. Smith: Rien ne va. C'est partout pareil. Le commerce, l'agriculture, cette année c'est comme pour le feu, ça ne marche pas.

M. Martin: Pas de blé, pas de feu.

Le Pompier: Pas d'inondation non plus.

Mme Smith: Mais il y a du sucre.

M. Smith: C'est parce qu'on le fait venir de l'étranger.

Mme Martin: Pour les incendies, c'est plus difficile. Trop de taxes !

Le Pompier: Il y a tout de même, mais c'est assez rare aussi, une asphyxie au gaz, ou deux. Ainsi, une jeune femme s'est asphyxiée, la semaine dernière, elle avait laissé le gaz ouvert.

Mme Martin: Elle l'avait oublié ?

Le Pompier: Non, mais elle a cru que c'était son peigne.

M. Smith: Ces confusions sont toujours dangereuses !

Mme Smith: Est-ce que vous êtes allé voir chez le marchand d'allumettes ?

Le Pompier: Rien à faire. Il est assuré contre l'incendie.

M. Martin: Allez donc voir, de ma part, le vicaire de Wakefield !

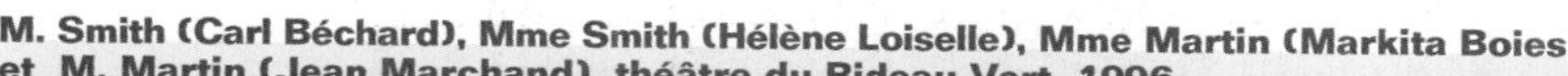

M. Smith (Carl Béchard), Mme Smith (Hélène Loiselle), Mme Martin (Markita Boies) et M. Martin (Jean Marchand), théâtre du Rideau Vert, 1996.

Eugène Ionesco

Illustre représentant du théâtre de l'absurde, Eugène Ionesco naît en 1909 à Slatina, en Roumanie. Après des études de français, il se fixe en France en 1938. Sa première pièce, *La Cantatrice chauve* (1950), marque le début d'une œuvre marquante, composée surtout de pièces de théâtre: *La Leçon* (1951), *Les Chaises* (1952), *Rhinocéros* (1958), *Le Roi se meurt* (1962), *Jeux de massacre* (1970); de recueils de réflexions: *Notes et contre-notes* (1966), *Journal en miettes* (1967-1968); d'un roman: *Le Solitaire* (1973); et de deux *Contes «pour enfants de moins de trois ans»* (1969-1970). Lors de la «révolution roumaine» de décembre 1989, Ionesco fait appel à la communauté internationale pour venir en aide au peuple roumain. Il meurt à Paris le 8 mars 1994. *La Cantatrice chauve* n'a eu à ses débuts qu'un accueil mitigé de la part du public. Toutefois, le succès qu'elle connaît par la suite lui vaut d'être jouée de façon ininterrompue au théâtre de la Huchette, à Paris, et de faire partie des événements culturels incontournables de la capitale.

LE POMPIER: Je n'ai pas le droit d'éteindre le feu chez les prêtres. L'Évêque se fâcherait. Ils éteignent leurs feux tout seuls ou bien ils les font éteindre par des vestales.

M. SMITH: Essayez voir chez Durand.

LE POMPIER: Je ne peux pas non plus. Il n'est pas Anglais. Il est naturalisé seulement. Les naturalisés ont le droit d'avoir des maisons mais pas celui de les faire éteindre si elles brûlent.

Mme SMITH: Pourtant, quand le feu s'y est mis l'année dernière, on l'a bien éteint quand même!

LE POMPIER: Il a fait ça tout seul. Clandestinement. Oh, c'est pas moi qui irais le dénoncer.

M. SMITH: Moi non plus.

Mme SMITH: Puisque vous n'êtes pas trop pressé, Monsieur le Capitaine, restez encore un peu. Vous nous feriez plaisir.

LE POMPIER: Voulez-vous que je vous raconte des anecdotes?

Mme SMITH: Oh, bien sûr, vous êtes charmant.

Elle l'embrasse.

M. SMITH, Mme MARTIN, M. MARTIN: Oui, oui, des anecdotes, bravo!

Ils applaudissent.

[...]

Eugène Ionesco, *La Cantatrice chauve*,

M. Smith (Edgar Fruitier), le pompier (Christian Delmas) et Mme Smith (Suzanne Langlois), Nouvelle Compagnie Théâtrale, 1978.

Samuel BECKETT

CRÉATION: Londres, 1er avril 1957

Fin de partie

Hamm et son valet Clov vivent dans un décor gris de fin du monde sous les regards des parents de Hamm qui, eux, vivent chacun dans une poubelle.

[...]

HAMM (*avec élan*). — Allons-nous-en tous les deux, vers le sud! Sur la mer! Tu nous feras un radeau. Les courants nous emporteront, loin, vers d'autres... mammifères!

CLOV. — Parle pas de malheur.

HAMM. — Seul, je m'embarquerai seul! Prépare-moi ce radeau immédiatement. Demain je serai loin.

CLOV (*se précipitant vers la porte*). — Je m'y mets tout de suite.

HAMM. — Attends! (*Clov s'arrête.*) Tu crois qu'il y aura des squales?

CLOV. — Des squales? Je ne sais pas. S'il y en a il y en aura.

Il va vers la porte.

HAMM. — Attends! (*Clov s'arrête.*) Ce n'est pas encore l'heure de mon calmant?

CLOV (*avec violence*). — Non!

Il va vers la porte.

HAMM. — Attends! (*Clov s'arrête.*) Comment vont tes yeux?

CLOV. — Mal.

HAMM. — Mais tu vois.

CLOV. — Suffisamment.

HAMM. — Comment vont tes jambes?

CLOV. — Mal.

HAMM. — Mais tu marches.

CLOV. — Je vais, je viens.

HAMM. — Dans ma maison. (*Un temps. Prophétique et avec volupté.*) Un jour tu seras aveugle. Comme moi. Tu seras assis quelque part, petit plein perdu dans le vide, pour toujours, dans le noir. Comme moi. (*Un temps.*) Un jour tu te diras, Je suis fatigué, je vais m'asseoir, et tu iras t'asseoir. Puis tu te diras, J'ai faim, je vais me lever et me faire à manger. Mais tu ne te lèveras

Samuel BECKETT

Lauréat du prix Nobel de littérature en 1969, Samuel Beckett est l'un des génies littéraires du XXe siècle. Né à Dublin, en Irlande, en 1906, il y étudie au Trinity College, puis il séjourne à Paris et à Londres, avant de se fixer définitivement en France en 1938. Après la guerre, en 1945, il se met à écrire en français. Son œuvre se compose de pièces mondialement connues: *En attendant Godot* (1953), *Fin de partie* (1957), *La Dernière Bande* (1958), *Oh les beaux jours* (1963); et aussi de nombreux romans et récits: *Murphy* (1947), *Molloy* et *Malone meurt* (1951), *Watt* et *L'Innommable* (1953), *Nouvelles* et *Textes pour rien* (1955), *Têtes-mortes* (1967). Beckett meurt à Paris le 22 décembre 1989. L'œuvre théâtrale et romanesque de Beckett témoigne de la même visée centrale: atteindre un dépouillement de langage qui dise la condition humaine. C'est ce qui donne à ses textes, dans la dérision et l'absurde dont ils sont imprégnés, leur vérité universelle.

pas. Tu te diras, J'ai eu tort de m'asseoir, mais puisque je me suis assis je vais rester assis encore un peu, puis je me lèverai et je me ferai à manger. Mais tu ne te lèveras pas et tu ne te feras pas à manger. (*Un temps.*) Tu regarderas le mur un peu, puis tu te diras, Je vais fermer les yeux, peut-être dormir un peu, après ça ira mieux, et tu les fermeras. Et quand tu les rouvriras il n'y aura plus de mur. (*Un temps.*) L'infini du vide sera autour de toi, tous les morts de tous les temps ressuscités ne le combleraient pas, tu y seras comme un petit gravier au milieu de la steppe. (*Un temps.*) Oui, un jour tu sauras ce que c'est, tu seras comme moi, sauf que toi tu n'auras personne, parce que tu n'auras eu pitié de personne et qu'il n'y aura plus personne de qui avoir pitié.

Un temps.

CLOV. — Ce n'est pas dit. (*Un temps.*) Et puis tu oublies une chose.

HAMM. — Ah.

CLOV. — Je ne peux pas m'asseoir.

HAMM (*impatient*). — Eh bien, tu te coucheras, tu parles d'une affaire. Ou tu t'arrêteras, tout simplement, tu resteras debout, comme maintenant. Un jour tu te diras, Je suis fatigué, je vais m'arrêter. Qu'importe la posture!

Un temps.

CLOV. — Vous voulez donc tous que je vous quitte?

HAMM. — Bien sûr.

CLOV. — Alors je vous quitterai.

HAMM. — Tu ne peux pas nous quitter.

CLOV. — Alors je ne vous quitterai pas.

[...]

Samuel Beckett, *Fin de partie*,

Clov (Jean-Louis Millette) et Hamm (Jacques Godin), Place des Arts, 1993.

Marcel DUBÉ

CRÉATION: Montréal, 23 janvier 1953

Zone

Après avoir été trahi par l'un des siens puis emprisonné, Tarzan, chef d'une bande de jeunes impliquée dans la contrebande de cigarettes, a réussi à s'évader de prison. Il vient retrouver Ciboulette dans l'arrière-cour qui leur sert de repaire pour lui avouer son amour. L'arrivée de la police met fin à leurs projets.

Tarzan (Daniel Gadouas) et Ciboulette (Johanne Seymour), Nouvelle Compagnie Théâtrale, 1979.

Acte 3

[...]

Les sirènes arrivent en premier plan et se taisent.

CIBOULETTE — T'es lâche, Tarzan.

TARZAN — Ciboulette !

CIBOULETTE — Tu veux plus courir ta chance, tu veux plus te battre et t'es devenu petit. C'est pour ça que tu m'as donné l'argent. Reprends-le ton argent et sauve-toi avec.

TARZAN — Ça me servira à rien.

CIBOULETTE — Si t'es encore un homme, ça te servira à changer de pays, ça te servira à vivre.

TARZAN — C'est inutile d'essayer de vivre quand on a tué un homme.

CIBOULETTE — Tu trouves des défaites pour oublier ta lâcheté. Prends ton argent et essaie de te sauver.

TARZAN — Non.

CIBOULETTE — Oui. (*Elle lui lance l'argent au visage.*) C'est à toi. C'est pas à moi. Je travaillais pas pour de l'argent, moi. Je travaillais pour toi. Je travaillais pour un chef. T'es plus un chef.

TARZAN — Il nous restait rien qu'une minute et tu viens de la gaspiller.

CIBOULETTE — Comme tu gaspilleras toute ma vie si tu restes et si tu te rends.

TARZAN — Toi aussi tu me trahis, Ciboulette. Maintenant je te mets dans le même sac que Passe-Partout, dans le même sac que tout le monde. Comme au poste de police, je suis tout seul. Ils peuvent venir, ils vont me prendre encore. (*Il fait le tour de la scène et crie :*) Qu'est-ce que vous attendez pour tirer ? Je sais que vous êtes là, que vous êtes partout, tirez... tirez donc.

CIBOULETTE, *elle se jette sur lui.* — Tarzan, pars, pars, c'était pas vrai ce que je t'ai dit, c'était pas vrai, pars, t'as une chance,

Marcel Dubé

Dramaturge prolifique, Marcel Dubé s'attache à dépeindre la tragique destinée humaine. Né en 1930 à Montréal, il étudie les lettres à l'Université de Montréal. Optant pour le métier d'auteur dramatique, il remporte plusieurs prix avec sa première pièce, *Zone* (1953). Il devient vite populaire grâce à la diffusion, de ses dramatiques radiophoniques et de ses nombreux téléthéâtres. Couronnée de nombreux prix, l'œuvre de Dubé compte plus de 300 titres, dont *Un simple soldat* (1967), *Les Beaux Dimanches* (1968), *Le Temps des lilas* et *Au retour des oies blanches* (1969), *L'Impromptu de Québec* (1974). Président du Conseil de la langue française, Marcel Dubé siège à l'Académie canadienne-française.

rien qu'une sur cent c'est vrai, mais prends-la, Tarzan, prends-la si tu m'aimes... Moi je t'aime de toutes mes forces et c'est là où il reste un peu de vie possible que je veux t'envoyer... Je pourrais mourir tout de suite rien que pour savoir une seconde que tu vis.

TARZAN *la regarde longuement, prend sa tête dans ses mains et l'effleure comme au premier baiser* — Bonne nuit, Ciboulette.

CIBOULETTE — Bonne nuit, François... Si tu réussis, écris-moi une lettre.

TARZAN — Pauvre Ciboulette... Même si je voulais, je sais pas écrire. (*Il la laisse, escalade le petit toit et disparaît. Un grand sourire illumine le visage de Ciboulette.*)

CIBOULETTE — C'est lui qui va gagner, c'est lui qui va gagner... Tarzan est un homme. Rien peut l'arrêter: pas même les arbres de la jungle, pas même les lions, pas même les tigres. Tarzan est le plus fort. Il mourra jamais.

Coup de feu sur la droite.

CIBOULETTE — Tarzan!

Deux autres coups de feu.

CIBOULETTE — Tarzan, reviens!

Tarzan tombe inerte sur le petit toit. Il glisse et choit par terre. Il réussit tant bien que mal à se relever tenant une main crispée sur son ventre et tendant l'autre à Ciboulette. Il fait un pas et il s'affaisse. Il veut ramper jusqu'à son trône mais il meurt avant.

CIBOULETTE — Tarzan!

Elle se jette sur lui. Entre Roger, pistolet au poing. Il s'immobilise derrière les deux jeunes corps étendus par terre. Ciboulette pleure. Musique en arrière-plan.

CIBOULETTE — Tarzan! Réponds-moi, réponds-moi... C'est pas de ma faute, Tarzan... c'est parce que j'avais tellement confiance... Tarzan, Tarzan, parle-moi... Tarzan, tu m'entends pas?... Il m'entend pas... La mort l'a pris dans ses deux bras et lui a volé son cœur... Dors mon beau chef, dors mon beau garçon, coureur de rues et sauteur de toits, dors, je veille sur toi, je suis restée pour te bercer... Je suis pas une amoureuse, je suis pas raisonnable, je suis pas belle, j'ai des dents pointues, une poitrine creuse... Et je savais rien faire; j'ai voulu te sauver et je t'ai perdu... Dors avec mon image dans ta tête. Dors, c'est moi Ciboulette, c'est un peu moi ta mort... Je pouvais seulement te tuer et ce que je pouvais, je l'ai fait... Dors... (*Elle se couche complètement sur lui.*)

RIDEAU

Marcel Dubé, *Zone*, © Leméac, 1968.

Tarzan (Daniel Gadouas), Nouvelle Compagnie Théâtrale, 1979.

CRÉATION: Montréal, novembre 1986

Déjà l'agonie

Luigi, un fils d'immigrants italiens, et Danielle, son épouse, militante du Parti québécois, tentent de vivre leur amour malgré l'opposition des parents de Luigi et les différences qui les séparent.

TROISIÈME SCÈNE

Montréal, 1972. Danielle et Luigi sont assis dans le salon de leur appartement, un logement plutôt modeste dont les murs et les plafonds lézardés auraient besoin d'être repeints. Les meubles sont vieux et usés.

LUIGI — Je ne l'ai presque pas vu avant l'âge de quinze ans. Belgique, Suisse, Venezuela: toujours parti. Même si dans ses lettres il répétait qu'il n'aimait pas émigrer.

Un temps.

On n'a jamais été d'accord sur rien. Son rêve, c'était d'avoir un fils constructeur qui aurait donné le nom de la famille à une compagnie. Il en parlait chaque fois qu'il prenait un verre de trop. Tu aurais dû voir son visage s'illuminer quand il disait: «Spada et père, constructeurs!»

Un temps.

Il m'a chassé de la maison quand il a appris que je travaillais pour l'association des immigrants. Nous n'aurions pas dû aller le voir.

DANIELLE — Il fallait y aller, pour ta mère. Tu m'as tellement parlé d'elle. J'avais envie de la connaître. (*Sourire ému.*) Elle fait tellement italienne, ta mère.

LUIGI, *avec fierté.* — De l'Italie du Sud, comme moi!

DANIELLE — C'est drôle... J'oublie toujours que tu es italien. Mes parents, mes amis: personne ne pense que tu es un Italien. Ils te trouvent tous... Je ne sais pas pourquoi tu insistes tant sur ton origine. Tu pourrais facilement passer pour un *vrai* Québécois.

LUIGI, *amusé.* — Un vrai Québécois ? Dis-moi ce que je dois faire ! Est-ce que j'ai l'air plus vrai quand je suis debout ou assis ? nu ou habillé ? au soleil ou à l'ombre ? quand je mange des pâtes ou des cretons ? quand j'écoute Vigneault ou Verdi ? si je vote pour le PQ ou le NPD ? Il faut que tu me le dises, mon amour. Je suis prêt à tout pour devenir un *vrai* Québécois. (*Il se fait plus ironique.*) Peut-être que c'est le résultat d'une opération très complexe, d'une combinaison de plusieurs de ces comportements. Est-ce que je serais plus vrai en écoutant du Vigneault debout, éveillé, nu au soleil, mangeant des cretons et votant pour le NPD ? Ou bien endormi tout habillé, à l'ombre, votant pour le PQ et écoutant du Verdi ? (*Il modifie sa façon de parler.*) Il se peut que ce soit une simple question d'accent. Est-ce que je me rapproche plus du Québécois pure laine quand je parle italien avec un accent québécois ou lorsque je parle français avec un accent italien ? (*Luigi se lève et gesticule devant Danielle qui l'écoute avec un sourire amusé.*) C'est peut-être lié à la géographie. Est-ce que j'étais moins québécois quand j'habitais Saint-Léonard ? Est-ce que je le suis plus maintenant que j'ai élu domicile avec toi près du plateau Mont-Royal ? Donne-moi la réponse, mon avenir en dépend, tout comme celui d'un million d'autres catéchumènes qui piaffent d'impatience en attendant d'être baptisés par toi. (*Il s'emporte et devient plus sarcastique. Danielle ne sourit plus.*) Si j'avais une piscine creusée, un chalet dans le Nord, deux autos, un skidoo, un condo à Acapulco, une femme chromée et des enfants inoxydables, est-ce que je serais plus près de l'authenticité ? (*Sérieux.*) Se pourrait-il que ce soit un sujet tabou qu'il vaudrait mieux ne pas aborder parce que trop gênant ? Comme... une question de gènes ? Hein ? On naîtrait donc faux Québécois comme on naît mongolien, avec un bec-de-lièvre ou un pied bot ! (*Il observe un moment sa compagne qui ne trouve plus drôle du tout cette tirade, et il se remet à badiner afin de détendre l'atmosphère.*) Et si on utilisait les noms pour identifier les faux Québécois ? Ceux avec trop de voyelles ou pas assez. Tous ceux sans

Le père, Franco (Jacques Galipeau) et le fils, Luigi (Jean-Denis Leduc), théâtre La Licorne, 1986.

Marco MICONE

Né en Italie en 1945, Marco Micone immigre au Québec avec sa famille en 1958. Après des études de lettres à l'Université McGill, il travaille comme animateur culturel et enseignant auprès des immigrés italiens à Montréal. Son premier recueil de récits, *Le Figuier enchanté* (1994), lui a valu le prix des Arcades de Bologne. Il est l'auteur de plusieurs pièces de théâtre : *Gens du silence* (1982), *Addolorata* (1984), *Déjà l'agonie* (1988). Il a aussi assuré la traduction française de plusieurs pièces italiennes : *La Locandiera* (1993) et *La Serva amorosa* (1997), de Carlo Goldoni ; *Six personnages en quête d'auteur* (1993), de Luigi Pirandello ; *L'Oiseau vert* (1998), de Carlo Gozzi.

« En se racontant, en parlant de la culture immigrée, Marco Micone parle de la culture québécoise tout entière, et la travaille. » (Pierre L'Hérault, Spirale)

nasales et ceux qui se terminent en *ski* ou en *ska*. Les Trotski, Polinovski, Trotska et Michalska. Également ceux en *o* et en *ov* : les Romano et les Romanov ; les Paolo, les Pavlov et les Québec love. Et bien entendu les noms en *a* ou en *ez*. Les Spada, les Boulva et les Bourassa ; les Gomez, les Pérez, les Thérèse, sans oublier tous ceux qui baisent. (*Un peu essoufflé, il fait une pause.*) On pourrait leur donner un numéro pour mieux les reconnaître. Mais ça risquerait d'être long et compliqué. Limitons-nous donc à nous deux, ma chérie. Comme toi tu es une vraie, et moi un faux, il suffit de trouver ce qui nous distingue et la question est résolue ! Bon, il y a le sexe... Mais ça ne compte pas. Il n'y en a que deux sur la planète, pareils partout. Quoi d'autre ? Attends... À bien y penser, ce n'est pas facile ça non plus. Nous nous ressemblons tellement, toi et moi ! Nous aimons les mêmes films, la même musique, les mêmes livres et les mêmes vins. Qu'est-ce qui pourrait bien nous différencier ? Tu m'as déjà dit que ça n'a rien à voir avec l'histoire ou la sociologie. Aide-moi, ma chérie ! Après tout, c'est toi qui as dit que je suis un faux. Il doit bien y avoir quelque chose de fondamentalement différent entre nous. Au secours, je suis à court d'idées !

L'air buté, Danielle ne répond pas. Il fait mine de réfléchir durant quelques secondes, puis son visage s'éclaire.

Mais je l'ai ! J'ai trouvé ce qui nous différencie. C'était pourtant tellement simple, tellement évident ! (*Luigi marque un temps d'arrêt et s'amuse à faire languir Danielle qui attend la réponse.*) On s'en est rendu compte dès le premier jour de vie commune. (*Il fait encore une pause. Danielle est suspendue à ses lèvres.*) Oui, dès le premier jour, nous avons su que nous ne pourrions jamais utiliser la même pâte dentifrice.

Ils éclatent de rire tous les deux, puis s'enlacent voluptueusement.

LUIGI, *tendre et rêveur.* — Un jour, je t'emmènerai là où je suis né et nous ferons l'amour sous un figuier.

Marco Micone, *Déjà l'agonie*, L'Hexagone, 1988, © Marco Micone.

Pol
PELLETIER

CRÉATION: Montréal, 1995

Océan

Au retour d'un voyage en Inde, une comédienne est appelée au chevet de sa mère mourante à Ottawa.

L'amour maternel.

Je savais pas ce que c'était.
C'est très beau.

«Veux-tu une tasse de thé ?»
«Oui merci.»
«Non merci.»
«Comment vont tes enfants ?»
Nous faisons toutes et tous très attention les unes les uns
aux autres pour qu'elle sente qu'elle laisse
des enfants heureux, harmonieux, qui s'entendent bien.
Des gestes gentils, des paroles gentilles.

Pol Pelletier, Espace libre, 1995.

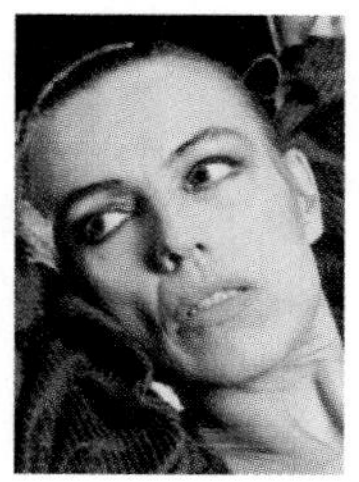

Pol Pelletier

Actrice hors du commun, Pol Pelletier est l'une des figures de proue du théâtre des femmes au Québec. Née à Ottawa en 1947, elle fait des études de lettres à l'Université d'Ottawa. Cofondatrice et codirectrice du Théâtre Expérimental des Femmes (1975-1979), elle participe à plusieurs pièces comme comédienne, auteure et metteure en scène : *La Nef des sorcières* (1976), *À ma mère, à ma mère, à ma mère, à ma voisine* (1979), *La Lumière blanche* (1981). En 1988, elle fonde le Dojo pour acteurs, où elle anime des programmes d'entraînement pour les comédiens. En 1992, elle crée le spectacle solo *Joie*, qui remporte un vif succès au Québec et à l'étranger, puis *Océan* en 1995.
Le théâtre de Pol Pelletier témoigne d'une quête à la fois personnelle et collective. Avec une écriture pleine de passion et de lucidité, elle met en scène un imaginaire féminin à la frontière du réel et du mythe.

C'est simple. Vivre. Y a pas grand-chose à faire.

Elle a laissé sa vie et ses possessions parfaitement
en ordre. Elle a tout prévu, jusqu'au menu du repas
que nous offrirons aux visiteurs après les funérailles.
Elle ne veut pas être un fardeau pour nous.

Elle est très digne.
Je savais pas.

Parfois un par un on reste là, chacun son tour,
on lui tient compagnie.
Mon frère est assis là comme un grand garçon
patient qui tient la main de sa maman.
Il ne fait rien que lui tenir la main.

On prépare le repas du soir.

On mange.

Elle, elle ne mange pas.
Qu'un peu de morphine.

Je l'ai vue souffrir y a quelques semaines avant qu'on
lui administre la morphine.
Se tordre comme un limaçon sur une plaque de
métal chauffée à blanc.

Ma maman, toute petite, qui ne sait rien de moi.

Ma dernière conversation avec ma mère.

Je ne vais pas mentir.
Je ne sais pas mentir.
Je ne mens jamais.
C'est inutile de sortir les vieilles tragédies du passé.
Je ne vais pas lui faire de la peine avant de mourir.

Mon amie thérapeute m'a dit :
« Quand on va mourir, on demande la vérité.
Quand on va mourir, on demande le pardon aussi. »

Je ne savais pas.

Pol Pelletier, *Océan*, © Pol Pelletier.

Carole
FRÉCHETTE

CRÉATION: Paris, 24 février 1998

Les Quatre Morts de Marie

Prologue
Je m'appelle Marie

MARIE. Je m'appelle Marie,
je vais mourir devant vous.
Je vous en prie,
regardez-moi.
Regardez mes mains, mon ventre, mon cou,
mon dos, pendant que je ne vous vois pas.
Regardez mes épaules qui tremblent quand je n'y crois plus,
ma poitrine qui se soulève quand je m'emporte.
Regardez les plis de ma peau,
en dessous de ma peau,
mes os,
l'inclinaison de ma tête,
les mouvements de ma bouche,
mes petits gestes secrets,
le blanc de mes yeux.
Je vous en prie,
regardez-moi,
enveloppez-moi,
soufflez sur moi.
Je vais mourir devant vous.
Je m'appelle Marie.
Quatre fois.

Marie (Suzanne Lemoine), théâtre Espace La Veillée, 1998.

PREMIER TABLEAU

Un matin de mai; dialogue de la cuisine à la salle de bains sur fond d'eau qui coule.

Dans la cuisine, Simone s'affaire.

SIMONE. Marie ! (*Dans la salle de bains, Marie ne l'entend pas à cause de l'eau qui coule.*) Marie ! Dépêche-toi ! Tu vas encore être en retard à l'école !

MARIE. Quoi ?

SIMONE. Dépêche-toi ! Il est passé huit heures !

MARIE. Quoi ? J'entends rien ! C'est à cause de l'eau.

SIMONE. Marie, qu'est-ce que tu fais ?

MARIE. Ça sera pas long, je lave mes souliers !

SIMONE. Quoi ?

MARIE. Je lave mes souliers !

SIMONE. Marie, veux-tu venir ici ! Il faut que je fasse ta queue de cheval.

MARIE (*à elle-même*). Mes souliers neufs. Je veux qu'ils brillent. Quand je les mouille, ils brillent. Je me regarde dedans. Je souris. Il faut qu'ils soient les plus brillants de la classe.

SIMONE. Marie ! Vite ! Il faut repasser le plus-que-parfait du subjonctif. Que j'eusse aimé, que tu eusses aimé, qu'il eût...

MARIE. Quoi ?

SIMONE. Qu'il eût aimé. Épelle-moi eût !

MARIE (*à elle-même*). Même mademoiselle Gervais va les remarquer. «T'as des souliers neufs, Marie ? — Oui, mademoiselle. — Ils sont beaux, très beaux, magnifiques.» Moi, comme si c'était tout naturel : «Oui, je les aime assez. — C'est bien, Marie, des souliers neufs.» Moi : «Oui, on se sent solide. Ils font un beau bruit. Écoutez.» Elle écoute, elle sourit. Je suis contente qu'elle sourie.

SIMONE (*à elle-même*). Qu'il eût aimé, que nous eussions aimé, que vous eussiez aimé... (*Elle crie.*) Marie ! Je t'aime !

MARIE. Quoi ?

SIMONE. Je t'aime !

MARIE. Oui, oui, j'arrive !

SIMONE. Marie !

MARIE. Attends, je vais fermer l'eau ! (*Silence.*) Qu'est-ce que t'as dit ?

SIMONE. J'ai dit : si tu viens pas tout de suite, tu vas encore te faire disputer par mademoiselle Gervais. Tu sais ce qu'elle t'a dit la dernière fois. Il faut que ça finisse les retards, il faut que tu sois plus disciplinée. Épelle-moi disciplinée.

MARIE. D. I. S. S. I. P. L...

SIMONE. Non !

MARIE. D. I. C. I...

SIMONE. Non !

MARIE. Ah ! merde ! M. E. R. D. E.

SIMONE. Marie !

□

Marie et Simone dans la cuisine ensoleillée; trois questions, cent coups de brosse

MARIE. J'ai trois questions ce matin. Seulement trois.

SIMONE. Marie, on est pressées.

MARIE. C'est des petites questions, pas longues du tout.

SIMONE. Tu dis toujours ça.

MARIE. Aujourd'hui c'est vrai.

SIMONE. Bon. Qu'est-ce que tu veux savoir ?

MARIE. Premièrement. Jusqu'où on peut marcher ?

SIMONE. Quoi ?

MARIE. Jusqu'où on peut marcher ?

SIMONE. Mais je le sais pas.

MARIE. Si on a des bonnes jambes et des souliers neufs, est-ce qu'on peut marcher jusqu'à... Old Orchard ?

SIMONE. Je suppose, mais on risque d'avoir mal aux pieds, surtout avec des souliers neufs.

MARIE. Jusqu'en Floride ?

SIMONE. Marie, pourquoi tu veux savoir ça ?

MARIE. Jusqu'à la Terre de Feu ?

SIMONE. Marie...

MARIE. Est-ce qu'on peut marcher jusqu'à la Terre de Feu ?

SIMONE. Oui, Marie, on peut marcher jusqu'à la mer. De n'importe quel côté. Il suffit de ne pas être pressé.

MARIE. O.K. Deuxième question. À quel âge on meurt ?

SIMONE. Mais, Marie, ça dépend. Tu le sais très bien.

MARIE. Ça dépend de quoi ?

SIMONE. De toutes sortes de choses. De la santé, du hasard, de la vie...

MARIE. Disons que tout va bien, la santé, le hasard, la vie, jusqu'à quel âge on peut aller ?

SIMONE. Il y en a qui vivent jusqu'à cent ans, et même un peu plus...

MARIE. Deux cents ?

SIMONE. Non, pas deux cents.

MARIE. Pourquoi pas ?

SIMONE. Ça s'est jamais vu.

MARIE. Mais si on n'a pas fini tout ce qu'on avait à faire. Disons qu'il nous reste encore une chose très très importante à finir, comme construire une pyramide ou faire le tour du monde à pied...

SIMONE. Ça change rien.

MARIE. Il y a peut-être des exceptions.

SIMONE. Non, Marie.

MARIE. Bon. Il me reste une question.

SIMONE. Dépêche-toi. Tu vas être en retard.

MARIE. Pourquoi t'as toujours une tristesse dans les yeux ?

SIMONE. Marie, je t'avais dit des petites questions.

MARIE. Dis-moi juste une phrase. Vas-y: Je suis triste parce que...

SIMONE. Je suis pas si triste que ça.

MARIE. Même quand il fait beau, même quand tu te mets chic pour sortir, avec du rouge à lèvres et du parfum, t'es triste.

SIMONE. Tu trouves ?

MARIE. Même quand t'as l'air gaie, même quand tu chantes avec la radio, il reste un petit quelque chose. Qu'est-ce que c'est ?

SIMONE. Je sais pas. Je suis comme ça, c'est tout. Depuis que je suis petite. Même quand je suis bien, il me manque quelque chose. Même quand j'ai tout. Même quand le soleil brille et que les oiseaux chantent, comme dans les films de Walt Disney, avant que la sorcière arrive, avec sa pomme empoisonnée.

MARIE. C'est parce que tu retiens tout.

SIMONE. Qu'est-ce que tu veux dire ?

MARIE. Tu retiens tout ce que tu vois, même les petits détails, les petits gestes. Ça t'en fait trop.

SIMONE. Mais non, ça a rien à voir. Bon, ça suffit maintenant. Finies les questions.

MARIE. Maintenant, c'est l'histoire.

SIMONE. Marie, sois raisonnable.

MARIE. Deux minutes pas plus.

SIMONE. Bon. Deux minutes exactement.

□

L'histoire de l'homme qui a vu quelque chose.

SIMONE. Un jour j'ai vu une femme qui pleurait dans l'autobus...

MARIE. Non pas celle-là. Tu l'as déjà racontée. Les larmes coulaient sur ses joues, glissaient sur son cou. Tout le monde faisait semblant de pas la voir. Elle reniflait, ça faisait un drôle de petit bruit.

SIMONE. Ça coulait, ça coulait, comme un robinet qui fuit.

MARIE. J'en voudrais une nouvelle, que j'ai jamais entendue.

SIMONE. Bon. Attends... Un matin, j'ai vu un homme qui marchait sur la rue Saint-Laurent. Un homme moyen, juste un peu plus grand que moi, avec des cheveux moyens, un peu plus foncés, juste un peu plus fous que les miens. Il marchait devant moi, assez loin, la tête bien droite, les mains dans les poches, comme un homme qui a du temps, un homme qui pense. Il portait un pantalon ordinaire, une chemise ordinaire, une veste bleue, un peu fripée. Il avait rien pour attirer l'attention. Juste un homme de plus sur la rue Saint-

Marie (Suzanne Lemoine), théâtre Espace La Veillée, 1998.

Laurent... Pourtant, je l'ai remarqué. Il avait quelque chose...

MARIE. Quoi ? Qu'est-ce qu'il avait ? Il lui manquait un bras, une main ?

SIMONE. Non, non. C'était dans ses épaules, dans sa démarche, il y avait quelque chose. On avait envie de s'approcher de lui, de marcher à côté de lui. Puis, tout à coup, il s'est arrêté.

MARIE. C'est tout ?

SIMONE. Il a vu quelque chose de l'autre côté de la rue. Il a été frappé par quelque chose. On aurait dit qu'il était pétrifié.

MARIE. Qu'est-ce qu'il a vu ?

SIMONE. Comme un fou, il s'est précipité dans la rue. Il a même pas vérifié si des autos s'en venaient. Il s'est lancé à toute vitesse. Il a glissé sur une petite flaque d'eau, ou c'était peut-être de l'huile, j'ai pas bien vu. Il s'est retrouvé assis, au milieu de la rue, les fesses mouillées, une espèce de découragement dans les épaules. Tout le monde le regardait, les autos klaxonnaient, les enfants riaient. Il bougeait pas. Il a fait un geste avec sa main, un geste comme ça, comme pour essuyer des larmes. Mais c'était probablement une poussière qu'il avait dans l'œil. Il restait là... Bon, ça suffit maintenant, il faut que tu partes.

MARIE. Qu'est-ce qu'il a vu ? Qu'est-ce que t'as fait ? L'as-tu aidé à se relever ? Est-ce que c'étaient des vraies larmes ?

SIMONE. Pas maintenant. Marie, il faut y aller.

MARIE. Ce soir, avant de me coucher.

SIMONE. Oui, oui, ce soir.

MARIE. Promis ?

SIMONE. Vite, Marie, tu vas être en retard.

□

Le départ de Marie; trois baisers

SIMONE. Je veux que tu me fasses une commission en revenant de l'école. Tu vas acheter une pinte de lait, une boîte de petits pois n° 3, un paquet de biscuits au chocolat, un gros Du Maurier *king size*. Répète.

MARIE. Je vais m'en souvenir.

SIMONE. Répète.

MARIE. Une pinte de lait, des biscuits au chocolat, un gros Du Maurier, euh...

SIMONE. Des petits pois...

MARIE. N° 3.

SIMONE. Marche vite, arrête-toi pas en chemin.

MARIE. Oui, oui. Embrasse-moi.

Simone embrasse Marie sur les deux joues.

SIMONE. Bonne journée, Marie.

MARIE. Encore.

Simone embrasse Marie sur le front.

SIMONE. Bonne journée, Marie.

MARIE. Encore.

Simone serre Marie dans ses bras; elle l'embrasse sur les cheveux, le front, les joues, le nez, la bouche.

SIMONE. Bonne journée, ma belle.

Marie se dirige vers la porte, puis elle s'arrête.

MARIE. Est-ce qu'il va revenir bientôt ?

SIMONE. Je le sais pas, Marie.

MARIE. Qu'est-ce qu'il a dit avant de partir ?

SIMONE. Je te l'ai raconté mille fois. Il a dit: «Donne-moi du temps. Il faut que je fasse des choses, il faut que je voie le monde.»

MARIE (*à voix basse*). Donne-moi du temps.

SIMONE. Vite, vite, vite, maintenant. Oublie pas mes commissions, oublie pas le plus-que-parfait du subjonctif. Regarde devant toi, parle pas aux étrangers.

MARIE. Oublie pas, ce soir, la suite de l'histoire.

□

Sur le chemin de l'école; les projets de Marie

Marie marche lentement vers l'école. Elle répète la liste des commissions, comme une comptine.

Marie. Une pinte de lait, un paquet de biscuits au chocolat *king size*, un gros Du Maurier n° 3, une pinte de petits pois au chocolat... T'as des souliers neufs Marie ? Oui, mademoiselle Gervais, c'est pour marcher jusqu'à la Terre de Feu, mais avant il faut que j'aille étudier les gorilles en Afrique, avec mon singe Bambou qui me suit partout. Je regarde la plaine, ma robe vole au vent, je m'aventure dans la brousse pour sauver les tribus primitives. J'ai pas peur des lions, ni des tigres, ni des panthères, ni des serpents. Je suis courageuse. Le soir, Bambou et moi on regarde le soleil se coucher sur la plaine et on trouve ça beau, tellement beau. Mais avant, il faut que j'aie huit enfants: quatre garçons, quatre filles. Le soir, ils sont couchés collés, je les embrasse, je descends près du poêle; je tricote des bas de laine pour mes petits chéris. Ça sent le bois sec et la tarte aux pommes. Mais avant, il faut que j'écrive les aventures de Mary Simpson. *Mary Simpson dans la brousse africaine. Mary Simpson à dos de chameau dans le désert de Gobi. Mary Simpson sauvée des eaux. Mary Simpson visite la Chine et les Chinois. Mary Simpson tombe en amour. Mary Simpson se marie. Mary Simpson manque de mourir mais ne meurt pas.*

□

Pierrot Desautels

Marie, tellement absorbée par les aventures de Mary Simpson, ne s'aperçoit pas de la présence de Pierrot Desautels. Ce dernier surgit d'on ne sait où, peut-être de derrière un arbre, comme le loup dans la forêt.

Pierrot. Salut !

Marie. Ah ! tu m'as fait peur.

Pierrot. C'est qui Mary Simpson ?

Marie. Je parle pas aux étrangers.

Pierrot. Pierrot Desautels, sixième B.

Marie. Je te connais pas. Pis t'es trop vieux pour être en sixième.

Pierrot. Disons que j'ai doublé. Où est-ce que tu vas comme ça ?

Marie. À l'école, où est-ce que tu veux que j'aille ?

Pierrot. Ça presse pas.

Marie. Je suis en retard.

Pierrot. On pourrait jouer un peu.

Marie. Non, je suis pressée. Salut !

Pierrot. Attends, je t'ai même pas dit que t'as des beaux souliers.

Marie s'arrête net.

Marie. Tu trouves ?

Pierrot. Ils sont brillants.

Marie. Je les ai lavés ce matin. Ils font un beau bruit. Écoute.

Marie marche un peu pour Pierrot.

Pierrot. Très beau bruit. Marche encore un peu.

Marie. Mademoiselle Gervais va les remarquer, c'est sûr. Peut-être qu'elle dira rien, mais elle va les voir et, moi, je vais voir dans ses yeux qu'elle les a vus. Peut-être qu'elle va sourire.

Pierrot. C'est qui Mary Simpson ?

Marie. C'est le personnage d'un roman que je vais écrire.

Pierrot. Un quoi ?

Marie. Un roman. Une histoire que t'écris sur des feuilles puis quand c'est assez long ça fait une brique, puis les gens l'achètent, puis tu deviens célèbre.

Pierrot. C'est quoi l'affaire des briques là-dedans ?

Marie. Laisse faire. Toi, qu'est-ce que tu vas faire ?

Pierrot. Moi je vais conduire un dix-huit roues.

Marie. Un quoi ?

Pierrot. Un camion, tu sais c'est gros, ça pue, puis en dessous il y a des choses rondes qui tournent. Puis des fois il y en a dix-huit. Mon oncle Marcel m'a déjà emmené jusqu'à Sorel dans son dix-huit roues. C'est fantastique.

MARIE. Où tu vas aller avec ton camion ?

PIERROT. Je sais pas, n'importe où. Je vais transporter des caisses, des tonnes de caisses de patates, des petits pois...

MARIE. Toute ta vie ?

PIERROT. Ben... oui, toute ma vie.

MARIE. À quoi tu vas penser, tout seul dans ta cabine ?

PIERROT. À rien de spécial. Faut pas niaiser dans un dix-huit roues, il faut regarder en avant.

Un temps. Pierrot pense aux arbres qui défilent sur la route de Sorel. Marie pense à Pierrot dans son camion.

MARIE. Il faut que je m'en aille.

PIERROT. Attends, attends, on n'a pas encore joué.

MARIE. Je peux pas.

PIERROT. Veux-tu une gomme aux cerises ?

Marie s'arrête net.

MARIE. Aux cerises ? (*La gomme aux cerises fait partie des choses auxquelles Marie ne peut absolument pas résister.*) J'en veux deux.

PIERROT. Deux ? O.K.

Un temps. Ils mettent la gomme dans leur bouche et mâchent en silence, assis côte à côte. Marie sourit à cause du sucre sur sa langue.

MARIE. Je voudrais te dire quelque chose.

PIERROT. Tu voudrais faire un tour dans le dix-huit roues de mon oncle Marcel, mais t'es trop gênée pour me le demander. Y a pas de problème, je peux arranger ça. Tu vas voir, ça file, mais y a pas de danger.

MARIE. J'ai pas peur.

PIERROT. Tu vas voir, il est drôle mon oncle Marcel; il chante toujours en conduisant. Il chante de l'opéra.

MARIE. C'est pas ça.

PIERROT. C'est lui qui me l'a dit. C'est de l'opéra italien. C'est l'histoire d'une femme très très malade.

MARIE. Est-ce que tu peux garder un secret ?

PIERROT. T'as copié à l'examen de mathématiques. T'as fait pipi dans la cour d'école. T'as regardé ton père par le trou de la serrure de la salle de bains...

MARIE. Non, c'est pas ça ! J'ai même pas de père dans la salle de bains. Tout à l'heure, avant de te rencontrer, je marchais...

PIERROT. Tu parlais toute seule, je t'ai entendue.

Sylvette (Sylvie Drapeau), Pierre-Jean (Éric Bernier) et Louis (Patrick Goyette), théâtre Espace La Veillée, 1998.

MARIE. Devant l'épicerie, il y a un gros chêne, ma mère m'a dit qu'il a plus que cent ans. C'est son arrière-grand-père qui l'a planté. Ma mère a déjà vu un petit garçon se cacher de son frère sur une branche. Quand son frère est passé en dessous, le petit garçon s'est mis à siffler, le grand frère a cherché l'oiseau, le petit garçon a sauté sur lui comme un aigle. Ma mère dit que pendant une seconde ça faisait peur un petit garçon qui tombe comme ça d'un arbre «centenaire».

PIERROT. C'est ça ton secret ?

MARIE. Ben non. Tout à l'heure, en passant près du chêne, j'ai eu une drôle d'idée. C'est une idée qui se peut pas.

PIERROT. T'as pensé que tu voulais être un aigle pour attaquer les petits garçons.

MARIE. Non. C'est pas ça. Ça a duré juste deux secondes. Je passais devant le chêne, ça sentait bon, j'avais envie de rire, je sais pas pourquoi. Là, j'ai pensé: moi Marie, onze ans et demi... Moi Marie, onze ans et demi...

PIERROT. «Moi Marie, je me fiche de l'école, de ma mère, je me fiche de mademoiselle Gervais...»

MARIE (*à voix basse*). Moi, Marie, je... je mourrai jamais. (*On entend une cloche, au loin.*) Il faut que je parte, je vais me faire disputer. Salut, Pierrot Desautels !

PIERROT. Attends, je t'ai même pas dit que t'avais des beaux bas, un beau sac d'école... des beaux yeux...

Mais Marie est déjà partie. Tout en courant, elle murmure.

MARIE. Mary Simpson conduit un dix-huit roues jusqu'à la Terre de Feu, en chantant de l'opéra italien !

□

La leçon d'histoire et la danse triste de Simone

Arrivée à l'école, Marie, essoufflée, tente d'expliquer son retard à mademoiselle Gervais. Pendant ce temps, Simone est assise dans sa cuisine et regarde un rectangle de lumière sur le plancher.

MARIE. Je me suis perdue, mademoiselle, je me suis trompée de chemin, il faisait beau, ça sentait bon, j'ai rencontré quelqu'un.

SIMONE. Dépêche-toi, Marie. Regarde devant toi.

MARIE. Je le ferai plus, c'est promis. Oui je sais, l'heure c'est important, vous me l'avez déjà dit.

SIMONE. Tu vas glisser avec tes souliers neufs. Fais attention, Marie.

MARIE. Regardez, j'ai des souliers neufs, regardez comme ils brillent. Voulez-vous que je marche un peu ? Écoutez le bruit qu'ils font. Oui je sais, le temps c'est important. C'est la

Marie (Suzanne Lemoine), théâtre Espace La Veillée, 1998.

dernière fois, je vous le jure, c'est à cause du chêne qui a cent ans, de Mary Simpson et de la gomme aux cerises. C'est difficile à expliquer. Mais je suis là maintenant.

Pendant ce temps, Simone se lève, replace soigneusement la chaise sur laquelle elle était assise. Elle va devant le petit miroir, recoiffe ses cheveux, se regarde longuement, dit tout bas «Simone, Simone, Simone». Puis elle allume la radio, une musique gaie se met à jouer. Elle ramasse la vaisselle sur la table, va à l'évier, fait couler l'eau. Elle reste immobile à regarder l'eau couler. Elle ferme le robinet, éteint la radio, retourne s'asseoir sur la chaise, regarde le rectangle de lumière.

MARIE. Qu'est-ce que vous faisiez? L'Histoire, c'est ma matière préférée.

Au bout de quelques instants, Simone se relève et reprend exactement les mêmes gestes: le miroir, la radio, le robinet, puis elle revient sur la chaise. Elle répète ces mêmes gestes quelques fois. Cela ressemble à une petite danse.

MARIE. Voulez-vous que je lise un peu? Je lis très bien, avec les intonations justes, c'est ce que dit ma mère. Écoutez-moi. (*Marie commence à lire.*) «Tout jeune, Christophe Colomb s'intéressait déjà aux bateaux et à tout ce qui concerne la mer et la navigation. L'étude de la géographie ne tarda pas à le passionner.»

Après la petite danse, Simone demeure assise. Elle a laissé un petit filet d'eau couler dans le lavabo. Elle parle doucement.

SIMONE. De l'autre côté de la rue, il y avait une femme qui portait une valise. Une femme ordinaire, avec une petite robe fleurie et un tablier bleu.

MARIE. «Marin à quatorze ans, il parcourut presque tous les pays connus à son époque. Au cours de ses voyages, pendant que ses compagnons s'amusaient, il poursuivait ses études. Elles firent naître en lui le projet de parvenir aux Indes par la route de l'Ouest.»

SIMONE. Elle avait l'air sage et propre, comme moi, les cheveux bien coiffés, comme moi. Elle marchait lentement, à cause de la valise. Une grosse valise noire, tout usée, bourrée à pleine capacité. Elle avait pas de manteau, pas de chapeau, seulement sa petite robe, sa valise et son tablier.

MARIE. «La plupart des voyageurs du temps prétendaient que seule la route de l'Est pouvait conduire aux Indes. Pour eux, la terre était plate comme une assiette.»

SIMONE. Elle portait sa valise de la main droite et se penchait du côté gauche pour faire le ballant. Elle s'arrêtait tous les vingt pas pour changer de main, penchait son corps de l'autre côté, replaçait ses cheveux, tirait sur son tablier. Elle tenait quelque chose dans sa main, de l'argent probablement. Elle le tenait serré, comme si on lui avait dit: «Perds-le pas, échappe-le pas dans la bouche d'égout, t'en auras pas d'autre.»

MARIE. «Certains racontaient aussi que d'affreux dragons sortaient de la mer et avalaient d'une seule bouchée les navires ou les faisaient chavirer d'un formidable coup de queue. Vouloir se rendre aux Indes par cette route, c'était s'exposer, croyait-on, à tomber dans le vide à l'extrémité de la terre...»

SIMONE. Elle portait des souliers à talons hauts, qui allaient pas avec sa robe. Plus chic, un peu trop hauts pour la robe fleurie, une robe de semaine, pour la maison ou les commissions au coin de la rue. Des souliers qui font des beaux pieds délicats, des mollets allongés. Elle souriait pas, mais elle avait l'air gaie. Il y avait quelque chose de léger dans sa démarche. Peut-être à cause des souliers... Elle avait l'air gaie, comme les gens qui partent...

□

Le retour de Marie; découvrir un continent

Dans la cuisine ensoleillée, l'eau coule toujours. Lorsque Marie revient de l'école, la porte est grande ouverte. Mais Marie ne remarque rien. Elle est trop excitée. Depuis le matin, elle n'a qu'une seule chose en tête: la Santa María *au large de l'Amérique.*

MARIE. Maman! Maman! Je suis revenue! J'ai fait les commissions! Il manquait vingt-deux

Carole Fréchette

Née en 1952 à Montréal, Carole Fréchette est l'une des dramaturges marquantes de sa génération. Après des études d'interprétation à L'École nationale de théâtre du Canada, elle joue avec la troupe du Théâtre des Cuisines et se montre très active dans le milieu du théâtre québécois et canadien. En 1995, elle gagne le prix du Gouverneur général avec *Les Quatre Morts de Marie* (1995). Elle est l'auteure des pièces : *Môman travaille pas, a trop d'ouvrage* (collectif, 1976), *Baby Blues* (1989), *La Peau d'Élisa* (1998), *Les Sept Jours de Simon Labrosse* (1999) ; et de deux romans pour adolescents : *Carmen en fugue mineure* (1996) et *Do pour Dolorès* (1999). Ses pièces ont été jouées au Québec, au Canada anglais, en France, en Belgique, en Roumanie et au Mexique.

L'écriture théâtrale de Carole Fréchette est à la fois prosaïque et poétique, et pleine de passion pour les choses de la vie. Bien qu'ils soient campés dans une réalité plutôt ordinaire, ses personnages semblent mus par une mission à accomplir, et leur voix cherche à transcender le banal.

sous. Madame Beaudoin a dit : Ça fait rien, vous paierez la prochaine fois. Elle a dit aussi : dis bonjour à la belle Simone. J'ai rien oublié. J'ai eu chaud. J'ai marché vite. Sais-tu ce qui est arrivé le 3 août quatorze cent quelque chose ? Christophe Colomb est monté sur la *Santa María* avec tout son équipage. Il faisait beau, un petit vent chaud, c'était en Espagne. Il avait mis son plus bel habit. Sur le quai, tout le monde lui envoyait la main. Lui, il était debout sur le pont, sa veste volait au vent d'Espagne ; il regardait s'éloigner ses amis, ses parents. Il s'essuyait les yeux, très vite, comme un enfant, mais c'était peut-être une poussière qu'il avait dans l'œil. Il pensait à une seule chose : le grand trou noir au bout de l'océan. Il pouvait pas être absolument sûr que ça existait pas, toutes les histoires de dragons... Il devait se dire : « Et si c'était vrai, qu'elle est plate comme une assiette, si c'était vrai... » Il pouvait pas être sûr. (*Un temps.*) Maman ! J'ai trouvé ce que je veux faire plus tard ! Je veux dire ce que je veux faire en premier. Maman ? (*Un temps.*) Maman ? (*Marie remarque pour la première fois l'eau qui coule du robinet.*) Maman ? (*Elle a tout à coup très très chaud, une chaleur qui vient de l'intérieur, qui la traverse des pieds à la tête comme une vague.*) Maman ?

Marie va pour fermer l'eau ; c'est alors qu'elle aperçoit une enveloppe sur le comptoir, à côté du robinet. Elle lit sur l'enveloppe : « Pour Marie. » Elle garde l'enveloppe collée sur sa poitrine. Elle marche dans la cuisine, s'assoit, se relève, va à la porte, revient s'asseoir, se relève, ainsi de suite. Cela ressemble à une petite danse. La petite danse de la panique.

□

La lettre de Simone : je t'aime, je t'aime

Marie lit la lettre de Simone.

MARIE. « Chère Marie,

Je suis partie. C'est difficile à expliquer. Ça m'est venu comme ça en regardant l'eau couler. N'oublie pas de fermer la porte à clé, de laisser la fenêtre ouverte, la nuit, de te laver les mains, de repasser le plus-que-parfait du subjonctif, de mettre un *s* au pluriel – tu oublies toujours –, de brosser tes cheveux cent fois, de rêver que tu ris sans savoir pourquoi, de regarder autour de toi, attentivement, de penser à ton père, de penser à moi.

Je t'aime, je t'aime, je t'aime.

Simone. »

Un temps. Dans les yeux de Marie, il y a de la surprise et du désarroi. Elle marche un peu en répétant : « Je t'aime, je t'aime, je t'aime. Simone. » Puis elle monte sur la table, s'accroupit et parle tout bas.

Carole Fréchette, *Les Quatre Morts de Marie*,

Marie
LABERGE

CRÉATION: Québec, 29 octobre 1991

Le Faucon

Après de longues années passées aux États-Unis, André revient voir son fils Steve, qu'il avait abandonné alors qu'il était encore très jeune, pour lui proposer de vivre avec lui. Il retrouve un adolescent de 17 ans qui refuse de le suivre, bien qu'il soit prêt à lui pardonner.

[...]

Steve s'approche de son père en le regardant.

STEVE
Agagan... agagan... Est-ce que j'peux toucher tes cheveux ?

ANDRÉ
Mes cheveux ? Oui... si tu veux.

Steve touche doucement les cheveux de son père.

Steve (Jules Philip) et André (Jack Robitaille), théâtre du Trident, 1991.

Marie Laberge

Romancière et dramaturge, Marie Laberge est l'une des plus prolifiques écrivaines de sa génération. Née à Québec en 1950, elle y étudie au Conservatoire d'art dramatique, puis elle exerce le métier de comédienne avant d'aborder la mise en scène, l'enseignement et l'écriture. Elle est l'auteure de nombreuses pièces de théâtre : *C'était avant la guerre à l'Anse à Gilles* (1981), *Jocelyne Trudelle, trouvée morte dans ses larmes* (1983), *L'Homme gris* (1986), *Oublier* (1987), *Aurélie, ma sœur* (1988), *Le Faucon* (1991). Ses romans connaissent également un grand succès : *Juillet* (1989), *Quelques adieux* (1992), *Le Poids des ombres* (1994), *Annabelle* (1996), *La Cérémonie des anges* (1998). Marraine du Salon du livre de Québec, elle dirige la collection théâtre aux Éditions du Boréal.

STEVE
Assis-toi.

André est tenté de poser une question, mais il se ravise et s'assoit docilement. Steve caresse ses cheveux tendrement, debout derrière lui. Puis, il se penche et les sent. Il ferme les yeux un instant, bouleversé.

STEVE
Écoute, j'vas t'faire un cadeau : quand tu sauras pus qui t'es, quand ça va faire longtemps que t'auras pas faite de découverte, quand le soir va être noir pis l'ciel vide, pas d'lune, pas rien. Quand y aura personne dans ta maison, pas de femme dans tes draps, quand tu vas te demander si t'as toute raté ou ben si y a une lueur d'espoir queque part, si l'échec total c'est ta vie ou celle des autres, quand tu sauras pus si queque chose vaut la peine, même un soupir, même un sourire, quant tu sauras pus rien... pense à moi. Pense à moi quand j'avais quatre ans sur tes épaules, qu'y avait un vent chaud d'été, pense que tu m'as protégé c'jour-là et que, rien qu'pour c'te jour-là, rien qu'pour ces heures-là où tes mains tenaient mes pieds où ta tête était douce et chaude, rien qu'pour ça t'es t'une merveille pour quelqu'un pour toujours. T'as p'tête rien qu'faite des erreurs après, on s'en sacre toué deux, on s'en fiche. T'as réussi ça : t'as donné l'goût du vent pis du ciel à un p'tit enfant, ton enfant. Même si tu l'as jamais vu voler, c'est pas grave. Même si tu pourras jamais seulement croire qu'y vole, c'est pas grave. Tu tenais ses pieds dans tes mains, y était sur tes épaules comme un roi pis y respirait tes cheveux en ayant l'impression de tenir le monde entier dans ses mains. C'est ça qu'tu y as donné. Ça fait qu'y t'dit merci, pis oui, c't'enfant-là a eu un père. Pas longtemps, c'est vrai. Pas tout l'temps, c'est vrai, mais y a tenu sa tête dans ses mains assez longtemps pour apprendre qu'y avait des mains et qu'y existait des choses douces à toucher. J't'en prie, j't'en prie, oublie-le pas, oublie-le pus jamais. Parce que j'pourrai pas revenir te l'dire. Salut, mon père.

Il se penche, embrasse les cheveux de son père et s'en va.

André reste là, les bras serrés contre lui-même, bouleversé.

L'éclairage baisse.

FIN

Marie Laberge, *Le Faucon*, Les Éditions du Boréal, 1991, © Productions Marie Laberge inc.

aux quatre coins de l'univers

Ce qui se passe vraiment... comment l'interroger, comment le décrire

Ce qui nous parle, me semble-t-il, c'est toujours l'événement, l'insolite, l'extraordinaire: cinq colonnes à la une, grosses manchettes. Les trains ne se mettent à exister que lorsqu'ils déraillent, et plus il y a de voyageurs morts, plus les trains existent; les avions n'accèdent à l'existence que lorsqu'ils sont détournés; les voitures ont pour unique destin de percuter les platanes: cinquante-deux week-ends par an cinquante-deux bilans: tant de morts et tant de blessés sur les routes et tant mieux pour l'information si les chiffres ne cessent d'augmenter! Il faut qu'il y ait derrière l'événement un scandale, une fissure, un danger, comme si la vie ne devait se révéler qu'à travers le spectaculaire, comme si le parlant, le significatif était toujours anormal: cataclysmes naturels ou bouleversements historiques, conflits sociaux, scandales politiques.

Dans notre précipitation à mesurer l'historique, le significatif, le révélateur, ne laissons-nous pas de côté l'essentiel, le véritablement intolérable, le vraiment inadmissible; le scandale, ce n'est pas le grisou, c'est le travail dans les mines. Les «malaises sociaux» ne sont pas «préoccupants» en période de grève, ils sont intolérables vingt-quatre heures sur vingt-quatre, trois cent soixante-cinq jours par an.

Les raz de marée, les éruptions volcaniques, les tours qui s'écroulent, les incendies de forêts, les tunnels qui s'effondrent, Publicis qui brûle et Aranda qui parle! Horrible! Terrible! Monstrueux! Scandaleux! Mais où est le scandale? Le vrai scandale? Le journal nous a-t-il dit autre chose que: soyez rassurés, vous voyez bien que la vie existe, avec ses hauts et ses bas, vous voyez bien qu'il se passe des choses.

Les journaux parlent de tout sauf du journalier. Les journaux m'ennuient, ils ne m'apprennent rien; ce qu'ils racontent ne me concerne pas, ne m'interroge pas et ne répond pas davantage aux questions que je pose ou que je voudrais poser.

Ce qui se passe vraiment, ce que nous vivons, le reste, tout le reste, où est-il? Ce qui se passe chaque jour et qui revient chaque jour, le banal, le quotidien, l'évident, le commun, l'ordinaire, l'infraordinaire, le bruit de fond, l'habituel, comment en rendre compte, comment l'interroger, comment le décrire?

Interroger l'habituel. Mais justement, nous y sommes habitués. Nous ne l'interrogeons pas, il ne nous interroge pas, il semble ne pas faire problème, nous le vivons sans y penser, comme s'il n'était porteur d'aucune information. Ce n'est même plus du conditionnement, c'est de l'anesthésie. Nous dormons notre vie, d'un sommeil sans rêves. Mais où est-elle notre vie? Où est notre corps? Où est notre espace?

Georges Perec, *L'infraordinaire*, © Seuil, 1989.

LE SOLEIL, MARDI 21 AVRIL 1998

Coup d'éclat aux Communes:

Le député part avec sa chaise

JULES RICHER
La Presse canadienne

Le plus jeune député du Parlement, le bloquiste Stéphan Tremblay, a décidé hier de faire un coup d'éclat dans le but de dénoncer les inégalités sociales: il est sorti de l'enceinte de la Chambre des communes en emportant sa chaise.

Il n'a pas l'intention de démissionner, mais il retournera sa chaise une fois seulement qu'un débat sur le sujet aura été lancé.

«Ça fait deux ans que je suis député à la Chambre des communes. J'ai 24 ans. Or, à 24 ans, il est tout à fait normal de se poser la question: dans quel type de société aurons-nous à vivre dans 20, dans 30 ans», a-t-il fait valoir aux journalistes qui l'entouraient à sa sortie des Communes, tout de suite après la période des questions.

«Je sors mon siège, a-t-il poursuivi, pour provoquer un débat dans la population sur ce que représente ce siège, c'est-à-dire le pouvoir politique, pour réduire l'écart entre riches et pauvres, et ce, dans un contexte de mondialisation des marchés. Je le fais pour ma génération, je le fais aussi pour le bien de tous.»

Avec sa chaise de la Chambre des communes sous le bras, M. Tremblay a ensuite pris le chemin de sa circonscription de Lac-Saint-Jean, où il donnera aujourd'hui une conférence de presse pour expliquer comment il entend amorcer son débat.

Le geste a surpris tout le monde, à commencer par le chef du Bloc québécois, Gilles Duceppe, qui n'avait pas été informé des intentions de son jeune député. «C'est un peu surprenant», a expliqué M. Duceppe, manifestement courroucé.

Pour sa part, la leader intérimaire du Parti conservateur, Elsie Wayne, n'a pas du tout apprécié. «Je suis rendue au point où je suis embarrassée d'être sur la colline (du Parlement)», a-t-elle souligné.

Elle a continué en faisant référence aux esclandres récents des députés réformistes. «Ils se promènent et ils dansent parce qu'ils n'aiment pas les sénateurs. Ensuite, ils lancent des drapeaux (canadiens) par terre. Et, maintenant, ils prennent leur chaise et ils sortent de la Chambre. Vous savez, il y a tellement de gens qui souffrent et qui voudraient que nous soyons sérieux, que nous soyons matures. Le décorum à la Chambre des communes s'est beaucoup détérioré.»

Quant à elle, la leader néo-démocrate, Alexa McDonough, tout en étant d'accord qu'il faille dénoncer les inégalités sociales, s'est interrogée sur les véritables motifs qui animent les bloquistes. À son avis, ce parti, avec son attitude défaitiste et pessimiste, accomplit très peu de choses en travaillant systématiquement contre tout ce qui sort d'Ottawa.

«S'ils pensent que c'est une perte de temps de se retrouver à la Chambre des communes qu'ils s'en retournent chez eux. Mais, de grâce, en partant, laissez vos sièges derrière vous», a-t-elle lancé.

LA PRESSE, LUNDI 1er JUIN 1998

Le courage de ses opinions

Je suis indignée de constater que les médias et les analystes politiques parlent constamment de manque de maturité et d'inexpérience en ce qui concerne le geste d'éclat posé par Stéphan Tremblay, il y a quelques semaines.

Ce n'est pas son âge qui est responsable de ce geste symbolique. Ce n'est pas de «sympathiques facéties de carnaval d'étudiants» que nous avons vues. Simplement de la colère, de la frustration et, oui !, de l'impatience face à l'inertie d'un système obnubilé par la pensée unique de la globalisation. Les chiffres, les statistiques, la lutte quotidienne que livrent les organismes communautaires contre la pauvreté et la faim ne trompent pas: nous faisons face à un problème grave et nous devons le régler ou, du moins, nous en occuper de toute urgence. Il en va de notre avenir collectif.

Je vous le concède: le geste avait de quoi faire sourire. Je souhaite pourtant le voir se répéter, puisque rien d'autre ne semble être en mesure de faire sourciller et bouger les mégalomanes passifs qui hantent la Chambre des communes depuis trop longtemps.

Les jeunes sont marginalisés, en politique comme ailleurs. L'État veut notre vote, notre argent, notre avenir et notre participation. Mais en se moquant de notre façon de faire, en ridiculisant les moyens que nous prenons pour redonner aux gens le goût de se battre pour l'essentiel, en nous humiliant avec ses sourires condescendants, la vieille garde nous dit qu'elle n'a pas besoin de notre opinion, qu'elle n'a que faire de nos idées et de notre dynamisme.

Oui, j'ai souri quand le député Tremblay est parti avec sa chaise. Parce qu'enfin l'un de nous avait le courage de ses opinions. Parce qu'enfin quelqu'un démontrait qu'il était prêt à tout pour ceux et celles qui l'ont élu. J'ai souri parce que j'ai envie de me battre avec lui pour les bonnes raisons, les justes causes. Le bien-être collectif et individuel des citoyens de ce pays devrait être la priorité numéro un. Quand les gens ont faim et froid, il est impensable, voire obscène, d'essayer de les endormir avec l'indépendance, les contrats économiques avec la Chine et les droits de l'homme à Cuba.

Monsieur Tremblay, ne laissez pas les «messieurs sérieux» détruire vos idéaux. Et patientez encore un peu: la relève s'en vient.

Karine Prémont

finissante au bac en sciences politiques
Université du Québec à Montréal

LE SOLEIL, MERCREDI 22 AVRIL 1998

Vagissements d'un manipulateur

J.-JACQUES SAMSON

[...]

Tremblay avait soigneusement planifié sa sortie spectaculaire pour faire un coup médiatique. Il n'a que 24 ans, invoque-t-il, mais il a agi en vieux politicien superficiel obsédé par les caméras et les micros, par le truc de cirque à trouver pour faire les manchettes. Il est déjà tombé dans la politique-spectacle des faiseurs d'images.

[...]

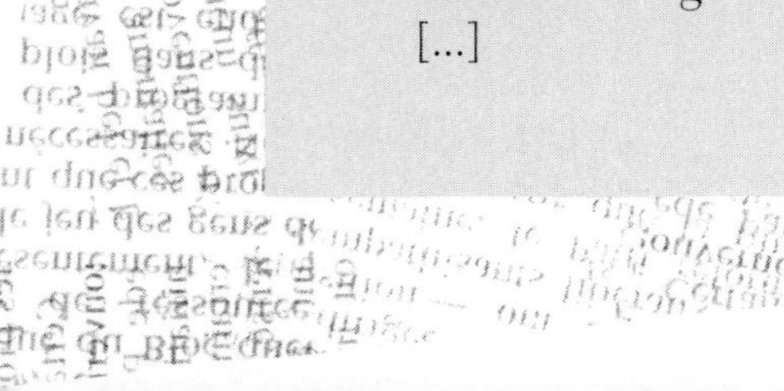

JAMAIS JE NE POURRAI

Jamais jamais je ne pourrai dormir tranquille aussi longtemps
que d'autres n'auront pas le sommeil et l'abri
ni jamais vivre de bon cœur tant qu'il faudra que d'autres
meurent qui ne savent pas pourquoi
J'ai mal au cœur mal à la terre mal au présent
Le poète n'est pas celui qui dit Je n'y suis pour personne
Le poète dit J'y suis pour tout le monde
Ne frappez pas avant d'entrer
Vous êtes déjà là
Qui vous frappe me frappe
J'en vois de toutes les couleurs
J'y suis pour tout le monde

Pour ceux qui meurent parce que les juifs il faut les tuer
pour ceux qui meurent parce que les jaunes cette race-là c'est fait pour être exterminé
Pour ceux qui saignent parce que ces gens-là ça ne comprend que la trique
pour ceux qui triment parce que les pauvres c'est fait pour travailler
pour ceux qui pleurent parce que s'ils ont des yeux eh bien c'est pour pleurer
pour ceux qui meurent parce que les rouges ne sont pas de bons Français
pour ceux qui paient les pots cassés du Profit et du mépris des hommes

Dépêche AFP de Saïgon De notre correspondant particulier
sur le front de Corée l'Agence Reuter mande de Malaisie
Le Quartier Général des Forces Armées communique
Le Tribunal Militaire siégeant à huis clos De notre envoyé
spécial à Athènes
Les milieux bien informés de Madrid

Mon amour ma clarté ma mouette mon long cours
depuis dix ans je t'aime et par toi recommence
me change et me défais m'accrois et me libère
mon amour mon pensif et mon rieur ombrage
en t'aimant j'ouvre grand les portes de la vie
et parce que je t'aime je dis

Il ne s'agit plus de comprendre le monde
il faut le transformer

Je te tiens par la main
la main de tous les hommes.

[...]

Claude Roy, «Les circonstances» dans *Poésies*,

LA PRESSE, 1er MARS 1998

La fausse image qu'on se fait des jeunes

Le 15 février dernier, l'Université McGill était l'hôtesse d'une conférence intitulée «L'avenir nous appartient: point de mire sur la jeunesse canadienne». Plusieurs invités spéciaux ont abordé différents sujets lors de cette journée animée par Marie-Claude Girard, journaliste à *La Presse*, et Matt Zimbel, directeur des programmes de MusiMax.

Le conférencier le plus intéressant de cette journée un peu longue par moments fut sans contredit Christian Bourque, de la maison de sondage Angus Reid. C'est lui qui, à l'aide d'un sondage réalisé en avril dernier auprès de 1500 jeunes, nous en a appris le plus sur la jeunesse du Québec et du Canada, ses opinions et ses attentes. Les jeunes d'aujourd'hui, nous a-t-il démontré, ne sont pas du tout comme on les dépeints souvent dans les médias et dans les téléromans en particulier...

Si l'on a l'habitude d'entendre parler d'une jeunesse sombre, pessimiste et découragée de la vie, ce sondage prouve le contraire. Les jeunes ne sont pas pessimistes, ils sont simplement conscients des problèmes et ils se disent réalistes plutôt qu'idéalistes.

S'il y a un domaine face auquel les jeunes affichent ouvertement leur pessimisme et leur déception, c'est la politique. Quand on leur demande quelle fonction ils veulent occuper plus tard, celle de politicien constitue leur avant-dernier choix. Le sondage démontre aussi que les jeunes désirent s'engager dans leur communauté, pourtant seulement 6% d'entre eux trouvent que la politique est une façon honorable de faire.

Ils ont l'impression que les gouvernements ne s'occupent tout simplement pas d'eux, ils n'ont plus aucune confiance envers les élites politiques.

Seulement 8 % des jeunes croient que le système de pension du gouvernement existera encore pour eux. À peine 8 % des jeunes à travers le Canada ont confiance en l'avenir de leur pays.

Le sondage va plus loin : outre le gouvernement, les jeunes rejettent toutes les institutions traditionnelles. Quelques chiffres révélateurs : 90 % et plus veulent avoir un, deux ou trois enfants et 64 % veulent rester avec la même personne toute leur vie. Pourtant, presque personne ne désire se marier.

Côté emploi, la plupart des jeunes sont convaincus de faire une belle carrière, même s'ils savent qu'ils devront probablement changer d'emploi fréquemment. Ils veulent majoritairement travailler dans une petite entreprise ou être leur propre employeur. Ils ne comptent pas travailler dans des institutions traditionnelles : ils n'ont plus confiance en elles.

Si les mots «décrocheurs», «désintéressés» et «inconscients» reviennent souvent dans la conversation quand on parle des jeunes, ce sondage nous en montre une facette positive trop méconnue. Certains auront peut-être de la difficulté à y croire. Mais avant de juger quelqu'un, encore faudrait-il apprendre à le connaître, et, comme dirait l'autre, marcher quelques kilomètres dans ses souliers.

Sébastien Côté-Trudel
Collège Jean-de-Brébeuf

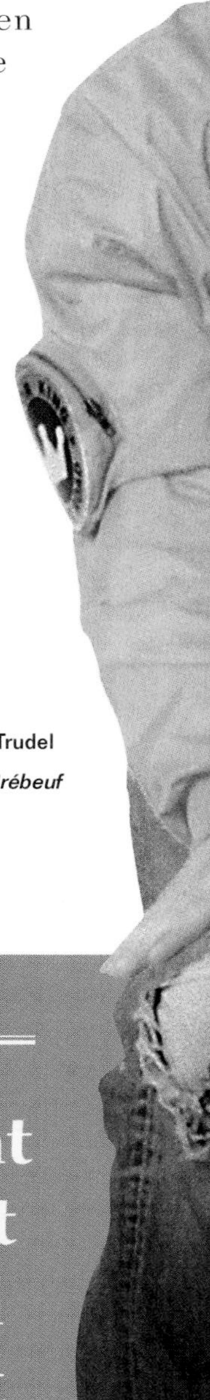

VOIR, 17 FÉVRIER 2000

75 % des jeunes croient en Dieu, 52 % sont contre la légalisation des drogues douces et 55 % croient que leur vie est plus facile que celle de leurs parents.

Sondage Léger et Léger réalisé pour *Le Point* et Communications Voir.

ALPHABET *à Anne et Isabelle*

Dans les larmes de l'enfant, je retrouve, comme dans un miroir, le petit garçon que je connais bien. J'ai vu passer sur son visage cette même ombre d'une plaie quand, humilié, il s'entêtait à sourire.

Enfance d'eau vive, tes paradis ne sont pas toujours verts. J'ai fréquenté tes pays de détresse sans horizon, pays de cris noués, de silences sans noms, de nuits gommées par l'insomnie. À rebours du ciel, le ciel s'obscurcit dans les forêts closes où se réfugie l'enfant blessé. Les larmes épuisent parfois plus qu'elles ne libèrent.

Petit garçon: ramasse ce caillou. Tiens-le serré dans le nid de ta main.

Poing qui saigne, tu avances dans la lumière tranchante vers le grand tableau du parti pris de vivre où le jour crayeux t'apprend l'alphabet de la solitude.

Joseph Paul Schneider, *L'Incertain du sable*,

ÉLOGE DE L'INSTRUCTION

Apprends ce qui est le plus simple.
Il n'est jamais trop tard
Pour ceux dont le temps est venu !
Apprends l'ABC, cela ne suffit pas, pourtant
Apprends-le ! Ne te laisse pas rebuter,
Commence ! Tu dois tout connaître !
Tu dois devenir celui qui dirige.

Apprends, homme à l'hospice !
Apprends, homme en prison !
Apprends, femme en ta cuisine !
Apprends, femme de soixante ans !
Tu dois devenir celle qui dirige.
Va à l'école, sans-abri !
Procure-toi le savoir, toi qui as froid !
Toi qui as faim, jette-toi sur le livre : c'est une arme.
Tu dois devenir celui qui dirige.

N'aie pas peur de poser des questions, camarade !
Ne te fie à rien de ce qu'on te dit.
Vois par toi-même !
Ce que tu ne sais pas par toi-même,
Tu ne le sais pas.
Vérifie l'addition,
C'est toi qui la paies.
Pose le doigt sur chaque somme.
Demande : que vient-elle faire ici ?
Tu dois devenir celui qui dirige.

Bertolt Brecht
Poèmes, tome 3,
Traduction de Maurice Regnaut.

DÉFI À LA FORCE

Toi qui plies toi qui pleures
Toi qui meurs un jour comme ça sans savoir pourquoi
Toi qui luttes qui veilles pour le repos de l'Autre
Toi qui ne regardes plus avec le rire dans les yeux
Toi mon frère au visage de peur et d'angoisse
Relève-toi et crie : NON !

David Diop, *Coups de pilon*, Présence africaine, 1973.

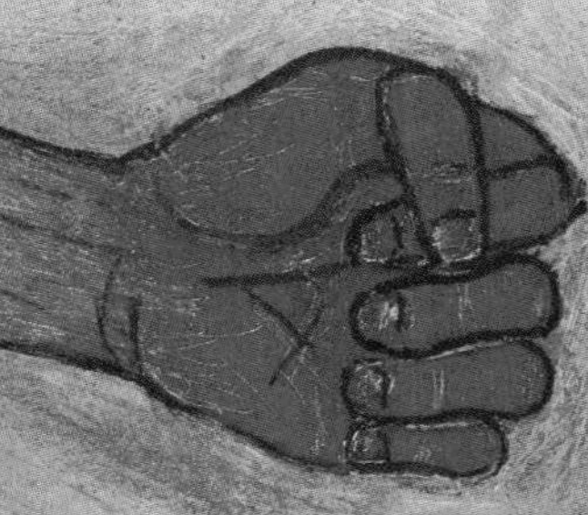

LA PRESSE, 12 DÉCEMBRE 1999

L'envers de la «Nouvelle Économie»

Les transactions boursières au cœur de la «Nouvelle Économie».

«Nouvelle Économie», oui mais pour qui ?

Activité manufacturière traditionnelle.

Les masses ne recueillent que des miettes de sa croissance ahurissante

RÉAL PELLETIER

Enfant chérie du grand jargon médiatique, la «Nouvelle Économie» est au cœur des débats qu'entretiennent, sur le présent et sur l'avenir, les observateurs patentés des grands journaux et magazines. La «Nouvelle Économie» explique la croissance, la hausse de productivité, les sommets répétés de la Bourse, disent les uns. Elle est largement surfaite, pas si importante que l'on croit et fragile, disent les autres. Chose certaine elle existe, on en dessine les contours avec de plus en plus de précision et on constate finalement qu'elle vit dans un monde à elle, en croissance de richesse fulgurante pendant que les masses liées aux activités manufacturières, commerciales et de services traditionnelles n'en recueillent que les miettes. [...]

« Ils pourront couper toutes les fleurs... »

«Podran cortar todas las flores,
Pero jamás detendran la primavera[1]*.»*
Pablo Neruda, *Canto general.*

Pourquoi les charniers de la faim ?

La cause principale des hécatombes de la sous-alimentation et de la faim est l'inégale distribution des richesses sur notre planète. Cette inégalité est négativement dynamique : les riches deviennent très rapidement beaucoup plus riches, les pauvres beaucoup plus misérables. En 1960, 20 % des habitants les plus riches de la terre disposaient d'un revenu 31 fois supérieur à celui des 20 % des habitants les plus pauvres. En 1998, le revenu des 20 % les plus riches est 83 fois supérieur à celui des 20 % les plus pauvres. Dans soixante-douze pays, le revenu moyen est aujourd'hui plus réduit qu'il n'était il y a vingt ans[2]. Aujourd'hui, selon le PNUD (Programme des Nations Unies pour le développement), près de 2 milliards d'êtres humains vivent dans la «misère absolue», sans revenu fixe, sans travail régulier, sans logement adéquat, sans soins médicaux, sans nourriture suffisante.

L'Action contre la faim, organisation non gouvernementale française d'un engagement exemplaire, constate : «Un grand nombre de pauvres à travers le monde ne mangent pas à leur faim dans la mesure où la production alimentaire s'ajuste à la demande solvable[3].»

C'est donc bien l'actuelle jungle du capitalisme sauvage qu'il faut civiliser. L'économie mondiale est née de la production, de la distribution, du commerce et de la consommation des aliments. Affirmer l'autonomie de l'économie par rapport à la faim est une absurdité, pire : un crime. On ne peut abandonner au libre jeu du marché la lutte contre ce fléau.

Il faut soumettre tous les mécanismes de l'économie mondiale à cet impératif premier : vaincre la faim, nourrir convenablement tous les habitants de la planète. Le droit à la nourriture est le premier des droits de l'homme. Pour l'imposer, il faut créer une structure juridique internationale, des traités et des normes.

Jean-Jacques Rousseau a écrit : «Entre le faible et le fort, c'est la liberté qui opprime et c'est la loi qui libère.» La liberté totale du marché est synonyme d'oppression; la loi est la première garantie de la justice sociale. Le marché mondial a besoin de normes et d'une surdétermination par la volonté collective des peuples. La lutte contre la maximalisation du profit comme seule motivation des acteurs dominants du marché et la lutte contre l'acceptation passive de la misère sont des impératifs urgents. Il faut fermer la Bourse des matières premières agricoles de Chicago, combattre la détérioration constante des termes de l'échange et anéantir la stupide idéologie néolibérale qui aveugle la plupart des dirigeants des États d'Occident.

La constitution d'une conscience de l'identité, de la solidarité radicale avec l'homme qui souffre relève-t-elle de l'utopie ? Non. Dans l'Histoire, des sauts qualitatifs analogues ont déjà eu lieu. Exemple : la naissance de l'État. À cette époque lointaine, les hommes ont fait un premier choix : alors, la solidarité, l'identification avec l'autre se limitaient à la famille, au clan, au village, donc à ceux dont on connaissait le visage et dont on éprouvait physiquement la présence; avec la naissance de la nation et de l'État, pour la première fois l'homme est devenu solidaire d'hommes qu'il ne connaissait pas et qu'il ne rencontrerait probablement jamais.

Afin de mener une vie plus digne et de rendre la terre habitable pour tous, il suffit aujourd'hui de faire un pas de plus. Pour cela, il faut détruire les préjugés du malthusianisme.

On ne peut accepter un monde dans lequel n'existent que des enclaves de bonheur. On ne peut accepter une économie mondiale qui renvoie au non-être le cinquième de l'humanité. Si la faim ne disparaît pas rapidement de cette planète, il n'y aura pas d'humanité possible. Il faut donc réintégrer dans l'humanité cette «fraction souffrante[4]» qui, aujourd'hui, est exclue et périt dans l'ombre.

Jean Ziegler, ***La Faim dans le monde expliquée à mon fils,***

---

1. «Ils pourront couper toutes les fleurs,
Mais jamais ils ne seront les maîtres du printemps.»
2. Susan George, in *Le Monde diplomatique*, décembre 1998; aussi Saddrudin Aga Khan, in *Le Nouvel Afrique-Asie*, janvier 1999.
3. Action contre la faim, Paris, document d'information, 31 octobre 1997.
4. Jean-Claude Guillebaud, *La Trahison des Lumières*, Paris, Le Seuil, 1995, p.93.

L'économie par Claude Beauchamp

Les riches et les pauvres

En répétant des mythes et des faussetés, on ne fait qu'alimenter le ressentiment populaire.

Rien de plus déprimant que d'entendre ces redresseurs de torts aussi bien intentionnés que mal informés rabâcher que les riches sont de plus en plus riches, les pauvres de plus en plus pauvres, et la classe moyenne de moins en moins nombreuse. Ça vous fout un cafard terrible: les riches se sentent honteux, les pauvres plus miséreux encore, et les «entre-deux» plus coincés que jamais!

Mais qu'en est-il exactement? Est-ce vrai que les pauvres sont de plus en plus nombreux au Canada? L'écart des revenus entre les pauvres et les riches s'élargit-il de façon appréciable? La réponse à ces deux questions est: non.

En une génération, au contraire, le pourcentage de la population canadienne qui vit sous le seuil de la pauvreté a diminué de moitié, passant de 9% à moins de 5%. Il n'y a certes pas de quoi pavoiser quand 1,1 million de Canadiens vivent toujours dans la pauvreté, mais il est faux d'affirmer que celle-ci s'accroît.

Qu'entend-on par pauvreté? Où se situe la ligne au-dessus de laquelle un citoyen vit à peu près décemment et au-dessous de laquelle il vit pauvrement?

Christopher Sarlo, économiste de l'Université Nipissing, de North Bay, en Ontario, se penche sur ces questions depuis des années, et ses plus récents travaux sur le niveau de vie des Canadiens viennent d'être publiés par le Fraser Institute. Il définit comme pauvre une personne dont les revenus ne sont même pas suffisants pour acquérir nourriture et vêtements convenables; pour occuper un logement décent, pourvu des principaux appareils électroménagers; pour utiliser des moyens de transport; pour recevoir des soins de santé et d'hygiène, y compris les services dentaires et ophtalmologiques; et pour avoir accès à d'autres services standard de soins préventifs et d'urgence.

M. Sarlo a calculé qu'au Canada, en 1997, le seuil de la pauvreté se situait à 7500 dollars pour une personne, à 10 500 dollars pour une famille de deux personnes et à 17 000 dollars pour une famille de quatre personnes.

Selon la même définition reposant sur la satisfaction des

besoins essentiels, un Canadien sur trois était **pauvre** en 1951, comparativement à un sur 25 aujourd'hui. Et encore, à l'époque personne ne jouissait des innovations techniques qui, à l'intérieur de la maison comme à l'extérieur, nous rendent désormais la vie nettement moins pénible sur le plan physique.

On parle ici d'un strict minimum, c'est évident: pas de vacances, pas de repas au restaurant, pas de Nike dernière mode. C'est pourquoi M. Sarlo a aussi défini un seuil de «confort social», qu'il situe au double de la frontière de la pauvreté. Le pourcentage de **quasi-pauvres** (15 %) ne varie guère depuis 1973.

Il qualifie de **riches** ceux dont les revenus dépassent de 10 fois le seuil de la pauvreté, et de «**quasi-riches**» ceux dont les revenus sont de six à 10 fois supérieurs au seuil de la pauvreté.

Selon ces critères, la proportion des riches et des «quasi-riches» a plus que doublé, passant à environ 3 % et 14 % respectivement de 1973 à 1994.

Entre ces extrêmes, la classe moyenne, qui regroupe environ 65 % de la population totale, s'est donc effectivement rétrécie dans les 20 dernières années, mais le déplacement s'est fait vers les catégories supérieures de revenus et non vers le bas. Comme on le voit sur le graphique ci-dessus, à partir de 1973 le nombre de riches a augmenté de près de 2 %, tandis que le nombre de pauvres a diminué de plus de 4 %.

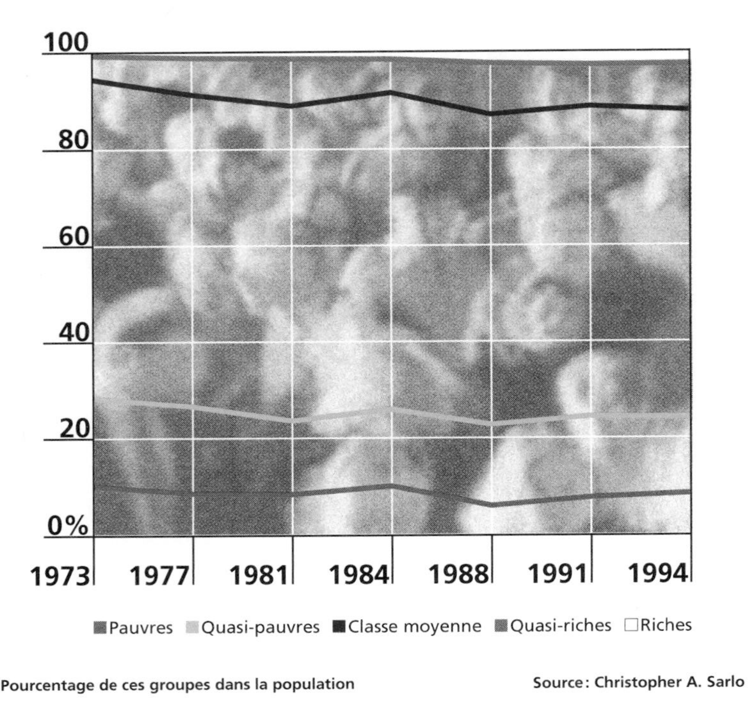

Pourcentage de ces groupes dans la population — Source: Christopher A. Sarlo

Qu'en est-il maintenant de la question de l'inégalité des revenus? L'écart entre riches et pauvres s'accentue-t-il, comme le clament certains? Pas du tout, selon toutes les mesures utilisées dans l'étude fort complète et fort nuancée de Christopher Sarlo. La répartition du revenu moyen entre les 20 % les plus riches et les 20 % les plus pauvres est sensiblement la même qu'il y a 20 ans, et elle s'est même rétrécie à certains égards ces 10 dernières années.

Je le répète: il ne s'agit pas ici de pavoiser, ni de dire que tout va bien dans le meilleur des mondes, ni de justifier le fait que certains gagnent 10 fois plus que d'autres. Mais comme on ne peut trouver le modèle d'une économie parfaite nulle part dans le monde, il importe de s'en tenir aux faits et d'éviter de cultiver le ressentiment social sous prétexte qu'il y a bien des choses à améliorer.

Est-ce à dire qu'ils ont tort, ces très nombreux Canadiens de la classe moyenne qui, en dépit de toutes les statistiques positives, se sentent plus vulnérables qu'avant sur le plan économique?

La réponse à cette question est également: non. Ils n'ont pas tort, et nous y reviendront.

L'Actualité, 1er octobre 1998,
© Claude Beauchamp.

LES PETITES GENS
(gazette)

Nous sommes les petites gens
D'âme fruste et de face rogue.
Nous sommes ceux de peu d'argent
Dont s'occupent les philologues.

Depuis qu'en des livres savants
Sur notre sort on épilogue
En nous scrutant et décrivant
Notre espèce a beaucoup de vogue.

Hélas ! quand on a bien décrit
Les problèmes qui nous assomment
Et de nos malheurs fait la somme,

Pensez-vous qu'on ait tout dit ?
Il reste encor cela qu'on nomme
Le Danger social que nous sommes.

Clément Marchand, *Les Soirs rouges*, Stanké, 1986,

LA VIE D' FACTRIE

J' suis v'nue au monde seule comme tout l' monde
C'est seule que j' continue ma vie
À Dieu le Père j' pourrai répondre
C'est jamais moi qu'a fait le bruit
Pour imaginer mon allure
Pensez à novembre sous la pluie
Et pour l'ensemble de ma tournure
Au plus long des longs ormes gris

Comme on dit, dans la fleur de l'âge
J' suis entrée à factrie d' coton
Vu qu' les machines font trop d' tapage
J' suis pas causeuse de profession
La seule chose que j' peux vous apprendre
C'est d'enfiler le bas d' coton
Sur un séchoir en forme de jambe
En partant d' la cuisse au talon

Si je pouvais mett' boute à boute
Le ch'min d' la factrie à maison
Je serais rendue, y a pas d' doute
Faiseuse de bébelles au Japon
Pourtant, à cause de mes heures
J' peux pas vous décrire mon parcours
J' vois rarement les choses en couleurs
Vu qu'il fait noir aller-retour

Quand la sirène crie délivrance
C'est l' cas de l' dire, j' suis au coton
Mais c'est comme dans ma p'tite enfance
La cloche pour la récréation
Y a plus qu'une chose que je désire
C'est d' rentrer vite à la maison
Maintenant j'ai plus rien à vous dire
J' suis pas un sujet à chanson...

Paroles : Clémence DesRochers.
Musique : Jacques Fortier.

LA GRASSE MATINÉE

Il est terrible
le petit bruit de l'œuf dur cassé sur un comptoir d'étain
il est terrible ce bruit
quand il remue dans la mémoire de l'homme qui a faim
elle est terrible aussi la tête de l'homme
la tête de l'homme qui a faim
quand il se regarde à six heures du matin
dans la glace du grand magasin
une tête couleur de poussière
ce n'est pas sa tête pourtant qu'il regarde
dans la vitrine de chez Potin
il s'en fout de sa tête d'homme
il n'y pense pas
il songe
il imagine une autre tête
une tête de veau par exemple
avec une sauce de vinaigre
ou une tête de n'importe quoi qui se mange
et il remue doucement la mâchoire
doucement
et il grince des dents doucement
car le monde se paye sa tête
et il ne peut rien contre ce monde
et il compte sur ses doigts un deux trois
un deux trois
cela fait trois jours qu'il n'a pas mangé
et il a beau se répéter depuis trois jours
ça ne peut pas durer
ça dure
trois jours
trois nuits
sans manger
et derrière ces vitres
ces pâtés ces bouteilles ces conserves
poissons morts protégés par les boîtes
boîtes protégées par les vitres
vitres protégées par les flics
flics protégés par la crainte
que de barricades pour six malheureuses sardines…
Un peu plus loin le bistro
café-crème et croissants chauds
l'homme titube
et dans l'intérieur de sa tête
un brouillard de mots
un brouillard de mots
sardines à manger
œuf dur café-crème
café arrosé de rhum
café-crème
café-crème
café-crime arrosé de sang !…
Un homme très estimé dans son quartier
a été égorgé en plein jour
l'assassin le vagabond lui a volé
deux francs
soit un café arrosé
zéro franc soixante-dix
deux tartines beurrées
et vingt-cinq centimes pour le pourboire du garçon.

Il est terrible
le petit bruit de l'œuf dur cassé sur un comptoir d'étain
il est terrible ce bruit
quand il remue dans la mémoire de l'homme qui a faim.

Jacques Prévert, *Paroles*, © Éditions Gallimard, 1948.

LE MAÎTRE ET L'ÉLÈVE

Excusez-moi monsieur
si je n'arrive pas à lire
sans trébucher ni bégayer
toutes ces belles lettres de l'alphabet
si je n'arrive pas à compter
de un à cent
les uns après les autres
tous les villages de la terre
d'où partent mille cris de faim et de misère
c'est parce que mon père est du Niger
et qu'il est né dans le Sahel
comme moi je suis né loin du miel
mais peut-être que mes frères
des favelas de Rio ou de Treichville
de New-Bell[1] ou de la Briquetterie[1]
sauront mieux vous expliquer
pourquoi il nous manque
tant de cubes dans le cerveau
Mais je crois qu'il vous faut
me laisser tomber monsieur
car à la fin
je ne serai jamais rien
parce que je suis un enfant de la faim

Epalé-Ndika, *La Mort en silence*,

1. Quartiers populaires de Douala et Yaoundé.

L'Homme ou la nature ?

C'est une histoire passionnante et pleine d'enseignements que celle des relations de l'Homme avec la Nature.

Pendant un très long temps, l'idée ne pouvait même venir à l'homme qu'il eût à user de ménagements envers la nature, tant celle-ci lui apparaissait hors de proportion avec les effets qu'il était capable d'exercer sur elle. Mais voilà que, depuis quelques décennies, la situation se retourne... Par suite de la prolifération effrénée des êtres humains, par suite de l'extension des besoins et des appétits qu'entraîne cette surpopulation, par suite de l'énormité des pouvoirs qui découlent du progrès des sciences et des techniques, l'homme est en passe de devenir, pour la géante nature, un adversaire qui n'est rien moins que négligeable soit qu'il menace d'en épuiser les ressources, soit qu'il introduise en elle des causes de détérioration et de déséquilibre.

Désormais, l'homme s'avise que, dans son propre intérêt, bien entendu, il lui faut surveiller, contrôler sa conduite envers la nature, et souvent protéger celle-ci contre lui-même.

Ce souci, ce devoir de sauvegarder la nature, on en parle beaucoup à l'heure présente; et ce ne sont plus seulement les naturalistes qui en rappellent la nécessité: il s'impose à l'attention des hygiénistes, des médecins, des sociologues, des économistes, des spécialistes de la prospective, et plus généralement de tous ceux qui s'intéressent à l'avenir de la condition humaine. Il apparaît dans les programmes des partis politiques; il se manifeste jusque dans les discours des chefs d'État.

Multiples sont, de vrai, les motifs que nous avons de protéger la nature.

Et d'abord, en défendant la nature, l'homme défend l'homme: il satisfait à l'instinct de conservation de l'espèce. Les innombrables agressions dont il se rend coupable envers le milieu naturel — envers «l'environnement», comme on prend coutume de dire — ne vont pas sans avoir des conséquences funestes pour sa santé et pour l'intégrité de son patrimoine héréditaire. Rappellerons-nous que, du fait de la pollution radioactive, causée par les explosions des bombes nucléaires, tous les habitants de la planète, surtout les plus jeunes, portent dans leur squelette des atomes de strontium radioactif? Que, du fait de l'emploi abusif des «pesticides», le lait de toutes les mères contient une certaine dose du pernicieux D.D.T.?

Protéger la nature, c'est donc, en premier lieu, accomplir une tâche d'hygiène planétaire. Mais il y a, en outre, le point de vue, plus intellectuel mais fort estimable, des biologistes qui, soucieux de la nature pour elle-même, n'admettent pas que tant d'espèces vivantes — irremplaçable objet d'études — s'effacent de la faune et de la flore terrestres, et qu'ainsi, peu à peu, s'appauvrisse, par la faute de l'homme, le somptueux et fascinant Musée que la planète offrait à nos curiosités.

Enfin, il y a ceux-là — et ce sont les artistes, les poètes, et donc un peu tout le monde — qui, simples amoureux de la nature, entendent la conserver parce qu'ils y voient un décor vivant et vivifiant, un lien maintenu avec la plénitude originelle, un refuge de paix et de vérité — «l'asile vert cherché par tous les cœurs déçus» (Edmond Rostand) —, parce que, dans un monde envahi par la pierraille et la ferraille, ils prennent le parti de l'arbre contre le béton, et ne se résignent pas à voir les printemps devenir silencieux...

[...]

Préface de Jean Rostand dans Édouard Bonnefous, *L'Homme ou la nature ?*,

LA FUITE EN AVANT

Le piège de l'illusion technique est partout présent dans notre vie moderne. Les grandes villes sont invivables ? Les techniciens offrent leurs services. Les embouteillages bloquent la circulation ? On superpose deux ou trois voies de roulement, on crée un réseau de circulation rapide à cinquante mètres sous terre. La place pour stationner fait défaut ? On construit des parkings de trente étages avec ascenseurs rapides. La pollution rend l'air irrespirable ? On met au point des pots catalytiques et autres systèmes épurateurs. Les espaces verts disparaissent ? On multiplie les autoroutes de sortie pour les évasions dominicales. Le ramassage des ordures devient une charge trop lourde ? On crée un réseau automatique d'évacuation ou des incinérateurs d'immeubles. La grande métropole sauvage engendre la violence ? On renforce les verrous et les portes. Les malfaiteurs entrent par les fenêtres ? On installe des vitres blindées et des grilles. Les bandits qui ne peuvent plus pénétrer dans les habitations attaquent les passants dans les rues ? On développe les moyens de surveillance automatiques, on met des caméras de télévision à chaque carrefour. On invente des armes de défense infaillibles pour les citoyens. La violence se réfugie ailleurs ? Aucune importance, déjà les chercheurs s'en occupent.

On ne va tout de même pas se demander pourquoi la criminalité augmente et quelles mesures sociales seraient propres à la faire diminuer. Ce genre d'interrogation, c'est bien connu, débouche toujours sur des solutions inapplicables. Avec la technique, en revanche, on sait où l'on va.

Après le naufrage du Torrey Canyon et la «marée noire», un fabricant astucieux lança un produit qui devait «ôter de votre corps le mazout des plages». Imaginons la suite de ces recherches en poursuivant dans la même logique. Les plages sont sales, il faut donc nettoyer les gens qui se salissent. Quoi de plus rationnel ? Mais il se pourrait que ce produit finisse par irriter la peau des baigneurs. Un ingénieur pharmacien inventera alors la pommade qui supprime l'irritation du produit qui retire le mazout. Et si d'aventure cette pommade sent mauvais ? Un ingénieur parfumeur inventera le désodorisant qui élimine l'odeur de la pommade qui supprime l'irritation du produit qui ôte le mazout.

> ***Dis maman, pourquoi y a-t-il du mazout sur les plages ?***

Et si les produits de nettoyage demeurent un jour impuissants ? On lancera alors un grand concours pour remédier à la pollution des plages. Les bureaux d'études soumettront leurs projets. Le premier proposera de plonger les baigneurs dans une solution de matière plastique qui se polymériserait sur le corps en une fine pellicule transparente. Après le bain de soleil, on l'abandonne toute crottée, comme le serpent qui perd sa vieille peau lors de la mue. Le deuxième entreprendra de surélever la plage pour qu'elle soit à l'abri de la mer et de ses souillures. Le troisième, plus radical, voudra construire un mur en plastique transparent entre mer et plage. Le quatrième concevra des plages artificielles installées à l'intérieur des terres. Les baigneurs seront cuits par le rayonnement, savamment dosé en infrarouges et ultraviolets, d'une batterie de projecteurs. Ils verront une mer australe de rêve projetée en couleurs et en relief sur un immense écran circulaire. Ajoutez un système de ventilation qui fera passer toute la gamme des brises et des grands vents, des embruns et de l'odeur marine et l'illusion sera parfaite.

Le cinquième projet nécessitera l'installation au fond des mers de gigantesques bassins fermés aux parois transparentes. L'eau y sera épurée, parfumée, baptisée et le nageur jouira du spectacle magnifique des fonds marins tout en étant préservé de ce milieu inhospitalier.

Et jamais on n'écoutera la voix de l'enfant disant: «Dis, maman, pourquoi y a-t-il du mazout sur les plages ?»

François de Closets, *Le Bonheur en plus*,

Les parcs québécois, un patrimoine à conserver

LOUISE GRATTON

Je suis de la banlieue, «née sur la rive sud», comme le chante Michel Rivard. Probablement de la première génération de jeunes Québécois qui n'avaient pas un paternel pêcheur ou un «mon-oncle» chasseur. La nature, c'était la ferme de mon grand-père, les plates-bandes fleuries des Anglais du quartier, la plage de la baie Missisquoi et le cours de sciences naturelles de Madame Lemieux en secondaire I. La nature, j'aimais beaucoup, surtout à la télé... Comme la grande majorité des citadins, j'avais cette conception d'un monde idéal qui ne pouvait exister sans la nature sauvage, même si celle-ci m'apparaissait inaccessible.

Puis, étudiante en mal de voyage, j'ai découvert les parcs... américains d'abord. Le parc national d'Acadia, dans le Maine, offrait un hébergement à la hauteur de mes maigres économies: le camping, au bord d'une mer bien jolie, mais glaciale. Qu'à cela ne tienne, nous ferions comme les «locaux» et irions en randonnée pédestre. J'y ai vu ce qu'on appelait alors un aigle à tête blanche, maintenant pygargue, un castor qui construisait son barrage et, du sommet du mont Bald, le spectacle son et lumière d'un orage sur un océan déchaîné. Ce fut un véritable coup de foudre ! De retour au Québec, c'était au tour du parc du Mont-Tremblant de me séduire, puis au parc du mont Saint-Bruno de me consacrer amante de la nature. Grâce aux parcs, la vraie nature existait pour moi aussi.

Les parcs sont de nouveau pris à partie pour contribuer indûment à alléger le déficit de notre gouvernement.

Dilapidation du capital nature ?

La vraie nature, c'était aussi le thème du centenaire des parcs du Québec, en 1995. La fête n'aurait pas eu lieu si, quelques mois auparavant, le milieu environnemental n'avait pas manifesté son indignation de voir le gouvernement du Québec manœuvrer pour se débarrasser de la gestion des parcs. Le ministère du Loisir, de la Chasse et de la Pêche de l'époque dut reconnaître sa responsabilité dans la conservation et la mise en valeur de ces milieux naturels protégés.

Comme en 1993, alors qu'un vent de privatisation menaçait de dilapider notre patrimoine collectif, il semble bien que les parcs du Québec soient de nouveau pris à partie pour contribuer indûment à alléger le déficit de notre gouvernement. Celui-ci envisage en effet de déléguer

la gestion des parcs à un organisme indépendant. Divers intervenants, qui jusqu'à maintenant avaient manifesté peu d'intérêt pour ce réseau d'aires protégées, y voient tout à coup une occasion en or.

Ils n'ont pas tort. Les parcs, qui ne coûtent à l'État que 21 millions $ par année, génèrent des retombées économiques totales de 170 millions $ en région. De plus,

ils maintiennent l'emploi de 4 600 personnes-année et améliorent la balance commerciale touristique du Québec puisqu'ils sont visités par des étrangers qui, autrement, ne seraient pas venus au Québec. Les parcs du Québec, c'est 600 000 résidents et 250 000 étrangers qui rendent visite aux régions des Laurentides, de Charlevoix, du Saguenay, du Bas-Saint-Laurent et de la Gaspésie : quatre millions de visites au total en un an; une croissance de 50 % au cours des quatre dernières années (Comité-conseil sur la relance des parcs, 1996). L'attrait des parcs québécois tient en grande partie à l'idée, bien ancrée dans l'esprit de beaucoup de visiteurs, que les contrées reculées du Québec sont la dernière frontière sauvage (*the last wild frontier*), garante d'air pur, d'émotions et d'aventures.

Partout ailleurs, les gouvernements ont compris l'extraordinaire potentiel économique de leurs milieux naturels : ils croient en l'importance d'en préserver les acquis, de les accroître, de les mettre en valeur. Au Québec, paradoxalement, on a, en dix ans, diminué de moitié les budgets de fonctionnement et d'immobilisation dans les parcs, non seulement au détriment du mandat de conservation, mais aussi du maintien des infrastructures pour répondre aux attentes minimales des usagers. Personne n'a manifesté publiquement son mécontentement : les plus exigeants ont pour l'instant adopté les parcs fédéraux. Mais la nouvelle agence que nous propose le gouvernement canadien pour gérer ces territoires protégés pourra-t-elle maintenir les standards de qualité auxquels Parcs Canada nous a habitués ?

Priorité : conservation

Comment expliquer cette tendance ? La réponse réside, du moins en partie, dans le fait qu'au Québec la culture «parc» n'existe pas. Ni dans la population en général, ni chez nos élus, ni même dans les organismes responsables de les gérer. On s'intéresse aux parcs pour toutes sortes de raisons : pour une sortie de fin de semaine ou les vacances d'été, pour accroître l'économie locale et régionale ou parce que c'est le mandat qui nous a été confié. Il manque la plus importante : reconnaître que, dans un monde idéal, il y a un coin de nature qu'il faut préserver afin d'en profiter et d'en faire profiter nos enfants, nos amis, nos invités. À quoi bon signer des conventions, être l'hôte de congrès internationaux et développer des stratégies de conservation, quand il suffit simplement d'être convaincus de la nécessité de garder intacts des morceaux de nature !

Nous nous sommes appropriés notre patrimoine culturel à travers les mots de nos écrivains et poètes, les œuvres de nos peintres et sculpteurs et les prestations de nos artistes de la scène. Il est temps de reconnaître que les

paysages, les monts et rivières, les forêts, les animaux et les plantes ont tout autant façonné notre manière d'être et de vivre, et qu'ils appartiennent à notre identité collective. Notre spécificité a été modelée par l'aspect distinctif de notre patrimoine naturel. Tout comme les musées, qui ont une mission de conservation et d'éducation à l'égard de notre culture, les parcs doivent préserver notre environnement naturel, nous aider à mieux le faire connaître et à le partager.

La gestion de l'eau au Québec

Ouvrir les yeux dans l'eau

par Julie Perreault

Il faut un travail systématique et rationnel dans le dossier des ressources québécoises en eau. Une gestion qui tienne compte du caractère vital de l'eau. Une sage consommation où s'équilibrent besoins humains et écosystèmes.

L'eau s'achète maintenant au supermarché. Elle sera bientôt cotée en bourse. Filtrée, traitée, chlorée, transportée, épurée, endiguée, détournée, turbinée, embouteillée: l'eau est devenue un bien manufacturé. Mais l'eau ne se résume pas à une marchandise. Gardons-nous de faire avec l'eau ce que nous avons fait des forêts ou du fer: la dilapider pour deux sous et abîmer le pays.

Bien que le Québec soit composé de milliers de petits réservoirs naturels d'eau souterraine, personne ne s'entend sur la quantité d'eau qu'ils contiennent ni sur leurs cycles de régénération. On nage en pays méconnu. À Franklin, près de la frontière états-unienne, des experts hydrologues ne s'accordent pas sur l'importance de la source souterraine. Certains disent qu'elle dessert un bassin de 1,5 km de diamètre, d'autres croient que ce diamètre pourrait s'étendre jusqu'à 10 kilomètres à la ronde. Milieu exceptionnel? Méconnaissance des nappes souterraines? Intérêts particuliers à défendre? Dans ce contexte, il faut exiger un moratoire sur l'exploitation des sources souterraines.

Soif de chiffres

L'eau est abondante au Québec. Certains parlent de 3% des ressources mondiales d'eau potable, d'autres de 9% ou 16%. Impossible de trancher avec certitude, chacun y allant de son estimation. Chose sûre, il y a beaucoup d'eau douce sur le territoire. Ailleurs, on cherche la goutte d'eau qui permettra de passer l'été. D'un côté, une réserve colossale; de l'autre, une demande importante et vitale. Ne jouons pas à l'autruche: la pression va s'accentuer.

Il est urgent d'estimer sérieusement nos ressources et de suivre leur évolution. Il en va de la pérennité de l'eau. Il faut savoir combien d'eau potable baigne le Québec et comment il faut la traiter. Combien nous faut-il d'eau pour bien vivre sans s'assécher? Combien pourrait-on en retirer tout en préservant l'écosystème et le loisir d'y folâtrer? Est-ce possible? Chacune de ces questions doit avoir une réponse avant de pouvoir imaginer un seul instant partager notre eau.

Car c'est de cela qu'il s'agit. Peut-on abreuver Paul sans assoiffer Marie? Et si

oui, dans quelle mesure ? Ces questions centrales d'exportation d'eau ou, par extension, d'hydroélectricité, nous renvoient directement à notre mode de consommation. Encore là, les données sont déficientes. Impossible de savoir avec précision à quels usages est destinée l'eau. On a des estimations pour tel type d'industrie mais peu de données réelles. Pour obtenir la carte de consommation d'eau du Québec, le compteur d'eau pourrait être un outil précieux.

Attention aux jugements rapides. Le compteur n'est pas synonyme de tarification ni de privatisation, bien qu'il y ait été associé à maintes reprises. Outil de mesure de l'eau, le compteur quantifie l'utilisation. Plus facile et moins dispendieux que d'en poser dans tous les vieux logements, nous proposons d'en installer dans tous les secteurs non résidentiels. Par déduction, cela nous permettra d'évaluer plus justement la consommation du résidentiel, ce qui reste inconnu à date.

Ces données, doublées de critères quant à la consommation souhaitée, permettront de cibler les secteurs et activités fortes utilisatrices d'eau. On pourra ensuite choisir les moyens les plus appropriés pour réduire la quantité d'eau accaparée, voire polluée. De multiples moyens sont déjà à notre portée : sensibilisation populaire, technologies moins «hydrovores», normes réduisant la consommation d'eau des appareils sanitaires et domestiques, etc.

Comme un sage

Une fois le bilan de l'eau complété, la question du partage des eaux reviendra. Peu importe la quantité d'eau que nous estimerons souhaitable ou non de partager, des balises peuvent déjà jalonner la réflexion. Maître de notre eau, nous devons rester. Et ce, que l'eau soit souterraine ou de surface, en neige ou en glace, bleue ou verdâtre. Maître ? Non. Plutôt sage, responsable d'une utilisation plus rationnelle. Qui évite de polluer à la source parce que l'eau, vitale, est partie prenante de notre qualité de vie. Qui évite de la traiter pour rien en la laissant couler impunément. Qui contrôle plus sévèrement la quantité d'eau drainée par les appareils domestiques et industriels. Qui encourage les mesures d'efficacité énergétique, réduisant le besoin d'harnacher de nouvelles rivières. Qui évite d'y voir la future vache à lait de l'État économe. Citoyens comme État, chacun a sa part de responsabilité.

Sagesse aussi le choix des récipiendaires de notre eau, si collectivement nous choisissons cette option. Raymond Jost, du Secrétariat international de l'eau, constate chaque jour les besoins en eau, partout dans le monde. «Je suis totalement pour le partage de l'eau. Mais faut-il la vendre aux riches pour engraisser quelques-uns ? Ça, je ne crois pas !» Dans ce contexte, une partie de notre eau, une partie seulement, pourrait être solidairement partagée, sans obligatoirement l'inscrire dans un rapport marchand. L'eau est une ressource vitale pour tous. Seuls des frais d'exportation pourraient être facturés aux pays en pénurie.

Mais avant de partager notre eau avec quiconque, on doit s'assurer qu'elle ne sera pas gaspillée allègrement. Les États-Unis, par exemple, sont premiers consommateurs d'eau au monde et se pointent déjà comme clients. Plutôt que d'y exporter de l'eau, on pourra leur vendre divers appareils et techniques d'économie d'eau. Le créneau pourrait bien être aussi rentable qu'un pipeline siphonnant la baie James pour abreuver New York !

***Recto Verso*, septembre-octobre 1997.**

CORRESPONDANCES

La Nature est un temple où de vivants piliers
Laissent parfois sortir de confuses paroles;
L'homme y passe à travers des forêts de symboles
Qui l'observent avec des regards familiers.

Comme de longs échos qui de loin se confondent
Dans une ténébreuse et profonde unité,
Vaste comme la nuit et comme la clarté,
Les parfums, les couleurs et les sons se répondent.

Il est des parfums frais comme des chairs d'enfants,
Doux comme les hautbois, verts comme les prairies
— Et d'autres, corrompus, riches et triomphants.

Ayant l'expansion des choses infinies,
Comme l'ambre, le musc, le benjoin et l'encens,
Qui chantent les transports de l'esprit et des sens.

Charles Baudelaire,
Les Fleurs du mal, 1857.

LE RELAIS

En voyage, on s'arrête, on descend de voiture;
Puis entre deux maisons on passe à l'aventure,
Des chevaux, de la route et des fouets étourdi,
L'œil fatigué de voir et le corps engourdi.

Et voici tout à coup, silencieuse et verte,
Une vallée humide et de lilas couverte,
Un ruisseau qui murmure entre les peupliers,
Et la route et le bruit sont bien vite oubliés !

On se couche dans l'herbe et l'on s'écoute vivre,
De l'odeur du foin vert à loisir on s'enivre,
Et sans penser à rien on regarde les cieux...
Hélas ! une voix crie : «En voiture, messieurs !»

Gérard de Nerval,
Poésies.

HYMNE À LA BEAUTÉ DU MONDE

Ne tuons pas la beauté du monde
Ne tuons pas la beauté du monde

Ne tuons pas la beauté du monde
Chaque fleur, chaque arbre que l'on tue
Revient nous tuer à son tour

Ne tuons pas la beauté du monde
Ne tuons pas le chant des oiseaux
Ne tuons pas le bleu du jour

Ne tuons pas la beauté du monde
Ne tuons pas la beauté du monde

Ne tuons pas la beauté du monde
La dernière chance de la terre
C'est maintenant qu'elle se joue

Ne tuons pas la beauté du monde
Faisons de la terre un grand jardin
Pour ceux qui viendront après nous, après nous
Après nous

Ne tuons pas la beauté du monde
La dernière chance de la terre
C'est maintenant qu'elle se joue

Ne tuons pas la beauté du monde
Faisons de la terre un grand jardin
Pour ceux qui viendront après nous, après nous

Paroles : Luc Plamondon.
Musique : Christian Saint-Roch.

IL ÉTAIT UNE FEUILLE

Il était une feuille avec ses lignes
Ligne de vie
Ligne de chance
Ligne de cœur
Il était une branche au bout de la feuille
Ligne fourchue signe de vie
Signe de chance
Signe de cœur
Il était un arbre au bout de la branche
Un arbre digne de vie
Digne de chance
Digne de cœur
Cœur gravé, percé, transpercé,
Un arbre que nul jamais ne vit.
Il était des racines au bout de l'arbre
Racines vignes de vie
Vignes de chance
Vignes de cœur
Au bout des racines il était la terre
La terre tout court
La terre toute ronde
La terre toute seule au travers du ciel
La terre.

Robert Desnos,
«Les portes battantes»,
Fortunes, © Éditions Gallimard, 1945.

L'ARBRE

Perdu au milieu de la ville
L'arbre tout seul, à quoi sert-il ?

Les parkings, c'est pour stationner,
Les camions pour embouteiller,
Les motos pour pétarader,
Les vélos pour se faufiler.

L'arbre tout seul, à quoi sert-il ?

Les télés, c'est pour regarder,
Les transistors pour écouter,
Les murs pour la publicité,
Les magasins pour acheter.

L'arbre tout seul, à quoi sert-il ?

Les maisons, c'est pour habiter,
Le béton pour embétonner,
Les néons pour illuminer,
Les feux rouges pour traverser.

L'arbre tout seul, à quoi sert-il ?

Les ascenseurs, c'est pour grimper,
Les Présidents pour présider,
Les montres pour se dépêcher,
Les mercredis pour s'amuser.

L'arbre tout seul, à quoi sert-il ?

Il suffit de le demander
À l'oiseau qui chante à la cime.

Jacques Charpentreau,
La Ville enchantée,
© Jacques Charpentreau.

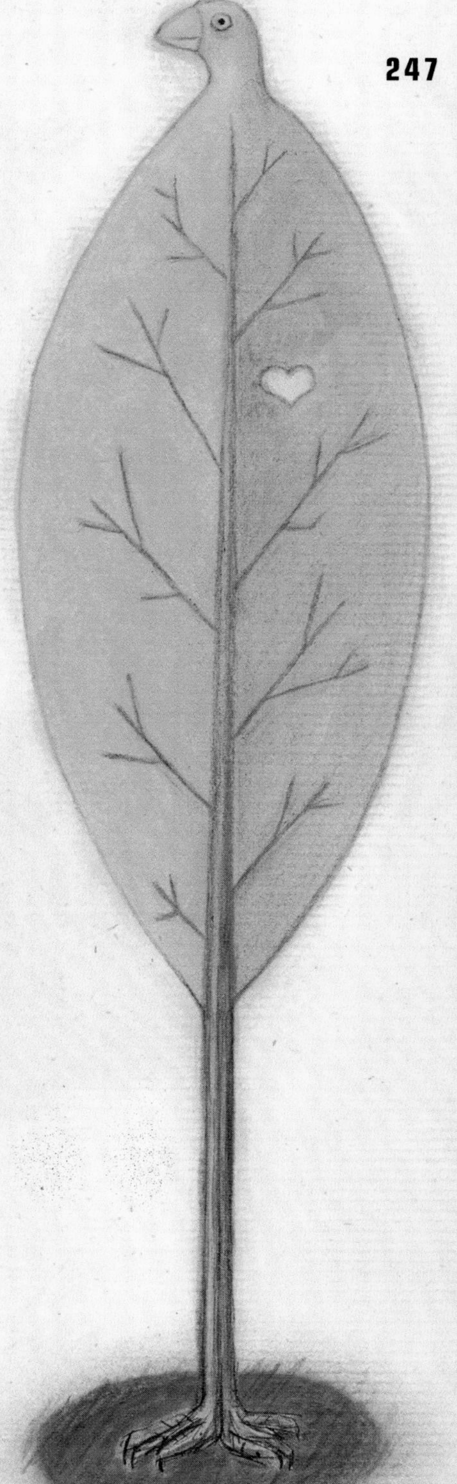

ILS CASSENT LE MONDE

Ils cassent le monde
En petits morceaux
Ils cassent le monde
À coups de marteau
Mais ça m'est égal
Ça m'est bien égal
Il en reste assez pour moi
Il en reste assez
Il suffit que j'aime
Une plume bleue
Un chemin de sable
Un oiseau peureux
Il suffit que j'aime
Un brin d'herbe mince
Une goutte de rosée
Un grillon de bois
Ils peuvent casser le monde
En petits morceaux
Il en reste assez pour moi,
Il en reste assez
J'aurai toujours un peu d'air
Un petit filet de vie,
Dans l'œil un peu de lumière
Et le vent dans les orties
Et même, et même
S'ils me mettent en prison
Il en reste assez pour moi
…

Boris Vian, *Je voudrais pas crever*,

LA PRESSE, 13 MAI 1998

Aimer la vie, c'est aimer l'environnement

JACQUES DUFRESNE
(collaboration spéciale)

Le printemps me rappelle qu'il existe une façon positive d'aborder la question de l'environnement: aimer la vie. Attachons-nous plus d'importance à la présentation annuelle des nouvelles marques de voiture qu'au retour des fleurs? Préférons-nous imiter le vol silencieux des oiseaux au moyen d'un deltaplane ou filer à toute allure sur un quelconque engin motorisé?

Si nous n'aimons pas la vie hors de nous, il vient un moment où nous ne l'aimons plus en nous, où nous ne sommes plus attachés en nous-mêmes qu'à un moi abstrait et exsangue, qui aspire à durer, non à vivre. Et alors ne nous touchent plus, dans le débat sur l'environnement, que les menaces pour la santé humaine. Les papillons, l'ail des bois, les tigres peuvent disparaître, pourvu que je reste, moi! Je ne commencerai à m'inquiéter des atteintes à la nature que lorsque ma durée — non pas même ma vraie santé — sera menacée.

À côté des indices de pollution de l'air ou de l'eau, on devrait rendre publique la cote d'amour de la nature. Cette cote, on pourrait l'établir au moyen de sondages contenant des questions comme celles que nous avons posées précédemment.

C'est une attitude positive face à la vie, un intérêt gratuit pour les plantes et les animaux qui ont été à l'origine des mouvements actuels de conservation de la nature. Si en Europe il y a encore, en dépit de l'industrialisation, un remarquable équilibre entre les forêts et les prairies, c'est moins parce que les gens ont craint la désertification que parce qu'ils ont aimé passionnément les arbres.

Selon l'historien anglais Keith Thomas, qui a consacré un remarquable ouvrage à l'évolution des mentalités à l'égard des plantes et des animaux, le processus qui devait aboutir aux mouvements actuels de défense des animaux a commencé en Europe au XVIIe siècle avec l'émergence d'une science des jardins et d'une zoologie libre de tout souci utilitaire. C'est à ce moment par exemple qu'on commença à classer les espèces selon des principes ne mettant plus en jeu leur rapport à l'homme (comme le faisaient les couples de contraires: comestibles/non comestibles, utiles/inutiles, domestiques/sauvages).

«Ainsi mises à distance dans le savoir, bêtes et plantes peuvent devenir l'objet d'attentions affectueuses et désintéressées. La prolifération des animaux familiers, qui ont droit d'entrée dans la maison, qui portent des noms propres et qui jamais ne sont croqués, l'affirmation d'un véritable culte de l'arbre sont autant de signes d'une attitude nouvelle qui voit dans la nature une compagne et non plus une servante, et qui attache grand prix aux amitiés animales. De là un spectaculaire renversement des habitudes anciennes, substituant la rage des plantations aux déboisements séculaires et la protection des animaux, même sauvages, aux massacres ordinaires»[1].

On a pu observer un phénomène semblable en Amérique. Ainsi ce n'est pas pour protéger la nature sauvage, menacée par l'homme, que le gouvernement américain a créé le parc Yellowstone vers 1870, mais parce que le site paraissait enchanteur. Voici ce que raconte René Dubos à ce propos.

«Le lieutenant Doane parlait dans son journal de la beauté «toute-puissante» du site qui «transcendait les visions du paradis musulman». Les explorateurs décrivaient naturellement les geysers, les lacs, les chutes d'eau comme des merveilles de la nature. Mais ce qui les surprenait le plus, et les enchantait littéralement, c'était que la région avait l'apparence

1. THOMAS, Keith, *Dans le jardin de la nature, La nutrition des sensibilités en Angleterre à l'époque moderne*, Paris, Gallimard, 1985.

inattendue d'un parc. La végétation et les formes naturelles du terrain évoquaient pour eux les classiques aménagements paysagers de l'homme: les geysers leur semblaient des fontaines, les sources chaudes en terrasse leur rappelaient les jardins des villas italiennes»[2].

C'est dans le même esprit positif que Marie-Victorin a découvert le paysage québécois et fait naître la passion de la nature chez des dizaines de milliers de ses compatriotes. Robert Rumilly est sûrement très proche de la vérité quand il décrit ainsi la découverte du chardon de Mingan par Marie-Victorin. «Accroupi sur la berge pour mieux examiner ce chardon de Mingan, il éprouve une des plus puissantes émotions de sa vie. Des jeunes gens croient ressentir une immense joie parce qu'ils courent à leur premier rendez-vous. Pur enfantillage! La joie qui vous inonde, qui vous soulève, c'est celle de la création artistique ou de la découverte scientifique. Être le premier de tous les hommes à distinguer cette belle plante, sans doute plusieurs fois millénaire, et à la faire connaître! On voudrait crier, sauter, rire et pleurer, et l'on reste muet de joie»[3].

C'est aussi par amour de la vie que Marie-Victorin a fondé le Jardin botanique, relevant ainsi un grand défi: convaincre des bienfaits de la nature des Montréalais arrivant d'une campagne où ils avaient surtout connu la misère. À la fin de la décennie 1930, les cercles de jeunes naturalistes étaient probablement plus nombreux et plus vivants que ne le sont aujourd'hui les groupes d'ornithologues et d'écologistes. Et de toute façon, les seconds sont les héritiers des premiers. L'enthousiasme de Marie-Victorin a été plus fécond, pour ce qui est de l'amélioration de nos attitudes devant la vie, que les milliers de rapports sont inutiles (je pense cependant qu'ils restent lettres mortes s'ils ne tombent pas dans un terrain où l'amour de la vie existe déjà).

S'il y a une chose importante à retenir de l'œuvre et de la vie de Marie-Victorin, c'est bien la suivante: aimer la vie et aimer le silence, c'est une seule et même chose. La vie est un silence animé, coloré et non un spectacle excitant. Quiconque a fréquenté des lieux sauvages le sait d'instinct. L'ours qui traverse un lac ne fait pas de bruit en nageant. De même les Indiens, qui ont appris des bêtes la vertu du silence, parviennent à avironner sans soulever la moindre goutte d'eau.

Quand on arrive dans un lieu sauvage, un lac du Nord par exemple, on a d'abord l'impression que tout y est mort. Et comment en serait-il autrement? On arrive le jour et l'activité dans les bois est pour l'essentiel nocturne. Quant aux bêtes qui ont l'habitude de sortir le jour, elles ont établi entre elles un subtil modus vivendi que nous brisons évidemment par notre soudaine et tapageuse irruption dans leur univers. Ces animaux diurnes se comportent devant nous comme les populations qui abandonnent maisons et ateliers à l'approche d'une armée ennemie. Puis, après quelques heures ou quelques jours, la vie animale reprend son cours normal. La marmotte revient à ses méditations, la mère bec-scie et ses cannetons recommencent à patrouiller sur les bords du lac. Le charme de la vraie vie est là, dans cette lente et discrète résurrection. Les aspects les plus sensationnels de cette vie, le chant du huard, certains couchers de soleil, ne prennent eux-mêmes tout leur sens, toute leur réalité que dans la mesure où ils s'intègrent au silence général, lequel nourrit les sens précisément parce qu'il n'a rien de sensationnel.

Quand on a compris cela, on a aussi compris que c'est le bruit et les autres formes de sensationnalisme qui, parce qu'ils détournent les gens de la nature, parce qu'ils la font paraître ennuyeuse, constituent la pire des menaces contre la vie.

2. DUBOS, René, *Les Cahiers de l'Agora*, n° 4, Hiver 1989, p. 25.

3. RUMILLY, Robert, *Le frère Marie-Victorin et son temps*, Les Frères des Écoles chrétiennes, 1949, p. 125.

Une bombe dans votre assiette

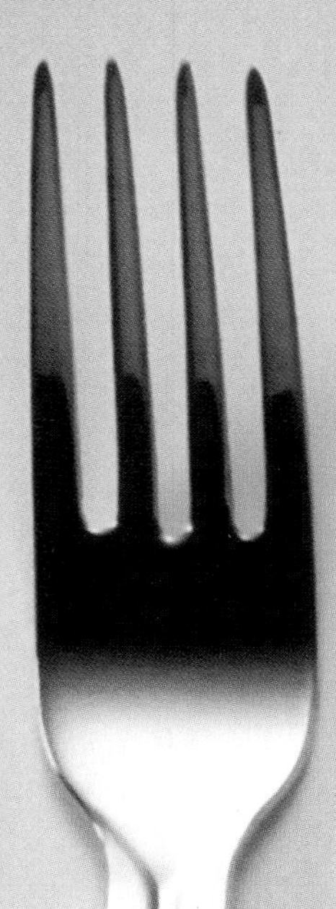

Les aliments mutants

Alors qu'en Europe les consommateurs livrent une bataille féroce contre les produits transgéniques, au Québec, on sait à peine de quoi il s'agit. Pourtant, ils ont déjà envahi les champs... et les assiettes.

par Danielle Stanton

«Cette patate-là, ça vaut de l'or! On épargne un temps fou en épandage d'insecticides.»

Posant fièrement devant le grand entrepôt en acier rouge et blanc de l'entreprise, Philippe Parent, agronome aux Patates Dolbec, à Saint-Ubalde de Portneuf, ne jure que par la nouvelle pomme de terre Superior Newleaf. Cette variété «transgénique», mise au point aux États-Unis et commercialisée au Canada depuis 1997, est munie d'un gène de bactérie (*Bacillus thuringiensis*). Du coup, elle est capable de résister aux attaques de son ennemi de toujours, le doryphore (la vorace «bête à patates» rayée or et noir).

Philippe Parent est non seulement heureux des performances de son tubercule, mais très fier d'être un producteur à la fine pointe de l'agronomie. Il est loin de se douter qu'il est aussi au cœur d'un des débats les plus virulents qui marqueront les 10 prochaines années. [...]

VOIR, 27 JANVIER 2000

Les Grandes Gueules
OGM : il faut continuer

Les OGM, la «frankenfood», la tomate transgénique, la patate bionique, la fraise antigel, le plastique naturel, tout le bazar de la biotechnologie, je ne savais pas trop quoi en penser. Mais je commençais à me méfier... pas des tomates, mais de ceux qui déchirent leur chemise pur lin sur la place publique.

Quand les célébrants de Greenpeace entreprennent un exorcisme, je me sens guidé... dans le sens contraire. Ces croisés ont cultivé l'art de miser sur toutes les peurs pour se faire du capital.

Prétendus chiens de garde de la Terre, ils sont devenus les propagateurs d'une nouvelle foi en la déesse Nature. Dans un monde où la technologie court à une vitesse qui empêche l'honnête citoyen de la comprendre à temps, l'église des écolos-des-derniers-jours a beau jeu de souffler sur les vieilles braises des peurs millénaires : l'imminence de l'apocalypse, la crainte de violer l'ordre divin, le châtiment de la Nature offensée.

Le prince Charles, qui a tout le loisir d'y penser, a résumé l'affaire du haut de son trône : «Les modifications génétiques entraînent l'humanité dans un domaine qui appartient à Dieu et à Dieu seul.» Tout cela vous a des accents qui rappellent les campagnes menées contre les théories de Darwin : n'offensez pas l'œuvre immuable de Dieu, sinon ! Dieu, Nature, peu importe la divinité, on est toujours au royaume du tabou et de la peur.

Mais penser contre Greenpeace et le prince-aux-champs ne suffit pas. Opposer aux nouveaux obscurantistes de l'écologie un optimisme «progressiste» tout aussi sentimental qu'aveugle ne nous avance à rien. Une approche raisonnée est la seule façon de sortir de cette ornière.

D'abord, il faut informer la population. Les «biotechnologues» et les cultivateurs de patates bioniques se sont tiré dans le pied. On apprend un beau jour que notre assiette est remplie de trucs génétiquement modifiés et que personne n'a pris la peine de nous en causer. Quand on n'informe pas les gens, on a l'air de leur cacher des choses inavouables. Après la vache folle, le sang contaminé, l'amiante, ces gens-là ne voient plus le «progrès» du même œil.

La porte est alors grande ouverte aux vendeurs de chimères comme la culture biologique pour tous, le jardin d'Éden retrouvé. Quand on crèche au palais de Buckingham, on peut rêver à ça mais quand on se demande comment on va nourrir trois, quatre milliards d'êtres humains de plus, la pensée écolo-chic, on s'en passe.

La moindre des choses maintenant est de consentir à l'étiquetage exact des produits. Qu'on le dise, qu'on imprime cette fraise est un produit transgénique. Il paraît que les commerçants sont contre ça, parce que ça pourrait inquiéter la population. Eh bien, il faudra lui répondre à la population, lui expliquer que le génie génétique, ce n'est pas de la magie noire mais la poursuite de ce que l'homme a toujours fait : transformer rationnellement la nature pour en tirer le meilleur parti.

La biotechnologie, c'est la possibilité d'étendre le patrimoine végétal en créant de nouvelles variétés, d'obtenir des aliments plus abondants et plus nutritifs, d'éradiquer la famine par une protection efficace des cultures, de créer de nouveaux vaccins, de l'hémoglobine, du taxol (contre le cancer) en abondance, de l'insuline, de la lipase pour le traitement de la fibrose kystique, etc. C'est aussi la possibilité de supprimer les effets allergènes de certains aliments et de conférer à d'autres des propriétés nouvelles et utiles à la vie humaine.

Oui, c'est le beau côté de la chose mais il y a des risques, nous dit-on. Oui, il y a des risques à toute invention, même quand elles sont vieilles. Il y a des risques à se faire vacciner, à se faire opérer, à prendre des antibiotiques et à manger le roquefort si cher à José Bové.

Le risque zéro, c'est quand on est mort. Tant qu'on est en vie, la question est de savoir si le risque est raisonnable.

Les OGM n'ont tué personne. Il n'y a pas que de gros méchants capitalistes qui s'en servent mais aussi de nombreux scientifiques qui ne complotent pas tous contre l'humanité, au contraire. Les promesses des OGM méritent-elles qu'on continue dans cette voie ? La réponse est oui.

Qu'on encadre mieux ce qui se fait à gauche et à droite, qui s'en plaindra ?

Mais qu'on arrête tout, non ! Qu'on diabolise les OGM, non ! Quant à ces messieurs-dames de la science, ils doivent mieux nous expliquer ce qu'ils font, car cela en vaut la peine. Autrement, on n'entendra encore que les éternels charlatans de l'apocalypse.

Roch Côté
(Journaliste indépendant)

VOIR, 3 FÉVRIER 2000

OGM : il faut arrêter

Selon Roch Côté (Les Grandes Gueules du 27 janvier), nous devons ignorer les avertissements des groupes écologistes et accepter de prendre le risque d'intégrer des OGM dans notre alimentation.

Monsieur Côté reproche aux groupes écologistes d'annoncer la fin du monde à toute heure. Un fait que semble ignorer monsieur Côté, et que connaissent bien ces groupes de pression, c'est qu'il faut crier beaucoup pour obtenir peu. Les OGM font déjà partie de notre alimentation et seraient sans doute passés inaperçus n'eût été des cris d'alarme poussés par les écologistes.

L'étiquetage obligatoire que nous propose monsieur Côté signifierait la mort des OGM. Cela, l'industrie le sait bien. Car si une étiquette affichant «OGM» peut passer inaperçue sur une boîte contenant des morceaux de poisson, l'effet serait dévastateur sur un étalage de fruits. Les gens veulent manger de la nourriture saine et naturelle, pas des plantes fongicides ou antibiotiques.

En fait, quels sont les bienfaits des OGM ? Augmenter le patrimoine végétal ? Non. Des OGM possédant des propriétés insecticides risqueraient, dans la nature, d'éliminer la plante dont ils sont issus, grâce à l'avantage du génie génétique.

Éliminer la famine ? Non plus. La famine n'est pas causée par un manque de ressources alimentaires, mais par une mauvaise répartition des aliments et par la production dans le tiers-monde d'aliments destinés à la consommation dans les pays industrialisés. Ce n'est pas en faisant des super bananes et du café nutritif pour les pays riches que le tiers-monde sera mieux nourri.

Éliminer les allergies ? Les allergies, presque inconnues il y a cinquante ans, sont causées par l'hostilité de notre environnement générée par la pollution : cigarette, échappement des voitures... Et de nouvelles allergies apparaissent chaque jour. Pourquoi ne pas simplement dépolluer ? Ce serait moins risqué tandis qu'éliminer les allergènes est une course sans fin qui équivaut à tenter d'éliminer toutes les maladies de la surface de la terre.

Et qui sont les capitalistes qui fabriquent les OGM que nous consommons ? Les deux plus grands producteurs d'OGM sont Monsanto (producteur du Zyklon B, une arme chimique utilisée durant la Seconde Guerre mondiale) et Dupont (grand fabricant d'armes à feu).

Le DDT, les CFC, la thalidomide... Chaque fois que l'on parle de ces produits, on dit : «On croyait que c'était des produits miracles.» On voit aujourd'hui les résultats de leur utilisation... Les OGM nous causeront-ils, eux aussi, des problèmes ? «Les OGM n'ont tué personne», dit Roch Côté. C'est peut-être vrai. Mais faut-il attendre le premier mort pour agir ?

Alexandre Clément, étudiant

Le Prozac des enfants

CATHERINE ÉLIE

Même si vous n'avez pas d'enfant, vous en avez sûrement entendu parler: le Ritalin est ce stimulant, de la même famille que les amphétamines, qui a paradoxalement pour effet de calmer certains enfants hyperactifs. Présenté comme un médicament efficace et inoffensif, ce nouveau remède connaît depuis quelques années une popularité extraordinaire.

Le Ritalin est-il devenu d'un usage trop courant? Les chiffres ont de quoi faire réfléchir: un million et demi de jeunes Américains entre 5 et 18 ans en prennent, selon une étude de l'Université Johns Hopkins, à Baltimore, dans le Maryland. C'est aux États-Unis que l'on consomme le plus de Ritalin: cinq fois plus qu'ailleurs dans le monde. Chez nous aussi, la drogue a fait un bond remarquable et le taux d'enfants qui en prennent se rapproche de celui de nos voisins.

Pour certains experts, cette augmentation de l'utilisation du médicament n'a rien d'inquiétant. Au contraire, c'est le signe que l'on commence à reconnaître l'existence du «trouble déficitaire de l'attention, avec ou sans hyperactivité» comme on appelle aujourd'hui cette maladie dont les causes demeurent inconnues. Selon ces spécialistes, l'usage du Ritalin serait loin d'être abusif en Amérique du Nord et si on en prescrit si peu en Europe, ce ne serait pas parce qu'on y trouve moins de petits souffrant de ce trouble, mais parce qu'on y persiste à blâmer l'environnement familial et social pour de nombreux problèmes de comportement.

Ici, la mode est au biologique. Ainsi la dépression est de plus en plus question de gènes. Et pour en guérir, pas besoin de changer de vie: il y a le Prozac. Rappelez-vous l'engouement pour cette nouvelle pilule miracle lorsqu'on en a d'abord entendu parler c'était le bonheur pour tous — et surtout pour toutes. Sans effets secondaires ou presque. Et sans accoutumance. C'est ce qu'on dit aujourd'hui du Ritalin. Sauf qu'on le prescrit à de tout jeunes enfants!

Des milliers d'enfants et d'ados sous médication, c'est beaucoup! Et c'est d'autant plus inquiétant qu'ils ont en général entre sept et huit ans quand on les met au Ritalin. Un traitement qu'ils suivront pendant cinq à sept ans. Quel effet cela aura-t-il sur leur développement? On connaît mal les effets secondaires à long terme du médicament, puisqu'il n'est prescrit à grande échelle que depuis quelques années.

Est-ce un hasard si, en cette époque où nous courons tous comme des fous, on rencontre tant d'enfants hyperactifs? Sans nier l'existence de causes physiologiques au déficit de l'attention, il faut bien dire que ce diagnostic, souvent posé à la hâte, a pour effet de déresponsabiliser tout le monde. En commençant par l'enfant lui-même à qui on envoie le message que sa détresse et ses échecs dépendent d'une maladie sur laquelle il n'a pas de contrôle. «Je trouve tragique de voir mon neveu de huit ans me dire, quand il est tannant: "Ce n'est pas ma faute, c'est parce que je n'ai pas pris mon Ritalin ce matin!"» m'a raconté une collègue. Et puis pour certains parents, quel soulagement que de se faire dire que les problèmes de leur enfant ont une cause médicale et peuvent être soignés par une pilule! Ils ne sont pas en cause. Que le petit ait connu un foyer chaotique, où il n'a tout simplement jamais appris à se maîtriser parce que ses parents étaient trop débordés ou indulgents n'a plus rien à voir avec le fait qu'il soit devenu insupportable en entrant à l'école...

Quant au système scolaire, il contribue pour beaucoup au phénomène. C'est le plus souvent à cette étape-là qu'on prescrit du Ritalin aux enfants. Comme l'explique notre journaliste, il est plus facile de changer l'enfant fauteur de troubles que de changer l'école...

Châtelaine, septembre 1998.

On envoie à l'enfant le message que sa détresse et ses échecs dépendent d'une maladie sur laquelle il n'a pas de contrôle.

Le Malade imaginaire

Argan est persuadé qu'il est malade et qu'il doit être en permanence entouré de médecins au point qu'il destine sa fille, Angélique, à un fils de médecin, Thomas Diafoirius. Dans la scène 3 de l'acte III, son frère Béralde vient le dissuader de donner sa fille à un pédant. Il s'engage entre les deux hommes une discussion sur l'utilité de la médecine.

ARGAN — Mais raisonnons un peu, mon frère. Vous ne croyez donc point à la médecine ?

BÉRALDE — Non, mon frère, et je ne vois pas que, pour son salut, il soit nécessaire d'y croire.

ARGAN — Quoi ? vous ne tenez pas véritable une chose établie pour tout le monde, et que tous les siècles ont révélée ?

BÉRALDE — Bien loin de la tenir véritable, je la trouve, entre nous, une des plus grandes folies qui soit parmi les hommes; et à regarder les choses en philosophe, je ne vois point de plus plaisante momerie, je ne vois rien de plus ridicule qu'un homme qui se veut mêler d'en guérir un autre.

ARGAN — Pourquoi ne voulez-vous pas, mon frère, qu'un homme en puisse guérir un autre ?

BÉRALDE — Par la raison, mon frère, que les ressorts de notre machine sont des mystères, jusques ici, où les hommes ne voient goutte, et que la nature nous a mis au-devant des yeux des voiles trop épais pour y connaître quelque chose.

ARGAN — Les médecins ne savent donc rien, à votre compte ?

BÉRALDE — Si fait, mon frère. Ils savent la plupart de fort belles humanités, savent parler en beau latin, savent nommer en grec toutes les maladies, les définir et les diviser; mais, pour ce qui est de les guérir, c'est ce qu'ils ne savent point du tout.

ARGAN — Mais toujours faut-il demeurer d'accord que, sur cette matière, les médecins en savent plus que les autres.

BÉRALDE — Ils savent, mon frère, ce que je vous ai dit, qui ne guérit pas de grand-chose; et toute l'excellence de leur art consiste en un pompeux galimatias, en un spécieux babil, qui vous donne des mots pour des raisons, et des promesses pour des effets.

ARGAN — Mais enfin, mon frère, il y a des gens aussi sages et aussi habiles que vous; et nous voyons que, dans la maladie, tout le monde a recours aux médecins.

BÉRALDE — C'est une marque de la faiblesse humaine, et non pas de la vérité de leur art.

Molière, *Le Malade imaginaire*, 1673.

C'est maintenant qu'il faut agir

Des millions de personnes ont souffert inutilement ou sont mortes prématurément à cause des activités des compagnies de tabac. La tragédie est monumentale. En tant que société, nous avons été lamentablement lents à réagir, signe, sans doute, de la puissance de l'industrie. Comment expliquer autrement la foi accordée à la cigarette, produit toxique et cancérogène qui peut être mortel lorsqu'il est utilisé normalement mais qui n'a que peu de valeur, sociale ou autre ?

L'industrie du tabac est à l'origine de la plus grande tromperie de l'histoire mondiale de la consommation. Malgré les hécatombes, elle ne s'est jamais excusée et n'a jamais indemnisé les familles des victimes. Bien au contraire, elle a nié toute responsabilité et a fait la publicité de ses produits de manière à attirer les adolescents pour remplacer les clients décédés.

Ça suffit ! Les dommages causés par le tabac sont actuellement le premier des problèmes de santé publique. Il a été prouvé de façon incontestable qu'il faut réglementer le tabac. Il est devenu absolument inexcusable de tenter de justifier l'inaction ou les remises à plus tard. Il faut adopter dès maintenant des mesures décisives et complètes. La santé future d'une génération de jeunes gens est en jeu.

Rob Cunningham, *La guerre du tabac : l'expérience canadienne*, © Centre de recherches pour le développement international, Ottawa, (Ontario), Canada 1997.

Tabac et liberté

On peut imaginer deux sortes de monde que nous léguerons à nos enfants. Dans l'un de ces mondes, les gens craignent tout et leur ombre, mais à l'exception de l'État, lequel les enserre pour leur propre bien dans la «tyrannie administrative» que Tocqueville avait prévue. C'est un monde doux et calme, mais morne, sans saveur, sans fumée et sans odeur, où les produits sont tous emballés de la même manière, où des avertissements et interdits de l'autorité figurent partout. Dans la novlangue de la rectitude politique, on n'y parle plus de flirt, mais de harcèlement sexuel, plus de vin mais d'alcoolisme, plus de tabac mais de tabagisme, plus de jeu mais de risque.

L'autre monde se situe aux antipodes : c'en est un de diversité, de couleurs, de liberté, de responsabilité, où chaque individu vit sa vie comme il l'entend, en assumant le risque de ses plaisirs et l'angoisse de sa mort. À la place de dispositifs qui administrent de la nicotine, de la caféine ou de l'éthanol à des ressources humaines remplissant leurs fonctions sociales, on y voit des gens qui fument, qui sirotent du café noir et qui boivent du vin de Bordeaux.

Un dénominateur commun unit ces deux mondes : le taux de mortalité y est également de 100 %. Mais les individus qui meurent ne sont pas les mêmes : dans le premier cas, ce sont des esclaves ; dans le second, des hommes libres.

Pierre Lemieux, *Tabac et liberté*, © Les Éditions Varia, coll. «Essais et Polémiques», 1997.

LA PRESSE, 5 JANVIER 2000

L'éducation et l'information contre le sida

MARK A. WAINBERG

L'auteur est président de l'Association mondiale contre le sida, professeur de médecine à l'Université McGill et chef de la recherche sur le sida à l'Hôpital général Juif de Montréal.

Les Nations Unies ont récemment dévoilé des chiffres sur la propagation du VIH, qui démontrent que plusieurs pays en voie de développement ont profondément besoin de changer leur manière de faire face à l'épidémie du VIH.

Faisons un résumé de ces effroyables statistiques. Plus de 33 millions de personnes à travers le monde sont porteuses du virus. De 30 à 40 % des jeunes filles âgées de 13 à 18 ans vivant dans plusieurs grandes villes subsahariennes sont séropositives. La moitié des policiers et des membres des forces armées de pays tels le Botswana et le Zimbabwe seraient porteurs du VIH. Et plus de 1800 enfants naissent avec le VIH à travers le monde, chaque jour.

Nous prévoyons que l'espérance de vie ainsi que la totalité de la population déclineront dans plusieurs pays africains, au cours de la prochaine décennie, et qu'un grand nombre de femmes en âge de porter des enfants mourront à cause de cette épidémie.

Ironiquement, les messages portant sur la sexualité protégée, qui inondent les Canadiens depuis plus d'une décennie, ne semblent pas avoir la même efficacité dans plusieurs pays en voie de développement où la propagation du VIH est endémique. Par conséquent, tandis que le nombre de nouveaux cas de VIH au Canada, attribuables à la transmission sexuelle, est en voie de déclin depuis plus d'une décennie, l'inverse est le cas dans plusieurs régions d'Afrique et d'Asie.

La seule réponse à cet état de fait est l'éducation. Et c'est pour cette raison que la prochaine conférence internationale sur le sida se tiendra à Durban, en Afrique du Sud, en juillet 2000. La raison est simple. La conférence internationale sur le sida est l'événement médical le plus médiatisé à travers le monde.

Cette couverture médiatique a probablement plus d'influence sur la promotion de la conscientisation face au VIH, ainsi que sur l'éducation et la prévention à travers le monde, que ce que toutes les publications scientifiques pourraient accomplir à elles seules. Tant que les perspectives en vue de trouver un vaccin demeurent faibles, la conscientisation globale demeure le seul moyen de faire face à l'épidémie. Mais, malheureusement, le souhait des scientifiques et des journalistes visant à conscientiser les personnes à risque est souvent contrecarré par les gouvernements des pays dans lesquels le problème est majeur.

Prenons l'exemple de l'Inde. L'Inde connaît plus de

cas de VIH que n'importe quelle autre nation au monde. Vous pourriez croire que les journaux de ce pays couvrent les événements majeurs se rapportant au besoin de se protéger contre le VIH. Pourtant, lors d'une visite en Inde, l'été dernier, au moment du conflit frontalier entre le Pakistan et le Cachemire, la question de l'épidémie du sida était totalement négligée au profit d'une série d'escarmouches relativement mineures qui faisaient pâle figure en importance, en comparaison avec la propagation du VIH.

On doit conclure que la culture qui prévalait en Inde, à ce moment-là, était que le décès de quatre soldats au Cachemire sur une période de 10 jours était un sujet plus méritoire pour attirer l'attention de la presse que la perte de 10 000 personnes à cause du sida au cours de la même période.

Hélas ! trop de pays ne réalisent pas que leur ennemi majeur n'est pas une puissance voisine qui menace de les envahir, mais un virus plus puissant que des chars d'assaut ou des fusils. Une autre vérité est que la plupart des sociétés africaines et asiatiques sont plus conservatrices que les nôtres. Elles sont donc moins aptes à accepter le besoin d'entamer des cours sur l'éducation sexuelle et la conscientisation face au sida avant que l'étudiant n'ait atteint la puberté. Nous devons changer les cultures de ces pays. Leurs chefs politiques et religieux doivent comprendre que leur incapacité à se montrer ouverts et honnêtes ne fera que résulter en millions de cas supplémentaires de VIH. Les statistiques mentionnées ci-dessus montrent clairement que si nous attendons que ces jeunes filles, vivant dans plusieurs pays africains, aient atteint l'âge de 14 ou 15 ans avant d'être conscientisées, plusieurs d'entre elles seront atteintes du VIH avant d'avoir acquis l'information de base pour se protéger.

Au Canada l'évidence veut que des discussions franches sur l'éducation sexuelle dans les écoles conduisent à reporter les premiers rapports sexuels plutôt que l'inverse, comme nous l'avions craint au préalable. Les dirigeants des pays en voie de développement feraient bien de reconnaître que le bien-être de la société qu'ils président dépend d'une estimation honnête des défis posés par l'épidémie du VIH/sida, ainsi que de la reconnaissance du fait que le VIH/sida est le plus important ennemi auquel leur société doit faire face. Ils doivent avoir la volonté de parler ouvertement du sujet à leurs citoyens; la mobilisation des ressources engendrera une réponse couronnée de succès contre l'épidémie du sida.

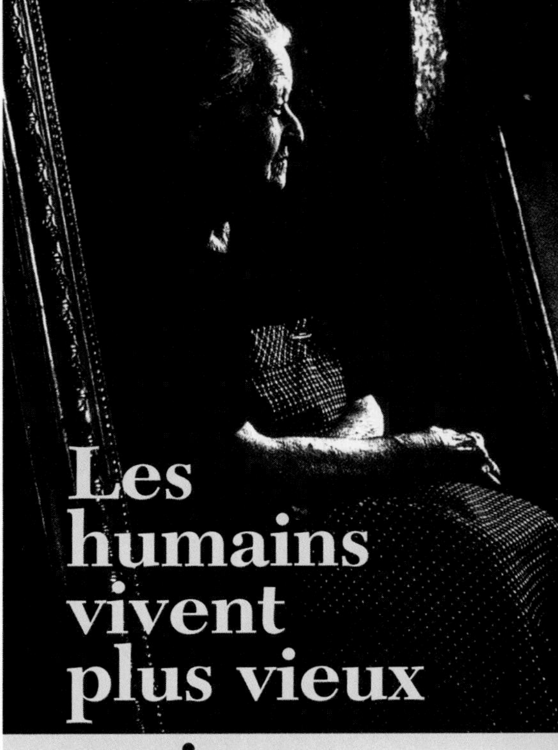

Les humains vivent plus vieux mais pas mieux

LAURENT MOSSU
Le Figaro, GENÈVE

Les hommes vivent plus longtemps, mais pas mieux. L'amélioration de la qualité de vie ne va pas de pair avec le très sensible accroissement de la longévité. L'Organisation mondiale de la santé (OMS) dresse avec inquiétude ce constat, jugeant préoccupant, le déséquilibre actuel, source à ses yeux de profondes perturbations. Le rapport publié à Genève note que la technologie et les soins de santé semblent avoir trop souvent pour effet, aujourd'hui, de maintenir et de prolonger la vie dans des conditions de grand dénuement.

Pour Hiroshi Nakajima, directeur général de l'OMS, cette situation néfaste peut conduire à l'éclatement «d'une crise sanitaire impossible à gérer». Dans l'étude diffusée par ses services, il alerte les gouvernants affirmant avec force «que la santé ne saurait être sacrifiée aux avantages économiques». Et la mise en garde vaut tout autant pour les pays industrialisés que pour le tiers-monde. Il faut se mobiliser contre les nouveaux risques liés à l'industrialisation et aux modes de vie. Il faut sortir l'hémisphère Sud de la malnutrition et des maladies épidémiques.

Santé et économie

Si l'on a de plus en plus conscience de l'importance de la santé dans le développement de la société, dit l'OMS, il y a encore trop loin de cette prise de conscience à son expression concrète dans les stratégies et les politiques des États. La tendance veut encore que l'on compte sur les services de santé pour trouver des remèdes aux conséquences du développement économique. Les besoins sanitaires ne sont pas suffisamment pris en compte, alors que s'élaborent les lignes de conduite.

Le résultat est clair, dit l'OMS: il en résulte, d'une part, de nouveaux risques et, de l'autre, une montée en flèche des coûts des soins de santé.

Tout le monde n'est certes pas logé à la même enseigne. Des groupes, dans toutes les sociétés, sont plus vulnérables que d'autres. Il nous appartient de les tirer d'affaire et de ne pas en faire des laissés-pour-compte comme c'est trop souvent le cas, estiment les experts de l'OMS.

La santé est la base de toute activité économique et en fait du développement, note le rapport diffusé à Genève. Sa protection et son amélioration doivent être considérées comme l'objectif central de toute politique. Une nouvelle conception de la santé comme élément primordial de la vie doit s'imposer. Les changements préconisés exigent une réorientation des choix en faveur de la qualité et au détriment d'un accroissement quantitatif des biens et des services.

Agir d'entrée de jeu

L'OMS plaide pour un réajustement radical des stratégies économiques et sociales afin «de faire intervenir l'aspect sanitaire à un niveau plus fondamental au moment même des choix à opérer entre les différentes options possibles en matière de croissance et de développement». Force est de constater, dit l'OMS, que les problèmes de santé liés à l'industrialisation, à l'augmentation de l'espérance de vie et aux changements importants des modes d'existence et des systèmes de valeurs n'ont en aucune façon suscité l'attention voulue «car on croyait que les progrès techniques suffiraient à y faire face».

Il en est allé de la santé comme de l'environnement. Les risques et les dégâts ont été évalués après coup, l'ampleur des dommages n'est souvent décelée qu'à l'examen des graves conséquences.

«Cela implique que l'on définisse des objectifs sanitaires essentiels liés à la protection et à l'amélioration de l'état de santé et de la qualité de la vie.» La prise en compte des paramètres sanitaires doit constituer l'une des nouvelles règles de vie. Dès le départ, la prise de décision sera influencée par cette approche appelée à devenir naturelle et courante. Les mesures prises en général pour atténuer les répercussions sociales négatives des politiques d'ajustement ont le plus souvent été correctrices. On donnait dans la compensation. Désormais, on agira d'entrée de jeu.

Hiroshi Nakajima prône «un réexamen, un ajustement du tissu même de la vie publique». Un forum international, convoqué en décembre à Accra sur le thème de la santé et des réformes économiques, cherchera à rompre le cercle de la pauvreté et des iniquités. Le modèle des soins fondé sur une technologie sanitaire de plus en plus sophistiquée n'est plus viable, affirme l'OMS, qui entend, si faire se peut, contribuer au changement des mentalités.

JE SUIS UNE CIGARETTE

je fume, comme je respire
comme un pompier, non, c'est bien pire
l'oxygène est un vieux souvenir
mes poumons, touche si tu oses !
la pollution n'aide pas les choses
la vie n'est pas toujours très rose
quand je suis au bord du dégoût
j' m'écrase la tête dans l' cendrier
au bord d' la route dans un égout
je ris jaune, regardez plutôt mes dents
j' ferme la bouche la plupart du temps
je vous l'avoue, c'est très gênant, c'est très gênant

refrain
car je suis une cigarette
j' me consume des pieds jusqu'à la tête
et je prie pour qu' ça arrête
à la dernière allumette, je craque

il est 3 du mat', c'est l' désert
plus une clope, mais qu'est-ce que j' vais faire
je m' casse en caisse au bout de la terre
le sport, j' m'essoufle rien qu' d'y penser
même pas besoin d' faire un essai
je cours 100 mètres, j' te fous la paix, j' te fous la paix

refrain

coupable, du soir au matin
une cartouche entre les mains
je fume en pensant à demain
avec ma tête de mégot amer
et mes idées ultra-légères
je fais un tabac d'enfer
je m' vois déjà, dans un cercueil d'allumettes
avec écrit sur la plaquette, fumeur de cigarettes
fumeur de cigarettes, fumeur de cigarettes

refrain x 2

je craque

Paroles et musique : Mathieu Chédid.

OXYGÈNE

Comme tous les matins
Le soleil se lève
Entre les buildings

Vers sept heures et demie
J'ouvre ma fenêtre...
Toujours le même homme qui fait son jogging !

Je m'habille
J' me maquille
J'avale un grand café noir

Mes lunettes
Ma mallette
Accessoires obligatoires

Les miroirs
Du couloir
Multiplient ma silhouette

L'ascenseur
Me fait peur
À chaque étage, mon cœur s'arrête...

Donnez-moi
Donnez-moi de l'oxygène
Donnez-moi de l'oxygène...

Dans une ambulance
Traversant la ville
À deux cents à l'heure

On mène à l'urgence
Un homme immobile
Avec une pile à la place du cœur

À midi
Et demi
Encore un grand café noir

Je ne mange
Qu'une orange
Pour tenir le coup jusqu'au soir
Je m'étends
Un instant
Les jambes à la verticale

Je respire
Et j'expire
Dans un mouvement machinal...

Donnez-moi
Donnez-moi de l'oxygène
Donnez-moi de l'oxygène...

Dans une cour d'école
Un enfant qui joue
Avec un ballon vert

Porte tout à coup
La main à son cou
En tombant par terre, étouffé par l'air

Toute la s' maine
J' me démène
De neuf heures jusqu'à cinq heures

Le trafic
Me panique
Quand je roule à la noirceur

Le parking
Du building
A toujours la même odeur

En rentrant
Dans l'appartement
J'allume mon climatiseur...

Donnez-moi
Donnez-moi de l'oxygène
Donnez-moi de l'oxygène...

Paroles: Luc Plamondon.
Musique: Germain Gauthier.

CETTE VIE, LA PORTER...

Cette vie, la porter
jusqu'à l'incandescence
comme un bouquet fragile
d'étincelles sauvées
dont seul l'éclair fertile
aurait un peu de sens.
La porter comme un feu
au temps des hommes nus,
comme un noyau de braises
à transmettre à tous ceux
qui refont la genèse
en paradis perdu.

Cette vie, l'arpenter
d'un bon pas de marcheur
qui saurait cependant
qu'il peut se dérouter,
qu'il n'est ni lieu ni heure
pour arriver à temps.
L'arpenter ou flâner,
c'est selon la saison,
la manière qu'on a
de chercher l'horizon
et d'accorder son pas
au monde traversé.
[...]

Cette vie, l'inventer
contre l'usure des mots,
les lèvres trop prudentes,
les gestes étriqués
et les rêves falots
qui nous lient dans l'attente.
L'inventer à propos,
puisque le cœur réclame
un peu plus de vertige,
un peu plus d'états d'âme
et que le chant exige
et la langue et la peau.
[...]

Cette vie, la fêter
en allant jusqu'au bout
dans la paix et la fièvre,
ayant su la risquer
en se tenant debout
et la caresse aux lèvres.
La fêter en secret
en lui offrant son temps
et croire désapprendre
la peine et les regrets
en leur abandonnant
les jours tombés en cendre.

Michel Baglin, *L'Obscur vertige des vivants*, © le dé bleu, 1994.

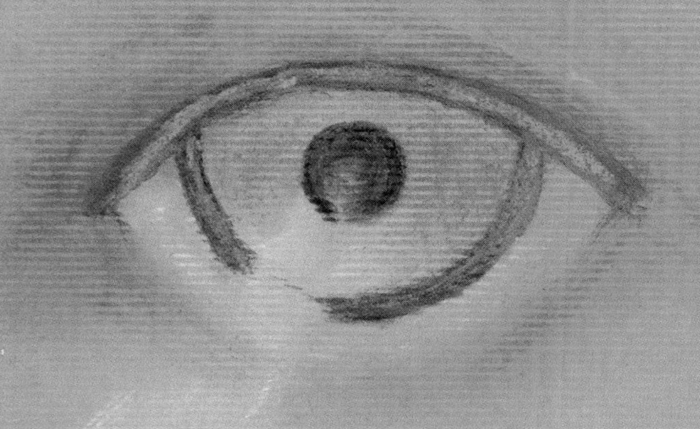

QUE DÉJÀ JE ME LÈVE EN CE MATIN D'ÉTÉ

Que déjà je me lève en ce matin d'été
Sans regretter longtemps la nuit et le repos.

Que déjà je me lève
Et que j'aie cette envie d'eau froide
Pour ma nuque et pour mon visage.

Que je regarde avec envie
L'abeille en grand travail
Et que je la comprenne.

Que déjà je me lève et voie le buis,
Qui probablement travaille autant que l'abeille.
Et que j'en sois content.

Que je me sois levé au-devant de la lumière
Et que je sache : la journée est à ouvrir.

Déjà, c'est victoire.

Eugène Guillevic, *Terre à bonheur*,
© Éditions Seghers, 1952.

ALORS REGARDE

Le sommeil veut pas d' moi, tu rêves depuis longtemps
Sur la télé la neige a envahi l'écran
J'ai vu des hommes qui courent, une terre qui recule
Des appels au secours, des enfants qu'on bouscule

Tu dis qu' c'est pas mon rôle de parler de tout ça
Qu'avant d' prendre la parole il faut aller là-bas
Tu dis qu' c'est trop facile, tu dis qu' ça sert à rien
Mais c'est encore plus facile de ne parler de rien

Refrain
Alors regarde regarde un peu...
Je vais pas me taire parce que t'as mal aux yeux
Alors regarde regarde un peu...
Tu verras tout c' qu'on peut faire si on est deux

Perdue dans tes nuances la conscience au repos
Pendant qu' le monde avance tu trouves pas bien tes mots
T' hésites entre tout dire et un drôle de silence
T' as du mal à partir alors tu joues l'innocence

Alors regarde regarde un peu...
Je vais pas me taire parce que t' as mal aux yeux
Alors regarde regarde un peu...
Tu verras tout c' qu'on peut faire si on est deux

(*parlé*)
Dans ma tête une musique vient plaquer ses images
Sur des rythmes d'Afrique mais j' vois pas l' paysage
Encore des hommes qui courent une terre qui recule
Des appels au secours, des enfants qu'on bouscule

Refrain x 2

Paroles et musique : Patrick Bruel et Gérard Presgurvic.
© 14 Productions, Scarlet OLaura, Éditions Notation, 1989.

CHARLES BAUDELAIRE

Le poète Charles Baudelaire est né à Paris en 1821. Orphelin très tôt, il se révolte contre sa famille bourgeoise et mène une vie de bohème et de débauche. Il gagne sa vie comme journaliste, «homme de lettres» et critique d'art, mais se consacre aussi à sa poésie, qui exprime son dégoût du monde contemporain et son besoin d'évasion. L'œuvre de Baudelaire témoigne de son goût pour le néant, l'insolite, le mystérieux et le fantastique. Son ouvrage le plus connu, *Les Fleurs du mal* (1857), cause un tel scandale à sa parution que le poète doit, après un célèbre procès, en retirer certaines pièces jugées indécentes. Baudelaire est mort en 1867, à 46 ans.

BERTOLT BRECHT

Né à Angsburg en 1898 et mort à Berlin en 1956, Bertolt Brecht est l'un des plus importants dramaturges du XXe siècle. Il a 16 ans lorsque la Première Guerre mondiale éclate et est mobilisé comme aide-soignant, en 1918. La paix revenue, il adhère au parti social-démocrate. Adversaire du nazisme, il s'exile en 1930. Il fonde la troupe du Berliner Ensemble et crée, avec Kurt Weil, des pièces qui marqueront la dramaturgie contemporaine. Ses poèmes comme ses pièces de théâtre manifestent un engagement qui l'amène, dans une démarche didactique, à remettre en question les fondements de la société.

JACQUES CHARPENTREAU

Né en France, en 1928, Jacques Charpentreau est l'auteur d'une vingtaine de recueils de poèmes dont plusieurs pour enfants. Il est président de la Maison de la Poésie et dirige plusieurs collections poétiques. Il a publié *Ce que les mots veulent dire* (1986), *Les Cent plus belles devinettes* (1983) et le *Dictionnaire des poètes et de la poésie* (Gallimard, 1983).

ROBERT DESNOS

Poète français né à Paris en 1900, Desnos participe au mouvement surréaliste d'André Breton. On le considère comme un véritable génie de l'automatisme verbal. Il ne délaisse tout de même pas l'humour, la fantaisie, le lyrisme et les techniques rythmiques plus traditionnelles. Dans la lignée du romantisme nervalien, il cherche à concilier le monde réel et du rêve. Ses principaux recueils sont: *La Liberté ou l'amour* (1927), *Corps et biens* (1930), *Fortune* (1942) et *Choix de poèmes*, publié en 1945, l'année de sa mort.

CLÉMENCE DESROCHERS

Née en 1933, Clémence DesRochers a écrit des récits, des poèmes, des comédies musicales, des monologues et des chansons. Elle aborde les sujets les plus graves comme les plus tristes, les plus quotidiens autant que les inusités, avec humour et poésie. Première humoriste à exploiter les thèmes féminins, Clémence DesRochers a devancé la vague féministe des années 1970 et lui a ouvert la voie. Tantôt tendre, tantôt délirante, mais toujours émouvante, elle parle avec réalisme d'un autre versant du féminisme, les femmes anonymes qui parlent tout bas et craignent de déranger, des femmes peu fières d'elles, certes, mais pas nécessairement malheureuses pour autant. Comme les travailleuses des manufactures, des « factries ».

DAVID DIOP

David Diop est un poète sénégalais né en 1927 et mort très jeune, en 1960. Il n'a publié qu'un seul recueil de son vivant: *Coups de pilon*. Son œuvre exprime une conscience raciale aiguë. «Ce qui le caractérise, c'est la sobre vigueur du vers et un humour qui cingle comme un coup de fouet bref.» Léopold Sédar Senghor.

EUGÈNE GUILLEVIC

Né à Carnac en Bretagne, en 1907, Guillevic se fixe à Paris en 1935. Pendant l'occupation allemande (1940-1944), il participe au recueil collectif et clandestin *L'Honneur des poètes*. Sa poésie est inspirée de sa Bretagne natale et de son engagement communiste. Il a publié, entre autres, *Terraqué* (1942), *Avec* (1966), *Choses* (1970), *Trouées* (1981).

CLÉMENT MARCHAND

Né en 1912 à Sainte-Geneviève-de-Batiscan, Clément Marchand entre à la rédaction de l'hebdomadaire le *Bien public* en 1933. Il dirigera par la suite le journal, puis l'imprimerie et les éditions du même nom, jusqu'à nos jours. À partir de 1930, il fréquente les réunions d'Alfred Desrochers, avec Robert Choquette, Éva Senécal, Jovette Bernier, Louis Dantin et d'autres écrivains. C'est la Crise des années trente qui lui inspire son unique mais important recueil, *Les Soirs rouges*, prix David 1939, mais publié seulement en 1947. Fresque lyrique, parfois hallucinante, cette œuvre est un hymne à la ville et aux travailleurs, un chant du corps meurtri dans un monde inhumain.

GÉRARD DE NERVAL

Poète et romancier né en 1808, Gérard de Nerval est associé au mouvement romantique français. Son exploration des correspondances entre le rêve et la réalité, de même que l'exaltation mystique présentée dans ses œuvres font de lui un précurseur du symbolisme. Outre ses poèmes et son roman *Aurélia*, on lui doit un recueil de nouvelles *Les Filles du feu* (1854). Il meurt en 1855.

LUC PLAMONDON

Luc Plamondon est né en 1942 dans la région de Portneuf au Québec. Il écrit des chansons pour de nombreux interprètes dont Diane Dufresne, Julien Clerc et Céline Dion. Avec Michel Berger, il crée la comédie musicale *Starmania*, qui connaît une impressionnante carrière et dont sont issues les chansons très connues *Le Blues du businessman* et *Le Monde est stone*. En 1998, il s'associe avec Richard Cocciante et concocte *Notre-Dame de Paris*, une comédie musicale inspirée du roman de Victor Hugo. C'est la consécration ! Tous les pays francophones sont séduits par la chanson *Belle*, tirée de cette œuvre.

JACQUES PRÉVERT

Jacques Prévert est né en 1900. C'est probablement le poète français qui a le mieux réussi à rendre la poésie accessible à tous. Il doit gagner sa vie dès l'âge de 13 ans et exerce différents métiers, par exemple journaliste et figurant au cinéma. Il écrit des scénarios de films, dont celui du chef-d'œuvre du cinéma français, *Les Enfants du paradis*, et publie son premier recueil de poèmes, *Paroles*, en 1946. Le succès est immédiat. Il sort d'autres recueils poétiques dont *Spectacle* (1951) et *La Pluie et le beau temps* (1955) où la tendresse et l'humour font bon ménage avec des sujets plus graves par lesquels il dénonce les valeurs bourgeoises. Il est mort en 1977.

CLAUDE ROY

Ce poète, romancier, journaliste et essayiste est né à Paris, en 1915. Ses vers d'une facture classique unissent le lyrisme, l'émotion et l'engagement. Ses principaux recueils sont *Poète mineur* (Gallimard, 1949), *Enfantasque* (Gallimard, 1998) et *Le Voyage d'automne* (Gallimard, 1987).

JOSEPH PAUL SCHNEIDER

Poète, critique d'art et de poésie, né à Marmoutier en Suisse en 1940, Joseph Paul Schneider réside au Luxembourg. Il est enseignant à l'École européenne et a aussi publié une dizaine de recueils dont *Pays-signe*, *Pierres levées en demeure* (1984) et *Sous le chiffre impassible du soleil* (Cherche-Midi, 1988). Il a rédigé des essais et des études sur des poètes et des artistes.

BORIS VIAN

Boris Vian est né à Ville d'Avray, en France, en 1920. Il est une figure mythique de Saint-Germain-des-Prés où a fleuri l'existentialisme, mouvement d'intellectuels d'après-guerre. Auteur de poèmes, de récits, de chansons et du roman *J'irai cracher sur vos tombes* qu'il a signé du pseudonyme de Vernon Sullivan, Boris Vian a connu une vie mouvementée et intense. Fanatique de jazz, trompettiste, il s'est aussi fait connaître par sa chanson engagée *Le Déserteur*, et son chef-d'œuvre romanesque *L'Écume des jours*. Il est mort à Paris en 1959.

LÉGENDE: (H) Haut (B) Bas (G) Gauche (D) Droite (C) Centre (F) Fond

Visions d'artistes – regards critiques

2 (HG) Archives nationales du Canada / C-11811 (C) Archives nationales du Canada / C-2349 (B) Bibliothèque nationale de Paris • **3** (H) Archives nationales du Canada / C-11811 (B) G. Murray / Archives nationales du Canada / C-23386 • **4** (HG) Michel Boulianne (G) et (C) Archives nationales du Canada / C-013392 • **5** Archives nationales du Canada / C-17937 • **6** (H) Bibliothèque municipale de Montréal (B) Michel Boulianne • **7** Daniel Mallard • **8** (HG) Bernard Brault / La Presse (HD) © Yves Tessier / Réflexion (G), (C) et (F) © Anne Gardon / Réflexion • **9** (F) © Anne Gardon / Réflexion • **10** (H) © Anne Gardon / Réflexion (F) © Yves Tessier / Réflexion • **11** (F) © Yves Tessier / Réflexion (B) Bernard Brault / La Presse • **14** Bibliothèque nationale du Québec (D) Musée des beaux-arts du Canada, Ottawa, toile achetée en 1916 • **15** (G) Musée des beaux-arts du Canada, Ottawa, toile achetée en 1969 (D) Musée des beaux-arts du Canada, Ottawa, toile achetée en 1915 • **16** (HG) Archives nationales du Québec à Québec / E-67 / 197-57-2 (G) et (C) Glenbow Archives, Calgary, Alberta (HD) Bibliothèque nationale du Québec • **17** (H) Vic Daidson / Archives nationales du Canada / C-53641 (B) C.T.C.U.M. • **19** (G) et (H) Alonzo LeBlanc et Roger Chamberland • **20** (H) John Woodruff / Archives nationales du Canada / PA-21394 (F) Archives nationales du Québec à Québec / E-67 / 96968-53 • **21** Cinémathèque québécoise / © La Compagnie France Film inc. • **22** Henri Paul / La Presse • **24** (HG) © Raffi Kirdi / Ponopresse (H), (G) et (F) Archives nationales du Canada / PA-107910 (B) Archives nationales du Canada / PA-145879 • **25** (BG) Bill Kenh / Musée canadien de la guerre (BD) Anon / Archives nationales du Canada / PA-110919 (F) Archives nationales du Canada / PA-107910 • **26** (H) Archives nationales du Canada / PA-137211 (B) (Raffi Kirdi / Ponopresse (F) Archives nationales du Canada / PA-107910 • **27** (HG) Bibliothèque nationale du Québec (G), (HD) et (F) Archives publiques du Canada / PA-51745 • **28** (H) Archives publiques du Canada / C-37366 (F) Archives publiques du Canada / PA-51745 • **29** (B) Archives nationales du Canada / PA-129182 (F) Archives publiques du Canada / PA-51745 • **30** (H) Archives nationales du Canada / PA-43877 (B) Bibliothèque nationale du Québec (F) Archives publiques du Canada / PA-51745 • **33** (HG) © U. Andersen / Sipa Press / Ponopresse (F) et (G) Bibliothèque nationale du Québec (D) © M. Gagné / Réflexion • **34** (H) et (F) Bibliothèque nationale du Québec (B) © U. Andersen / Sipa Press / Ponopresse • **36** (G) La Presse (D) Musée d'art Contemporain de Montréal, photo R.-M. Tremblay, © Succession Paul-Émile Borduas, Gabrielle Borduas • **37** (G) et (D) Musée des beaux-arts de Montréal, © Succession Paul-Émile Borduas, Gabrielle Borduas • **38** (HG) et (G) Steve Staples / La Presse (HD) La Presse (C) Hydro-Québec (B) John Dagget / Archives nationales du Canada / PA-116453 (F) Roger St-Jean / La Presse • **39** (G) Fonds Québec-Presse / Archives nationales du Québec à Montréal (D) La Presse (F) Roger St-Jean / La Presse • **41** (HG) La Presse (HD), (G) et (F) Archives nationales du Canada / PA-133218 • **42** (H) © M. Ponomareff / Ponopresse (B) © M. Ponomareff / Ponopresse (F) Archives nationales du Canada / PA-133218 • **43** La Presse • **44** (HG) © Marco Weber / Ponopresse (D) et (G) La Presse (F) Archives de Montréal • **45** Archives de Montréal • **46** (H) et (F) Archives de Montréal (B) © Marco Weber / Ponopresse • **47** La Presse • **48** © Guy Dubois • **49** La Presse • **51** La Presse • **52** J. Y. Létourneau / La Presse • **53** J. Y. Létourneau / La Presse • **54** (G) / La Presse (D) Propriété de l'Université de Montréal, © Succession Jean-Paul Lemieux, Anne-Sophie Lemieux • **55** (G) Musée du Québec, © Succession Jean-Paul Lemieux, Anne-Sophie Lemieux (D) Photo P. Altmam, Musée du Québec, © Succession Jean-Paul Lemieux, Anne-Sophie Lemieux • **56** (HG) La Presse (HD) © Raffi Kirdi / Ponopresse (C) et (F) Réflexion (BD) Brault / La Presse • **57** (F) Patrick Fuyet (D) © Sean O'Neill / Réflexion (BG) © Pierre Beaudoin / Ponopresse • **58-60** Photo de Pierre Dury tirée du film *Eldorado* de Charles Binamé produit par Cité-Amérique • **61** (HG) Pierre McCann / La Presse (G) et (D) © Lara Nahas / Ponopresse • **62** (G) © Rex Features London / Ponopresse (CG) © Lebleux / Fig-Mag / Ponopresse (CD) © Malanca / Sipa Press / Ponopresse (D) © Sygma / Magma • **63** (H) © Niko / Sipa Press / Ponopresse (B) Pierre McCann / La Presse • **64** Pascal Sanchez • (HG) Éditions Québec-Amérique (G), (D) et (F) © M. Gagné / Réflexion • **66** (G) © Jerg Kroener / Réflexion (F) © M. Gagné / Réflexion • **67** (G) © M. Ponomareff / Ponopresse (D) Éditions Québec-Amérique (F) © M. Gagné / Réflexion

Le temps d'un instant

• **70** Musée d'art moderne, Paris / Photo Giraudon, © VEGAP / SODART 2000 • **73** Musée Picasso, Paris / Photo RMN, J.G. Berizzi, © Succession Picasso / Sodrac (Montréal), 2000 • **74** © The Newberry Library, Chicago• **76** © Jocelyn Bernier • **79** Musée des beaux-arts, Lyon, © Hubert Josse • **82** Bibliothèque nationale de France • **85** © Musée d'Orsay, Paris / Photo RMN, H. Lewandowski • **88** © Topham / Ponopresse • **91** © Kunsthistorisches Museum, Vienne / SuperStock • **92** © SuperStock • **94** © British National Portrait Gallery, Londres / SuperStock • **96** © Georges Thiry / AML / SOFAM, Belgique • **101** © Museo Thyssen-Bùornemisza, Madrid, © Succession René Magritte / Sodrac (Montréal) 2000 • **104** Éditions Gallimard, Montréal, Droits réservés • **107** Menil Foundation, Houston / SuperStock, © Succession René Magritte / Sodrac (Montréal) 2000 • **108** Éditions Gallimard, Montréal, Droits réservés • **111** National Collection of Fine Arts, Washington, © Archives Snark / Édimédia • **114** © Louis Monier Gamma / Ponopresse • **116** © Raymonde Bergeron • **119** © Musée Marmottan, Paris / SuperStock • **121** © Éditions Stock, Droits réservés • **122** Collection privée / Artephot, © Succession Picasso / Sodrac (Montréal) 2000 • **126** Éditions Laffont / Collection de l'auteur, Droits réservés • **129** © Christie's Images / SuperStock • **135** Collection privée, Toronto, © Alex Colville • **136** © Gallimard • **138** Éditions Denoël, Droits réservés • **140** Bibliothèque nationale du Québec • **143** © Monique Charbonneau • **148** Bibliothèque nationale du Québec • **151** Christie's, Londres / Bridgeman-Giraudon, © Succession Fernand Léger / Sodrac (Montréal) 2000 • **152** © Jerry Bauer • **155** © Museo Thyssen-Bornemisza, Madrid • **158** © Éditions Stock • **161** Photo Daniel Roussel, © Kittie Bruneau • **162** Robert Nadon / La Presse • **165** © Daniel Nevins / SuperStock • **168** © Josée Lambert / Ponopresse • **171** Collections du Centre Georges Pompidou / Musée national d'art moderne, Paris Photothèque Photo Philippe Migeot © Centre Georges Pompidou • **172** © Louis Monier / Gamma / Ponopresse

Entracte

• **174** (G) Comédie française / © J. E. Pasquier / Rapho (D) © Gamma / Ponopresse • **175** (HD) © Stéphane Zarov (G) © Josée Lambert • **176** Châteaux de Versailles et Trianon / © Photo RMN • **177** Comédie française / © J. E. Pasquier / Rapho • **178** (G) et (BD) © Josée Lambert • **179** La Presse • **180** Châteaux de Versailles et Trianon / Photo RMN, D. Arnaudet, G. Blot • **181** (G) Comédie française / © J. E. Pasquier / Rapho (D) Christian Desrochers • **183** Christian Lacroix • **185** Châteaux de Versailles et Trianon / Photo RMN, G. Blot • **186** Comédie française / © J. E. Pasquier / Rapho • **187** © Roland Lorente • **189** Photo André Le Coz • **190** © Gamma / Ponopresse • **191** (G) Christian Blanc, Comédie française / © J. E. Pasquier / Rapho (D) Photo André Le Coz • **192** Photo André Le Coz • **193** © Roger Viollet • **194** (G) Sylvia Bergé, Comédie française / © J. E. Pasquier / Rapho (D) Archives du Fonds Couthuran / Photo Claude Gaudreault • **195** © Yves Renaud, 1991 • **196** Archives du Fonds Couthuran / Photo Claude Gaudreault • **197** © Viollet / Gamma / Ponopresse • **198** Jacques Renaud Comédie française / © J. E. Pasquier / Rapho • **199-200** Photo André Le Coz • **201** (HG) © Gamma / Ponopresse (BG) Photo André Le Coz • **202** Comédie française / © J. E. Pasquier / Rapho • **203** © Guy Dubois• **204** (G) © Imapress / Ponopresse (D) Photo André Le Coz • **205** Comédie française / © J. E. Pasquier / Rapho • **206** (G) © Louis Monier / Ponopresse (D) Photo André Le Coz • **207** (G) Sylvia Borgé, Comédie française / © J. E. Pasquier / Rapho (D) Photo André Le Coz • **208** (H) M. Lajoie, Sec. de l'Ordre nat. du Qc et (B) Photo André Le Coz • **209** Comédie française / © J. E. Pasquier / Rapho • **210** © Mirko Buzolitch • **211** Gracieuseté de l'auteur • **212** (G) Comédie française / © J. E. Pasquier / Rapho (D) © Yves Provencher, Photos • **213** © Yves Provencher, Photos • **214** (G) Véronique Villa, Comédie française / © J. E. Pasquier / Rapho (D) Photo © Rolline Laporte • **217, 219 et 220** © Josée Lambert • **222** Robert Laliberté • **223** (G) Comédie française / © J. E. Pasquier / Rapho (D) Daniel Mallard • **224** © M. Ponomareff / Ponopresse

Aux quatre coins de l'univers

• **226** (G) © Mike Agliolo / Int'l Stock / Réflexion (HG) © Nasa / Ponopresse (CG) La Presse (CD) © Rolle / Liaison / Ponopresse (D) © Peter Howe / Ponopresse (C) © Mobile Press / Gamma Liaison / Ponopresse (B) © D. Hall / Camérique / Réflexion • **227** La Presse • **228** Mike Agliolo / Int'l Stock / Réflexion • **230** (HG) Mike Agliolo / Int'l Stock / Réflexion (B) © Mauritius – Poehlmann / Réflexion (H) Murielle Otis • **231** © Nagels / Dahlmeier / All Over / Réflexion • **233** (G) © Réflexion (D) © Ponopresse (B) © Réflexion • **235** (H) © Ponopresse (B) © M. Ponomareff / Ponopresse • **236** © Ponopresse • **240** (HG) © Jerg Kroener / Réflexion (CD) © Barbara Kirchhof / All Over / Réflexion (B) © Réflexion • **241** Super Stock • **242** (HG) © Réflexion (C) © Michel Gagné / Réflexion • **243** (HG) © Sheila Naiman / Réflexion (C) © Réflexion (B) © Perry Mastrovito / Réflexion • **244** (HG) © Réflexion (HD) et (B) © Barbara Kirchhof / All Over / Réflexion • **245** © Barbara Kirchhof / All Over / Réflexion • **249** (G) © Réflexion • **250** (HG) © Harvey Steeves / Réflexion (BD) © Réflexion (BG) © Hackenberg-Mauritius / Réflexion • **251** (F) et (BG) © Benelux Press / Réflexion (BD) © Mauritius-Hackenberg / Réflexion • **252** (HG) © Hackenberg-Mauritius / Réflexion (BD) © Wilfried Gohsens / All Over / Réflexion • **253** © Benelux Press / Réflexion • **254** © Réflexion • **256** © Super Stock • **257** © Michael Agliolo / Int'l Stock / Réflexion • **258** et **259** © Ton van Vliet / All Over / Réflexion